Doofpot

AP-CRIME

Dick Francis

Doofpot

Vertaald door Auke Leistra

Uitgeverij De Arbeiderspers
Amsterdam · Antwerpen

Copyright © 1993 Dick Francis
Copyright Nederlandse vertaling © 1994 Auke Leistra /
BV Uitgeverij De Arbeiderspers, Amsterdam
Oorspronkelijke titel: *Decider*
Uitgave: Michael Joseph Ltd, Londen

Omslagontwerp: Hans Bockting/Paulien Hoogweg (UNA),
Amsterdam
Omslagfotografie: Erik van Gurp, Amsterdam

ISBN 90 295 1657 7 / CIP

Met dank aan mijn peetzoon

ANDREW HANSON
Dip Arch (Edin) RIBA

en liefs voor mijn kleinkinderen

Jocelyn
Matthew
Bianca
Timothy
William

I

Akkoord, hier ben ik dan, Lee Morris, ik gooi ramen en deuren open voor vlagen van leven en een ontijdige dood.

Ze oogden tamelijk onschuldig, zoals ze bij mij op de stoep stonden: twee keurige Engelsen van middelbare leeftijd, gehuld in het tweed en met de platte petten op die horen bij het platteland en de hogere stand. Hun wenkbrauwen waren eendrachtig vragend opgetrokken, hun beider gelaatsuitdrukking was er een van gegeneerde ongerustheid.

'Lee Morris?' zei een van hen. Hij klonk afgemeten, onverstoorbaar, duur. 'Zouden we hem kunnen spreken?'

'U wilt een verzekering slijten?' vroeg ik droog.

Hun gêne nam toe.

'Nee, eigenlijk...'

Een avond laat in maart, de zon laag en krachtig, gouden licht dat zijdelings op hun minzame gezichten viel, hun ogen pijnlijk samengeknepen tegen de gloed. Ze stonden een pas of twee voor me, om vooral niet opdringerig te lijken. Goede manieren vóór alles.

Ik besefte dat ik een van hen van gezicht kende, en een paar lange seconden vroeg ik me af waarom hij mij in vredesnaam kwam opzoeken op deze zondag, zo ver van zijn natuurlijke omgeving.

Tijdens die pauze kwamen drie jongetjes vanuit de gang aanlopen, vanuit de diepten van het huis achter mij. Geconcentreerd baanden ze zich een weg om mij heen en tussen het tweetal door naar buiten, waar ze geruisloos als katten een eeuwenoude eik in klommen, die hen koesterend in zijn takken sloot. De bladknoppen stonden op springen. Daar bleef het drietal liggen, bewegingloos, plat op de buik op het oude boomschors, half zichtbaar, aandachtig, geheimzinnig, diep verwikkeld in een spionagespel.

De bezoekers keken in verbijstering toe.

'U kunt beter binnenkomen,' zei ik. 'Ze verwachten piraten.'

De man die ik herkend had glimlachte plotseling verrukt, waarna hij naar voren stapte alsof hij een besluit had genomen en zijn hand uitstak.

'Roger Gardner,' zei hij, 'en dit is Oliver Wells. We zijn van Stratton Park, de renbaan.'

'Ja,' zei ik, en gebaarde dat ze me moesten volgen, de schemerige gang in, wat ze deden, langzaam, aarzelend, halfverblind door de laaghangende zon.

Ik ging ze voor, de gang door en de enorme ruimte in waaraan ik een half jaar gewerkt had teneinde hem van wegrottende schuur om te bouwen tot comfortabel woonhuis. Het opnieuw tot leven brengen van dergelijke bouwvallen was mijn voornaamste middel van bestaan, maar recentelijk was het onvermijdelijke geschied: mijn gezin was in opstand gekomen tegen het vooruitzicht wéér naar een andere bouwplaats te moeten verhuizen en had me te verstaan gegeven dat dit huis, dat *dit het huis* was waar ze wonen wilden.

Het zonlicht viel door hoge ramen op het westen naar binnen en deed de leigrijze tegels glimmen, voor zover ze niet schuilgingen onder zachte tapijten uit Turkije. Langs de noord-, zuid- en oostzijde van de schuur liep nu een galerij waarop zich een reeks slaapvertrekken bevond. Elke zijde had een eigen trap.

Onder de galerij lag een rij kamers die in een open verbinding met de grote kamer stond, hoewel je ze elk met behulp van vouwdeuren kon afsluiten voor privacy. Daar bevonden zich een vertrek vol boeken en een televisie, een kantoorruimte, een speelkamer, een naaikamer en een lange, ruime eetkamer. Een ontbijtkamer in de zuidoosthoek gaf toegang tot een grote, halfzichtbare keuken, waarachter, aan het oog onttrokken, de badkamer, het toilet en een werkkamer lagen. De scheidingswanden tussen de open kamers zagen eruit als wandjes die niet meer waren dan dat, scheidingswandjes, maar in feite waren het buitengewoon sterke steunmuren waarop de hele galerij rustte.

Het meubilair in het centrale atrium bestond voornamelijk uit zachte leunstoelen die her en der in informele groepjes bij elkaar stonden, met een heleboel kleine tafeltjes binnen handbereik. In een open haard in de westmuur lagen blokken hout te gloeien.

Het effect waar ik op gemikt had, een woning gebouwd als een klein, overdekt marktplein, was nog beter uitgekomen dan ik me had voorgesteld, en ik had voor mezelf (al had ik het mijn vrouw en kinderen nog niet verteld) een tijd geleden al uitgemaakt dat ik het zou houden mocht het een succes worden.

Roger Gardner en Oliver Wells bleven staan, zoals gasten gewoon waren te doen, en keken met onverholen verbazing om zich heen, al leken ze te gereserveerd om commentaar te leveren.

Een naakte baby kroop over de plavuizen, hield stil toen hij op een tapijt aankwam, nam wiebelend en zwaaiend plaats op zijn achterste en begon de wereld om hem heen in ogenschouw te nemen.

'Is die van u?' vroeg Roger bedeesd, zijn ogen op de baby gericht.

'Naar alle waarschijnlijkheid,' zei ik.

Een jonge vrouw in spijkerbroek en sweater, met wapperende blonde manen, kwam op sportschoenen uit het achtereind van de keuken aanhollen.

'Heb je Jamie ook gezien?' riep ze van verre.

Ik wees.

Ze dook op de baby af en tilde hem zonder plichtplegingen van de vloer op. 'Ben ik even *twee seconden* met iets anders bezig...' Ze droeg hem weg met een vluchtige blik op de bezoekers, zonder haar pas overigens in te houden, en verdween weer uit ons gezichtsveld.

'Ga zitten,' nodigde ik hen uit. 'Wat kan ik voor u doen?'

Aarzelend gingen ze zitten. Ze vroegen zich zichtbaar af hoe ze beginnen moesten.

'Lord Stratton is onlangs overleden,' zei Roger uiteindelijk. 'Een maand geleden.'

'Ja, dat is mij ook opgevallen,' zei ik.

'U hebt bloemen naar de begrafenis gestuurd.'

'Dat leek me niet meer dan fatsoenlijk,' stemde ik in met een hoofdknikje.

De twee mannen keken elkaar aan. Roger nam opnieuw het woord.

'Iemand heeft ons verteld dat hij uw grootvader was.'

'Nee,' zei ik geduldig, 'dan bent u verkeerd voorgelicht. Mijn moeder is ooit met zijn zoon getrouwd geweest. Ze zijn gescheiden. Mijn moeder is daarna opnieuw getrouwd en toen kreeg ze mij. Ik ben niet echt familie van de Strattons.'

Het was onwelkom nieuws, leek het. Roger probeerde het opnieuw.

'Maar u bezit wel aandelen in de renbaan, of niet?'

Ah, dacht ik. De vete. Sinds de ouwe heer was overleden hadden zijn erfgenamen, zo zei men, zo'n ruzie dat het er voortdurend om spande of er bloed ging vloeien.

'Ik bemoei me er niet mee,' zei ik.

'Luister,' zei Roger met stijgende wanhoop. 'De erfgenamen maken de renbaan *kapot*. Dat zie je van een kilometer afstand. De ruzies! Argwaan. Haat en geweld. Ze vlogen elkaar al in de haren toen de ouwe heer nog warm was.'

'Het is burgeroorlog,' zei Oliver Wells ontdaan. 'Anarchie. Roger is de manager en ik ben de baancommissaris en we runnen de boel nu zelf, we proberen de zaak draaiende te houden, maar dat zal ons niet veel langer lukken. We hebben geen *autoriteit*, ziet u wel?'

Ik keek naar de diepe bezorgdheid op hun gezichten en bedacht hoe

9

moeilijk het was om als dikke vijftiger in het huidige arbeidsklimaat nog een nieuwe werkkring van dat niveau te vinden.

Lord Stratton, mijn niet-grootvader, had driekwart van de aandelen van de renbaan bezeten en de zaak jarenlang gerund als een soort verlicht despoot. Onder zijn bewind had Stratton Park een reputatie opgebouwd als populaire, goed gerunde renbaan waar trainers hun renpaarden bij tientallen heen stuurden. Er vonden geen Classics plaats, geen Gold Cups, maar het was een toegankelijke en vriendelijke baan met een mooi aangelegd circuit. Er waren nieuwe tribunes nodig en verscheidene face-lifts, maar de oude Stratton was oerconservatief: aan mijn renbaan geen polonaise. Hij verscheen soms heel joviaal op de buis, als de conservatieve nestor die geraadpleegd werd door interviewers wanneer de discussie over de paardesport weer eens oplaaide. Veel mensen kenden hem van gezicht.

Af en toe had ik uit nieuwsgierigheid een middag op de renbaan doorgebracht, maar de sport zelf had me nooit zo getrokken, en hetzelfde kon gezegd worden van de familie van mijn niet-grootvader.

Roger Gardner had de reis echter niet ondernomen om het zomaar op te geven.

'Maar uw *zuster* hoort wel bij de familie,' zei hij.

'Halfzuster.'

'Nou ja.'

'Mr. Gardner,' legde ik uit, 'veertig jaar geleden liep mijn moeder bij haar gezin weg. Ze liet haar kleine dochtertje achter. De familie Stratton sloot onmiddellijk de gelederen. Haar naam werd door het slijk gehaald, wat zeg ik, in het slijk getrapt. Die dochter, mijn halfzuster, erkent mijn bestaan niet. Het spijt me, maar niets wat ik zou kunnen zeggen of doen zou bij de Strattons ook maar enig gewicht in de schaal leggen.'

'De vader van uw halfzuster...'

'En bij hem,' zei ik, 'al helemaal niet.'

In de pauze die volgde, waarin het slechte nieuws werd gekauwd en verteerd, kwam een lange blonde jongen uit een van de slaapkamers op de galerij, huppelde de trap af, zwaaide fladderend naar me en ging de keuken in, om bijna meteen weer terug te komen met de baby op de arm, die nu was aangekleed. De jongen nam de baby mee naar boven, ging met hem terug naar zijn slaapkamer en deed de deur achter zich dicht. Er viel een stilte.

Vragen weifelden op het gezicht van Roger maar werden tot mijn plezier niet gesteld. Roger—luitenant-kolonel R.B. Gardner, volgens de renprogramma's van Stratton Park—zou als journalist een absolute mislukkeling zijn geweest, maar ik vond zijn gereserveerdheid wel rustgevend.

'U was onze laatste hoop,' klaagde Oliver Wells. Het klonk als een beschuldiging.

Als hij hoopte mij een schuldgevoel te bezorgen, faalde hij jammerlijk. 'Wat had u gedacht dat ik zou *doen?*' vroeg ik redelijk.

'We hadden gehoopt...' begon Roger. Zijn stem stierf weg, maar hij vermande zich en probeerde het opnieuw. 'We hadden *gehoopt*, ziet u, dat u ze misschien tot rede had kunnen brengen.'

'Hoe dan?'

'Nou, om te beginnen bent u groot.'

'*Groot?*' Ik staarde hem aan. 'Bedoelt u te zeggen dat ik mijn postuur in de strijd moet werpen?'

Het scheen inderdaad zo te zijn dat mijn verschijning ze op ideeën had gebracht. Het was waar dat ik lang was en lichamelijk sterk; heel handig bij het bouwen van huizen. En ik zou niet durven zweren dat ik daar bij een ruzie nog nooit overtuigingskracht aan had ontleend. Maar er waren gelegenheden waarbij een zachte aanpak en het kleiner maken van mijn schouderpartij harmonieuzere resultaten opleverde, en van nature was ik meer tot de laatste koers geneigd. Lethargisch, noemde mijn vrouw me. Te lui om te vechten. Te kalm. Maar mijn ruïnes werden gerestaureerd en lieten geen spoor van rancune na bij plaatselijke autoriteiten, ik had geleerd om met rede en vrede de benodigde bouwvergunningen los te krijgen.

'Ik ben niet degene die jullie kan helpen,' zei ik.

Roger klauwde naar strohalmen. 'Maar u bezit wel die aandelen. Kunt u daar de oorlog niet mee stoppen?'

'Was dat het wat u op het oog had,' vroeg ik, 'toen u mij uitverkoos?'

Roger knikte ongelukkig. 'We weten niet waar we anders heen moeten, ziet u wel?'

'Dus u dacht dat ik de arena wel binnen zou willen galopperen, zwaaiend met stukjes papier en roepend: "Genoeg", en dat zij dan allemaal hun vooroordelen neer zouden leggen om elkaar in de armen te sluiten?'

'Het zou kunnen helpen,' zei Roger met een strak gezicht.

Hij maakte me aan het glimlachen. 'En als ik u nou zeg,' zei ik, 'dat ik heel weinig aandelen bezit. Ze zijn al jaren geleden aan mijn moeder gegeven bij wijze van schikking in verband met haar scheiding, en ik heb ze geërfd toen zij overleed. Ze leveren zo nu en dan een zeer bescheiden dividend op, maar dat is dan ook alles.'

Rogers gelaatsuitdrukking ging van verbijstering naar geschoktheid.

'Bedoelt u te zeggen,' vroeg hij, 'dat u niet gehoord hebt waar*over* ze ruzie hebben?'

'Ik zei al, ik heb geen contact met ze.' Het enige dat ik wist was wat ik begrepen had uit een korte alinea in het bedrijfskatern van *The Times* ('Erfgenamen Stratton twisten over familierenbaan') en wat bottere opmerkingen in een roddelkrant ('Messen op tafel in Stratton Park').

'Ik ben bang dat u spoedig van ze zult horen,' zei Roger. 'Eén factie wil de renbaan van de hand doen aan projectontwikkelaars. Zoals u weet ligt de renbaan vlak ten noordoosten van Swindon, in een gebied dat voortdurend in zijn voegen kraakt. De stad is uitgegroeid tot een waar industrieel centrum. Allerlei bedrijven vestigen zich er. Het gonst er van nieuw leven. De renbaan neemt voortdurend in waarde toe. Uw handjevol aandelen is inmiddels misschien wel heel veel waard, en in de toekomst zouden ze nog meer waard kunnen worden. Dus een aantal Strattons wil nu verkopen, een aantal wil wachten en een aantal wil helemaal niet verkopen maar de renbaan blijven exploiteren als renbaan, en ik had eigenlijk gedacht dat de factie die meteen wil verkopen al contact met u zou hebben opgenomen. Hoe dan ook, het zal niet lang duren of ze zullen zich uw aandelen herinneren en dan slepen ze u de arena in of u wilt of niet.'

Hij stopte, hij had het gevoel dat hij duidelijk was geweest; en dat was hij ook, vond ik. Maar mijn oprechte verlangen *niet* bij welke ruzie dan ook betrokken te raken leek een typisch geval van 'de echte wereld', zoals een van mijn zoons alle calamiteiten karakteriseerde.

'En u hoort natuurlijk bij de factie die wil doorgaan met paardenrennen,' merkte ik op.

'Nou, ja,' gaf Roger toe. 'Ja, daar horen wij ook bij. Eerlijk gezegd hadden we gehoopt u over te halen met uw aandelen *tegen* verkoop te stemmen.'

'Ik weet niet eens of mijn aandelen wel een stem hebben, en er zijn er ook niet genoeg om veel invloed uit te oefenen. Trouwens hoe wíst u eigenlijk dat ik aandelen heb?'

Roger raadpleegde zijn vingernagels en besloot open kaart te spelen.

'De renbaan is een besloten vennootschap, zoals u wel zult weten. Het heeft directeuren en bestuursvergaderingen en de aandeelhouders worden ieder jaar op de hoogte gebracht wanneer de jaarlijkse algemene vergadering plaatsvindt.'

Ik knikte gelaten. Ik kreeg ieder jaar bericht en negeerde het ieder jaar.

'Welnu, het afgelopen jaar was de secretaris die dat bericht rondstuurt ziek, en Lord Stratton zei dat ik het maar moest doen, daar zou ik hem een reusachtig plezier mee doen, beste kerel...' –zijn stem was een voortreffelijke imitatie van die van de ouwe heer–'dus ik stuurde die aankondiging rond en stopte de lijst van namen en adressen in mijn archief met het oog op de toekomst...' hij zweeg even, aarzelend, '...voor het geval ik het weer zou moeten doen, ziet u wel?'

'En nu is de toekomst opeens daar,' zei ik. Ik dacht na. 'Wie heeft er nog meer aandelen? Hebt u die lijst misschien toevallig bij u?'

Ik zag aan zijn gezicht zowel dat hij hem bij zich had, als dat hij niet zeker wist of het ethisch verantwoord was mij de lijst ter inzage te geven. Het gevaar dat zijn betrekking bedreigde overwon echter alles en na een zeer korte aarzeling stak hij zijn hand in een binnenzak van zijn tweedjasje en haalde er een keurig, eenmaal opgevouwen vel papier uit. Een verse kopie, zo te zien.

Ik vouwde het open en las het ultrakorte lijstje. Ontdaan van adressen zag het er zo uit:

'William Darlington Stratton (3rd. Baron).
Hon. Mrs. Marjorie Binsham.
Mrs. Perdita Faulds.
Lee Morris Esq.'

'Is dat alles?' informeerde ik botweg.

Roger knikte.

Marjorie Binsham was, dat wist ik, de zuster van de oude Lord. 'Wie is Mrs. Perdita Faulds?' vroeg ik.

'Dat weet ik niet,' zei Roger.

'Dus u bent niet bij haar langs geweest? En u bent wel hierheen gekomen?'

Roger gaf geen antwoord, maar dat hoefde ook niet. De ex-militair die hij was voelde zich altijd meer thuis bij andere mannen dan bij vrouwen.

'En wie erft de aandelen van de ouweheer?' vroeg ik.

'Dat *weet* ik niet,' antwoordde Roger geërgerd. 'Daar laat de familie zich niet over uit. Ze zijn zo gesloten als een oester waar het om het testament gaat, en uiteraard kan niemand er inzage in krijgen voor verificatie, wat nog *jaren* kan duren als ze in dit tempo blijven doorgaan. Als ik moest raden zou ik zeggen dat Lord Stratton ze allemaal evenveel aandelen heeft nagelaten. Hij was eerlijk, op zijn manier. En even grote aandelenpakketten zou betekenen dat geen van hen de macht heeft, en dat is de kern van het probleem, zou ik denken.'

'Kent u ze persoonlijk?' vroeg ik, en ze knikten allebei somber. 'Staan de zaken er zo voor?' vroeg ik. 'Nou, het spijt me, maar ze zullen het zelf moeten uitzoeken.'

De jonge blonde vrouw kwam de keuken uit wandelen met een glas in één hand en een fles babyvoeding in de andere. Ze knikte vaag in onze richting, liep de trap op en ging de kamer in waar de jongen de baby mee naar binnen had genomen. Mijn bezoek keek in stilte toe.

Een jongetje met bruin haar kwam op een fiets door de gang vanaf de voordeur aanrijden en legde een beheerst rondje af in de kamer. Toen hij achter mij langs fietste ging hij iets langzamer rijden en zei: 'Ja, ja, je had gezegd dat het niet mocht', waarna hij de gang weer in fietste, de buitenwereld tegemoet. De fiets was scharlakenrood, zijn kleren paars en roze en fluorescerend groen. De lucht leek even na te trillen van dit kleurenbombardement, maar toen werd alles weer rustig en leigrijs.

Ze waren zo tactisch niets te zeggen over gehoorzaamheid of het onder de duim houden van kinderen.

Ik bood het bezoek iets te drinken aan maar ze hadden niets te vieren en mompelden iets over een lange rit naar huis. Ik liep met hen mee het al zachter wordende zonlicht in en bood beleefd mijn verontschuldigingen aan voor hun gebrek aan succes. Ze knikten triest. Ik liep met ze mee naar hun auto.

De drie piraten-belagers hadden de boom de boom gelaten en waren gevlogen. De scharlakenrode fiets flitste in de verte. Mijn gasten wierpen een laatste blik op de lange donkere massa van de schuur, en eindelijk kwam Roger met een vraag.

'Wat een interessant huis,' zei hij beleefd. 'Hoe hebt u dat gevonden?'

'Ik heb het zelf gebouwd. Dat wil zeggen: het interieur. Niet de schuur zelf, uiteraard. Die is oud. Hij staat op de monumentenlijst. Ik moest onderhandelen voor toestemming om er ramen in te mogen zetten.'

Ze keken naar de elegante donkere rechthoeken van glas die onopvallend in het vakwerk waren gezet: het enige dat er aan de buitenkant op wees dat het bouwwerk bewoond werd.

'U hebt een goede architect gehad,' meende Roger.

'Dank u.'

'Dat is iets anders waar de Strattons over in de clinch liggen. Een aantal van hen wil de tribunes afbreken en nieuwe bouwen, en ze hebben al een architect in de arm genomen om tekeningen te maken.'

Zijn stem was gezwollen van walging.

'Nieuwe tribunes?' vroeg ik. 'Dat zou toch mooi wezen? Een beetje comfort voor het publiek?'

'Natuurlijk zouden nieuwe tribunes mooi wezen!' Eindelijk kreeg de ergernis nu de overhand. 'Ik heb er jaren bij de ouweheer op aangedrongen om nieuwe te bouwen. Hij zei altijd: ja, dat doen we nog wel een keer, dat doen we nog wel een keer, maar hij was het nooit echt van plan, niet bij zijn leven, en nu heeft zijn zoon Conrad, de nieuwe Lord Stratton, een afschuwelijke vent uitgenodigd om nieuwe tribunes te ontwerpen, en die loopt met veel bombarie bij ons rond en zegt we hebben dit nodig en we hebben dat nodig, en het is allemaal flauwekul. Hij heeft nog nooit tribunes gebouwd voor wat voor gelegenheid dan ook en hij weet geen donder van paardenrennen.'

Zijn oprechte verontwaardiging interesseerde me veel meer dan een ruzie over aandelen.

'Als ze de verkeerde tribunes bouwen zou dat iedereen de das omdoen,' zei ik bedachtzaam.

Roger knikte. 'Ze zullen het geld moeten lenen, en de paardesportwereld is wispelturig. De gokkers blijven weg als de bars niet naar hun zin zijn, en als de eigenaars en trainers niet voldoende in de watten worden gelegd laten die zeikerds hun paarden ergens anders rennen. Die idioot van een architect keek me volkomen wezenloos aan toen ik hem vroeg wat hij dacht dat het publiek tussen de races door deed. Naar de paarden kijken, zei hij. Nou vraag ik u! En als het regent? Schuilen en zuipen, vertelde ik hem, daar komen de klanten op af. Hij beweerde dat ik ouderwets was. En nu krijgt Stratton Park een peperdure en volmaakt overbodige verbouwing opgedrongen waarna het publiek massaal zal wegblijven. En dan gaat de hele tent, zoals u al zei, op de fles.'

'Alleen als de facties die nu of later willen verkopen hun zin niet krijgen.'

'Maar we hebben nieuwe tribunes *nodig*,' hield Roger vol. 'We hebben *goede* tribunes nodig.' Hij zweeg even. 'Wie heeft uw huis ontworpen? Misschien hebben we *zo* iemand nodig.'

'Hij heeft nog nooit tribunes ontworpen. Alleen huizen... en pubs.'

'*Pubs*,' riep Roger uit. 'Dan zou hij in elk geval begrijpen hoe belangrijk goede bars zijn.'

Ik glimlachte. 'Daar ben ik van overtuigd. Maar u hebt mensen nodig die gespecialiseerd zijn in grote gebouwen. Ingenieurs. Jullie eigen inbreng. Een team.'

'Vertel dat maar aan Conrad.' Hij haalde mismoedig de schouders op en gleed achter zijn stuur. Het raampje werd naar beneden gedraaid en hij keek naar buiten voor een laatste verzoek. 'Zou ik u eventueel mogen verzoeken mij in te lichten indien of wanneer de familie Stratton contact met u opneemt? Ik zou u waarschijnlijk niet moeten lastigvallen, maar ik *geef* om de renbaan, ziet u. Ik weet dat de ouweheer geloofde dat de renbaan gewoon op de oude voet verder zou gaan, en hij wilde het ook zo, en misschien is er iets wat ik kan doen, ik weet alleen niet *wat*, ziet u wel.'

Hij stak weer een hand in zijn jasje en haalde een visitekaartje te voorschijn. Ik nam het aan en knikte zonder iets te beloven, maar hij legde mijn hoofdknikje uit als toezegging.

'Heel hartelijk dank,' zei hij.

Oliver Wells zat roerloos naast hem en liet haarfijn merken dat hij ervan overtuigd was dat hun missie, zoals hij van het begin af al verwacht had, zonder resultaat was gebleven. Hij slaagde er nog steeds niet in mij een schuldgevoel op te dringen. Alles wat ik van de Strattons wist drong er met klem bij me op aan koste wat kost bij hen uit de buurt te blijven.

Roger Gardner nam triest afscheid en reed weg, en ik ging weer mijn huis binnen in de hoop dat ik hem nooit weer zou zien.

'Wie waren die mensen?' vroeg Amanda. 'Wat wilden ze?'

De blonde vrouw, mijn vrouw, lag aan het andere eind van onze enorme echtelijke sponde, als gewoonlijk de afstand tussen ons benadrukkend.

'Ze wilden dat ik op mijn witte paard naar Stratton Park kwam galopperen om ze uit de penarie te halen.'

Ze dacht even na. 'Jij als reddende engel? Vanwege die oude aandelen van je? Ik hoop dat je nee hebt gezegd.'

'Ik heb nee gezegd.'

'Is dat de reden dat je klaarwakker in de maneschijn naar de hemel ligt te staren?'

De geplisseerde zijden hemel overhuifde ons grote bed als een middeleeuwse tent, de enige manier om privacy te krijgen in de dagen vóór er aparte slaapvertrekken ontstonden. De theatrale glamour van de hemel, de kwastjes en de knusse belofte van het bed zetten vrienden altijd op het verkeerde been: alleen Amanda en ik wisten waarom het zo groot was. Het timmeren ervan had me twee dagen gekost, en het werd door ons beiden onderkend als de manifestatie van een moeizaam verkregen compromis. We zouden onder één dak wonen, en zelfs onder één hemel slapen, maar apart.

'De jongens krijgen vakantie deze week,' zei Amanda.

'O ja?'

'Je hebt gezegd dat je ze met Pasen ergens mee naar toe zou nemen.'

'O ja?'

'Dat weet je heel goed.'

Ik had het gezegd om de lont uit het kruitvat van een echtelijke ruzie te halen. Nooit overhaaste beloften doen, hield ik mezelf voor. Een ongeneeslijke zwakte.

'Ik verzin wel iets,' zei ik.

'En wat dit huis betreft...'

'Als het je bevalt blijven we hier,' zei ik.

'Lee!' Dat snoerde haar even de mond. Ik wist dat ze minstens duizend argumenten paraat had om me over te halen: de diverse hints en zuchten waren al weken niet van de lucht geweest, al vanaf het moment dat het grind voor de oprijlaan was gestort en de bouwinspecteur voor het laatst geweest was. Het huis was vrij bezit, voltooid en klaar om verkocht te worden, en we hadden het geld nodig. De helft van mijn werkkapitaal zat in de muren ingemetseld.

'De jongens hebben een geregelder bestaan nodig,' zei Amanda, die haar kruit droog wilde houden.

'Ja.'

'Het is niet eerlijk om ze van school naar school te blijven slepen.'

'Nee.'

'Ze maken zich zorgen dat ze hier weer weg moeten.'

'Zeg dat ze dat niet moeten doen.'

'Ik kan het niet geloven! Kunnen we ons dat veroorloven? Ik had gedacht dat je zou zeggen dat het domweg niet kon. Hoe zit het met dat landhuis bij Oxford, met die boom in de salon?'

'Met een beetje geluk krijg ik deze week een bouwvergunning.'

'Maar we gaan er niet heen, of wel?' Ondanks mijn verzekeringen nam haar bezorgdheid sterk toe.

'Ik ga erheen,' zei ik. 'Jij en de jongens blijven hier zolang als je wilt. Jaren voor mijn part. Ik reis wel heen en weer.'

'Beloof je het?'

'Ja.'

'Geen modder meer? Geen rommel meer? Geen teerkleden als dak en geen gruis meer in de cornflakes?'

'Nee.'

'Hoe ben je tot die beslissing gekomen?'

Het mechanisme van het nemen van beslissingen, dacht ik, was mysterieus. Ik had kunnen zeggen dat het inderdaad was omdat het tijd werd een geregelder leven te gaan leiden voor de kinderen, dat de oudste de examenzone had bereikt en continuïteit in het onderwijs nodig had. Ik had kunnen zeggen dat dit gebied, het vriendelijke platteland op de grens van Surrey en Sussex, tegenwoordig gezonder was dan een heleboel andere woonomgevingen. Ik had de beslissing volkomen logisch kunnen laten klinken.

In plaats daarvan wist ik in het diepst van mijn hart dat de oude eik de doorslag had gegeven. Die had een geweldige indruk op me gemaakt, of althans op het jongetje in mij dat was grootgebracht te midden van het Londense verkeer, omringd door landschappen van steen.

Ik had de eik een jaar eerder voor het eerst gezien, donzig als nu met de belofte van gebladerte. Rijp, volmaakt, met takken die klimmers leken uit te nodigen, en aangezien ik alleen was geweest was ik er zonder gêne in geklommen om me te nestelen in zijn eeuwenoude omarming, vanwaar ik naar de wegrottende schuur had gekeken die iedereen wel pijn aan de ogen moest doen, maar die de eigenaar, krap bij kas, niet mocht slopen. Een historische tiendschuur! Een monument! De schuur moest en zou blijven staan tot hij van ellende daadwerkelijk in elkaar viel.

Wat een flauwekul, was mijn gedachte geweest toen ik uit de boom klauterde en de ruïne betrad door een krakend gat dat dienst deed als deuropening. Geschiedeniswaanzin.

Delen van het dak boven mijn hoofd ontbraken. Aan de westkant leunden de balken dronken op elkaar, schots en scheef, en de steunbalken waren volkomen weggerot. Een verroeste trekker en allerlei ander schroot stonden tussen de struiken die zich uit het gebarsten beton van de vloer omhoogworstelden. Een stijf briesje woei dwars door de desolate rommel heen, kil en onvriendelijk.

Ik had bijna meteen gezien wat daarbinnen gerealiseerd kon worden, alsof het ontwerp al een hele tijd in mijn onderbewustzijn had rondgezweefd, wachtend op het juiste moment om te voorschijn te springen. Het zou een huis voor kinderen worden. Niet noodzakelijkerwijs mijn eigen kinderen, maar kinderen in het algemeen. Voor het kind dat ik geweest was. Een huis met veel kamers, met verrassingen, met plekjes waar je je kon verstoppen.

De jongens hadden het eerst vreselijk gevonden en Amanda, hoogzwanger, was in tranen uitgebarsten, maar de plaatselijke autoriteiten waren behulpzaam geweest en de eigenaar had me de schuur met een stuk land eromheen van een kwart hectare verkocht alsof hij nog nooit zo'n droomtransactie had afgesloten. Toen mijn zoons te horen kregen dat ze allemaal een eigen slaapkamer kregen, een eigen domein, waren hun tegenwerpingen snel uit de wereld.

Ik had een boomchirurg in de arm genomen om de eik te controleren. Een voortreffelijk exemplaar, had die gezegd. Driehonderd jaar oud. Die boom zou ons allemaal overleven, zei hij; en die tijdloze kracht had op mij een rustgevend effect.

'Hoe ben je tot die beslissing gekomen?' herhaalde Amanda.

'Door de eik,' zei ik.

'Wat?'

'Gezond verstand,' zei ik, en dat antwoord stelde haar tevreden.

Op woensdag ontving ik twee brieven die mijn plannen in de war gooiden. De eerste, van een Oxford District Council, was een afwijzing van mijn derde verzoek om een bouwvergunning voor restauratie van het landhuis met de beuk in de salon. Ik belde op om erachter te komen waarom ze mijn verzoek afwezen, aangezien ik eerder begrepen had dat het derde plan hun officieuze goedkeuring had kunnen wegdragen. Ze huldigden nu de mening, vertelde een hardvochtige stem, dat het landhuis als één woning moest worden gerestaureerd, niet als vier kleinere wooneenheden, zoals ik had voorgesteld. Misschien wilde ik mijn plannen herzien en opnieuw indienen. Sorry, zei ik. Vergeet het maar. Ik belde de eigenaar van het landhuis om me als potentiële koper af te melden, wat hem, heel voorspelbaar, in razernij deed losbarsten. Maar we hadden duidelijk afgesproken dat ik niet zou kopen als ik geen bouwvergunning kon krijgen.

Met een zucht verbrak ik de verbinding en liet acht weken werk in de prullenmand vallen. Terug, letterlijk, naar de tekentafel.

De tweede brief was afkomstig van een notaris die optrad namens de familie Stratton en behelsde een uitnodiging voor een buitengewone aandeelhoudersvergadering over Stratton Park, die de volgende week was ingelast.

Ik belde de notaris op. 'Verwachten ze van me dat ik kom?' vroeg ik.

'Ik weet het niet, Mr. Morris. Maar aangezien u aandeelhouder bent waren ze verplicht u op de hoogte te stellen.'

'Wat denkt u?'

'De beslissing is geheel aan u, Mr. Morris.'

De stem was voorzichtig en vrijblijvend, daar had ik dus niets aan. Ik vroeg of ik aandelen met stemrecht had.

'Ja, die heeft u. Ieder aandeel heeft één stem.'

Die vrijdag maakte ik mijn ronde langs een paar scholen, zoals altijd op de laatste dag voor een vakantie, om de jongens op te halen voor hun paasreces: Christopher, Toby, Edward, Alan en Neil.

Wat, wilden ze weten, had ik gepland voor hun vakantie?

'Morgen,' zei ik kalm, 'gaan we naar een racebaan.'

'Motorraces?' vroeg Christopher hoopvol.

'Paarden.'

Ze maakten braakgeluiden.

'En volgende week... ruïnejacht,' zei ik.

Hun oorverdovende afkeuring bleef me de rest van de weg naar huis vergezellen.

'Als ik niet een ander mooi bouwval vind, zullen we dit huis toch nog moeten verkopen,' zei ik, terwijl ik de wagen parkeerde. 'Zeggen jullie maar wat je liever hebt.'

Ontnuchterd gromden ze: 'Waarom zoek je geen *normaal* werk?' Ik vatte dat op zoals het bedoeld was: een berusten in het programma voor deze vakantie. Ik had ze altijd duidelijk gemaakt waar het geld voor eten en kleren en fietsen vandaan kwam en omdat ze nooit ernstig te kort waren gekomen hadden ze een onuitputtelijk vertrouwen in bouwvallen, en zelfs de neiging ze mij aan te wijzen als ik er niet eens om vroeg.

Na de afwijzing uit Oxford had ik de stapel reacties nog eens doorgenomen die ik drie maanden eerder op een advertentie in de *Spectator* had gekregen:

'Gezocht: onbewoonbaar gebouw. Alles komt in aanmerking, van kasteel tot koestal.'

Bij verscheidene interessante aanbiedingen had ik geïnformeerd of ze nog beschikbaar waren. Aangezien het erop leek dat ze dat, dankzij een recente crisis in de onroerend-goedmarkt, allemaal nog waren, beloofde ik een inspectie en stelde een lijst op.

Ik gaf tegenover mezelf nauwelijks toe dat de onbewoonbare gebouwen die aan de rand van mijn bewustzijn knaagden de hoofdtribunes van Stratton Park waren.

Alleen ik wist wat ik de derde baron verschuldigd was.

2

Het regende op de dag van de steeplechase in Stratton Park, maar mijn vijf oudste zoons–van Christopher, veertien, tot Neil, zeven–mopperden niet zozeer op het weer als wel op het feit dat ze op een zaterdag nette, onopvallende kleren moesten dragen. Toby van twaalf, de berijder van de rode fiets, had het uitstapje zelfs helemaal proberen te ontlopen, maar Amanda had hem vastberaden in de bus gezet, bij de anderen. De hele proviandvoorraad cola en hamomelet op broodjes verorberden we bij aankomst op de parkeerplaats.

'Oké, de regels,' zei ik, terwijl ik alle verpakkingen in één zak propte. 'Ten eerste, er wordt niet rondgerend en tegen mensen aan gebotst. Ten tweede, Christopher past op Alan, Toby neemt Edward, Neil gaat met mij mee. Ten derde, wanneer we een verzamelpunt hebben uitgekozen, komt iedereen daar onmiddellijk na elke wedstrijd naar toe.'

Ze knikten. De maatregelen ter controle van onze menigte aan kinderen waren reeds lang ingeburgerd en werden volkomen begrepen. Het geregelde neuzen tellen vonden de kinderen eerder geruststellend dan irritant.

'Ten vierde,' vervolgde ik, 'jullie gaan niet achter paarden langs lopen aangezien paarden de neiging hebben om te trappen, en ten vijfde, niettegenstaande de klasseloze maatschappij kan het op een renbaan geen enkel kwaad als je iedere man gewoon "sir" noemt.'

'Sir, sir,' zei Alan grinnikend, 'ik moet piesen, sir.'

Ik kocht kaartjes en liet de hele club door de poort naar binnen marcheren. Even later wapperden de witte tickets aan de koordjes van de ritsen van vijf blauwe capuchons. Vijf jonge gezichten keken ernstig en vol goede bedoelingen om zich heen, zelfs dat van Toby, en ik ervoer een zeldzaam moment van trots op en genegenheid voor mijn kinderen.

Het verzamelpunt werd bepaald op een punt onder dak niet ver van de plaats waar de winnaar werd afgezadeld en binnen oogbereik van de herentoiletten. Vervolgens gingen we met zijn allen de Club binnen en liepen naar de voorste rijen van de tribunes. Toen ik zeker wist dat ze zich allemaal georiënteerd hadden liet ik de twee paar oudere kinderen gaan. Neil, pienter maar timide wanneer hij niet in het gezelschap van zijn broers opereerde, gaf me zonder iets te zeggen een hand en hield me bijna afwezig vast. Af en toe hield hij mijn broek vast in plaats van mijn hand, maar hij wilde geen moment het risico lopen me kwijt te raken.

Voor Neil, net als voor de fantasierijke Edward, was verdwalen de ultieme nachtmerrie. Voor Alan was het een lolletje, voor Toby een doel. Christopher, onafhankelijk als hij was, verdwaalde nooit en had zijn ouders altijd eerder gevonden dan andersom.

Neil, makkelijk kind, had er geen bezwaar tegen om eerst in de tribunegebouwen rond te dwalen in plaats van meteen naar de paarden te gaan kijken die op dat moment kletsnat door de voorbrengring sjokten. ('Wat zijn de tribunes, papa?' 'Al die gebouwen.') Neils wakkere koppie zoog woorden en uitdrukkingen op als een spons, en ik was eraan gewend geraakt opmerkingen uit zijn mond te horen die ik van een volwassene maar nauwelijks zou verwachten.

We wierpen een blik in een bar waar het ondanks de regen niet erg druk was en Neil trok meteen zijn neus op en zei dat de geur hem niet aanstond.

'Dat is bier,' zei ik.

'Nee, het ruikt zoals die pub waar we gewoond hebben vóór de schuur, zoals toen we daar voor het eerst heen gingen, voor je hem ging verbouwen.'

Ik keek bedachtzaam op hem neer. Ik had een stokoude, slecht draaiende en op sterven na dode herberg verbouwd en van de binnendruppelende klandizie een ware vloedgolf van klanten gemaakt. Ik had bewust geuren *toegevoegd*, vooral van brood in de oven, maar wist niet wat ik had weggehaald, afgezien dan van de lucht van verschaald bier en oude rook.

'Wat voor geur was dat dan?'

Neil ging op zijn knieën zitten en bracht zijn gezicht naar de vloer. 'Van dat afgrijselijke schoonmaakspul in het water wat die pubmeneer gebruikte om zijn linoleum mee te wassen, voor jij dat er allemaal uit haalde.'

'Echt waar?'

Neil kwam overeind. 'Kunnen we hier weggaan?' vroeg hij.

We vertrokken hand in hand. 'Weet je wat ammonia is?' vroeg ik.

'Dat doe je in afvoerpijpen,' legde hij uit.

'Was het dezelfde geur?'

Hij dacht erover na. 'Zoals ammonia maar met een luchtje.'

'Wat walgelijk,' zei ik.

'Nou.'

22

Ik glimlachte. Afgezien dan van het wonderbaarlijke moment dat Christopher geboren werd was ik nooit een babyfan geweest, maar sinds die groeiende en zich ontplooiende geesten eenmaal uitdrukking waren gaan geven aan geheel eigen gedachten en meningen, was ik voortdurend in vervoering geweest.

We keken naar de eerste race, waarbij ik Neil hoog boven alle obstakels uit tilde zodat hij de kleurige actie goed kon volgen.

Een van de jockeys, las ik in het renprogram, heette Rebecca Stratton, en na de wedstrijd, toen de paarden terugkwamen om afgezadeld te worden (R. Stratton niet geplaatst), liepen we net toevallig langs toen zij haar zadelriemen om het zadel bond. Over haar schouder voerde ze een gesprekje met een paar sombere eigenaars, alvorens naar de kleedkamers te vertrekken.

'Hij liep als een torpide stoethaspel. Misschien dat hij de volgende keer oogkleppen moet hebben.'

Ze was lang met een plat lichaam en een mager, geboend gezicht met hoge harde jukbeenderen, en zo te zien tot geen enkel compromis aan haar vrouwelijkheid bereid. Ze liep niet met de hakkendribbel van de mannelijke jockey, maar soepel op de tenen, een beetje als een katachtige, of bijna als een pauw, alsof ze zich niet alleen bewust was van haar eigen macht, maar er ook opgewonden door raakte. De enige andere vrouw die ik zo had zien lopen was een lesbienne geweest.

'Wat is een torpide stoethaspel?' vroeg Neil toen ze weg was.

'Dat betekent traag en klungelig.'

'O.'

We ontmoetten de anderen bij het verzamelpunt en ik deelde een rondje popcorngeld uit.

'Paardenrennen zijn stomvervelend,' zei Toby.

'Als jullie de winnaar weten aan te wijzen betaal ik jullie net zoveel uit als je bij de toto zou krijgen,' zei ik.

'Mij ook?' vroeg Alan.

'Iedereen.'

Alweer iets vrolijker trokken ze erop uit om de deelnemers aan de volgende race te bekijken. Christopher legde de anderen uit hoe je de vorm van de deelnemende paarden uit het renprogram kon opmaken. Neil, die dicht bij mij bleef, zei zonder aarzelen dat hij nummer zeven zou kiezen.

'Waarom zeven?' vroeg ik, het nummer opzoekend. 'Die heeft nog nooit van zijn leven een wedstrijd gewonnen.'

'Mijn kapstokhaakje op school is nummer zeven.'

'O, zo. Nou, nummer zeven heet Clever Clogs.'

Neil straalde.

De andere vier kwamen terug met hun keuze. Christopher had het favoriete paard gekozen. Alan had Jugaloo uitgezocht omdat hij dat een leuke naam vond. Edward had een hopeloos geval gekozen omdat het er triest uitzag en wel wat aanmoediging kon gebruiken. De stem van Toby ging naar Tough Nut omdat die in de ring had lopen 'trappen en steigeren en de mensen flink bang had gemaakt'.

Ze wilden allemaal weten welk paard ik koos en ik nam de lijst vluchtig door en zei voor de vuist weg: 'Grandfather', waarna ik me afvroeg hoe het onderbewustzijn toch werkt, en bedacht dat het misschien toch niet zo'n willekeurige keus was.

Enigszins tot mijn opluchting won Tough Nut van Toby niet alleen de wedstrijd, maar had hij nog voldoende energie over voor een paar valse trappen in de afzadelpaddock. De verveling van Toby sloeg om in grote belangstelling en zoals zo vaak reageerde de rest op zijn stemming. Het hield op met regenen. De middag ging er beslist op vooruit.

Later nam ik ze allemaal mee langs het parcours om naar de vierde wedstrijd te kijken, een steeplechase over drie mijl. Ik koos een plekje uit naast een moeilijke sprong, een open greppel. Deze, de een na laatste hindernis op het parcours, werd in de gaten gehouden door een werknemer van de renbaan die nogal vochtig oogde in een oranje fluorescerend jack, en een vrijwilliger van de St John's Ambulance, wiens taak het was eerste hulp te verlenen aan jockeys die aan zijn voeten neervielen. Een bescheiden menigte van zo'n dertig toeschouwers had dezelfde tocht ondernomen en verspreidde zich achter de reling langs het parcours, zowel voor als achter de hindernis.

De sloot zelf—in de historie van de steeplechase een echte afwateringssloot met water erin—was in de moderne tijd, ook in Stratton Park, geen echte sloot meer, maar een gat van zo'n een meter twintig breed vóór de eigenlijke hindernis. Aan de aanloopzijde lag een grote balk dwars over het parcours om de paarden te laten zien waar ze moesten afzetten, en de hindernis zelf, gemaakt van donkere berketwijgen, was een meter vijfendertig hoog en bijna een meter dik: alles bij elkaar een heel normale hindernis die ervaren 'chasers nauwelijks voor verrassingen plaatste.

Hoewel de jongens al heel wat paardenrennen op tv hadden gezien, had ik ze nog nooit eerder meegenomen naar een echte wedstrijd, en wisten ze dus ook niks van de plekken langs het parcours waar alle zintuigen aan hun trekken kwamen. Toen het tien man sterke veld voor de eerste van de twee keer de hindernis nam, sidderde de aarde onder de stampende hoeven, kraakten de berketakjes toen de halve ton aan 'chasers er dwars doorheen denderde en werd de lucht doorkliefd door de razende horde die lijf en leden riskeerde met een snelheid van tegen de vijftig kilometer per uur op een hoogte van bijna anderhalve meter boven de grond: het lawaai was oorverdovend, de jockeys vloekten en hun gekleurde shirts flitsten kaleidoscopisch voorbij... en opeens waren ze verdwenen, hun ruggen werden kleiner, de stilte keerde weer en het kortstondige moment van dreunend geweld was voorbij, de vitaliteit en de spanning niet meer dan een herinnering.

'Wauw!' zei Toby, vol ontzag. 'Je hebt nooit gezegd dat het *zo* was.'

'Het is alleen maar zo als je er vlakbij staat,' zei ik.

'Maar het moet altijd zo zijn voor de jockeys,' zei Edward bedachtzaam. 'Ik bedoel, zij nemen het lawaai de hele tijd met zich mee.' Edward van tien had het clubje in de eik, de hinderlaag voor de piraten, geleid. Hij was stil, maar dat zei niets: het was altijd Edward die zich afvroeg hoe het zou zijn om een paddestoel te zijn, die praatte met onzichtbare vriendjes, die zich het meeste zorgen maakte om kinderen die honger leden. Edward verzon fantasiespelletjes voor zijn broers en las boeken en leefde een intens innerlijk leven. Hij was zo teruggetrokken als Alan van negen vlot en uitbundig was.

De werknemer van de renbaan liep langs de hindernis om alle losgeraakte takjes met een soort peddel terug te zetten en de hindernis weer netjes te maken voor de volgende aanslag.

De vijf jongens wachtten ongeduldig terwijl de renners hun weg vervolgden en voor de tweede en laatste keer op de open greppel af kwamen alvorens naar de laatste hindernis te galopperen en vandaar de sprint naar de finish aan te gaan. Elk had zijn winnaar uitgezocht en bij mij geregistreerd, en toen mensen om ons heen hun favoriet begonnen toe te juichen zetten de jongens het ook op een brullen. Neil stond van opwinding te springen en riep: 'Kom op zeven, kom op zeven, kom op *haakje*.'

Ik had zelf mijn vertrouwen gesteld in Rebecca Stratton, die deze keer een grijze merrie genaamd Carnival Joy bereed, en toen ze de hindernis naderden leek het erop of ze tweede lag, tot mijn verrassing, aangezien mijn deskundigheid in het aanwijzen van winnaars nihil was.

In de laatste minuut verliet het paard voor haar opeens zijn rechte baan, en ik ving een glimp op van de verbetenheid waarmee de jockey aan zijn teugels trok om uit de problemen te blijven, maar hij kwam helemaal verkeerd op de hindernis af. Zijn paard zette te vlug af en landde precies tussen de afzetbalk en de hindernis, waar het, angstig geworden, zijn jockey dumpte en opsprong, pal vóór niet alleen Carnival Joy, maar voor alle andere renners.

Het gaat snel als er bijna vijftig kilometer per uur gelopen wordt. Carnival Joy, die haar weg geblokkeerd zag, probeerde zowel de hindernis als het paard ervoor te nemen, een bijna-onmogelijke taak. De hoeven van de schimmel raakten het paard zonder berijder, zodat ze met haar volle gewicht op de hindernis stortte. De jockey vloog al buitelend over de hindernis en plofte in een werveling van armen en benen tegen de turf. Carnival Joy viel over de hindernis op haar hoofd, rolde door en kwam op haar zij terecht, waar ze in de kreukels bleef liggen, vervaarlijk trappend in een poging weer op te staan.

De rest van het veld, waarvan sommigen probeerden te stoppen, en anderen niets door leken te hebben, terwijl een paar probeerden er doodleuk omheen te galopperen, verergerde de zaak als auto's die in de mist op elkaar knallen. Een van de paarden nam, te snel, te laat en zonder ook maar een schijn van kans, wat in zijn ogen kennelijk een uitweg had geleken en probeerde van het parcours te springen door de linker vleugel.

Vleugels, aan de afzetkant van iedere hindernis, waren daar nu juist neergezet om te voorkomen dat paarden op het laatste moment afzwenkten en moesten, om aan hun doel te beantwoorden, te hoog zijn om overheen te springen. Pogingen om aan problemen te ontkomen door over de vleugels te springen draaiden dan ook altijd op een ramp uit, hoewel het niet zo erg was als vroeger, toen alle vleugels nog van hout waren, dat versplinterde en de paarden openreet. Vleugels in Stratton Park waren, conform de huidige norm, van plastic, dat meegaf zonder de paarden of hun berijders te verwonden, maar dit paard, dat er onbeschadigd doorheen knalde, kwam vervolgens in botsing met een hele groep toeschouwers die te laat achteruit waren gedeinsd.

De ene minuut was het een soepel lopende wedren, vijf seconden later een slachting. Zijdelings was ik mij ervan bewust dat nog drie paarden achter de hindernis waren neergekomen, waarvan de jockeys ofwel bewusteloos waren of vloekend in het gras zaten, maar ik had slechts oog voor de getroffen toeschouwers en vooral, ik kom er rond voor uit, voor blauwe parka's, die ik razendsnel telde. Tot mijn grote opluchting, zo groot dat ik er bijna misselijk van werd, trof ik ze allemaal ongedeerd en recht overeind aan. Het afgrijzen op hun gezichten, daar kon ik me later wel druk om maken.

Alan, die zo leek het wel zonder enig begrip voor gevaar ter wereld was gekomen, schoot opeens het parcours op. Hij dook onder de reling door, vast van plan de gevallen jockeys te helpen.

Ik riep dat hij onmiddellijk moest terugkomen, maar het lawaai overstemde alles en mij krachtig bewust van al die loslopende paarden die bang en verbijsterd om zich heen trapten bukte ik me ook en rende het parcours op om hem terug te halen. Neil, kleine Neil, krabbelde ook onder de reling door en rende achter me aan.

Ook bezorgd om hem tilde ik hem op en rende achter Alan aan, die, zich kennelijk niet bewust van de trappende benen van Carnival Joy, zijn best deed een versufte Rebecca Stratton overeind te helpen. Met iets wat bijna op wanhoop leek ontdekte ik dat ook Christopher inmiddels ter plaatse was om haar te hulp te schieten.

Rebecca Stratton kwam weer volledig bij haar positieven en begon meteen nors de kleine handjes aan de kant te duwen die waren uitgestoken om haar te helpen, en zei op scherpe toon tegen niemand in het bijzonder: 'Haal die blagen hier weg. Ik heb zo al genoeg aan mijn hoofd.'

Furieus stond ze op, beende op de jockey af wiens rijdier de hele kettingbotsing veroorzaakt had en die nu naast de hindernis ongelukkig stond te wezen, en begon met luide stem allerlei hoogst oncomplimenteuze opmerkingen te maken over zijn gebrek aan rijkunst. Haar handen balden zich beurtelings tot vuisten en ontspanden zich weer, alsof ze hem een opstopper zou verkopen zodra zich een kans voordeed.

Mijn blagen hadden uiteraard onmiddellijk de pest aan haar. Ik nam ze met hun gekrenkte gevoelens mee de baan af, voor er nog meer problemen bijkwamen, maar toen we de vrouwelijke jockey passeerden zei Neil, plotseling en duidelijk: 'Torpide stoethaspel.'

'*Wat?*' Het hoofd van Rebecca draaide honderdtachtig graden, maar ik had mijn zoontje snel bij haar weggetrokken en zij leek eerder ontdaan dan agressief. Alleen haar onfortuinlijke collega-ruiter hoefde het te ontgelden.

Toby en Edward, niet ontvankelijk voor haar, maakten zich meer druk om de neergemaaide toeschouwers, van wie twee ernstig gewond leken. Mensen waren in tranen, mensen waren verbijsterd, mensen waren kwaad aan het worden. Ergens in de verte steeg gejuich op. Een van de weinige paarden die de ramp hadden ontweken was doorgelopen naar de finishpaal, waar hij nu als eerste langskwam.

Zoals op de meeste renbanen waren de paarden de hele wedstrijd gevolgd door een ambulance, die over een smal weggetje aan de binnenkant van de renbaan reed, zodat meteen hulp kon worden geboden. De renbaanofficial had twee vlaggen uitgerold, een rood-witte en een oranje, en stond te wuiven ten teken dat de dokter en de veearts in de auto midden op de renbaan allebei dringend gewenst waren.

Ik verzamelde de jongens en in een groepje stonden we naar het ambulancepersoneel en de dokter met hun armbanden te kijken, die geknield naast de gevelde toeschouwers zaten, brancards aansleepten, overlegden en zo goed mogelijk hun best deden gebroken botten, bloedende wonden en erger te behandelen. Het was te laat om me nog druk te maken over wat de jongens zagen: mijn voorstel om terug te lopen naar de tribune werd afgeslagen, dus bleven we staan in een menigte die bleef aanzwellen door de toevloed van toeschouwers die ongelukken en rampen nu eenmaal altijd aantrekken.

De ambulance reed langzaam weg met de twee toeschouwers die door de sprong over de vleugel waren geveld. 'Het paard sprong recht op het gezicht van één man,' liet Toby me zakelijk weten. 'Volgens mij is hij dood.'

'Hou je mond,' protesteerde Edward.

'Dat is de echte wereld,' zei Toby.

Een van de paarden kon niet gered worden. Schermen werden rondom hem opgezet, wat niet gebeurd was bij de man die in het gezicht was getrapt.

Twee auto's en een tweede ambulance kwamen snel vanaf de tribunes aanrijden. Er sprong nog een arts uit, nog een veearts, plus het gezag in de gedaante van de baancommissaris, Oliver Wells, een van mijn gasten van de afgelopen zondag. Oliver haastte zich van groepje naar groepje, vroeg de artsen hoe het ervoor stond, informeerde bij de veeartsen achter hun schermen, vroeg de eerste-hulpmensen die een gevloerde jockey behandelden hoe het ging, luisterde naar een toeschouwer die op de grond zat met zijn hoofd tussen de knieën en schonk uiteindelijk aandacht aan Rebecca Stratton, wier kortstondige verdoving nog altijd een geweldige activiteit en een dampende stroom van klachten veroorzaakte.

'*Luister* naar mij, Oliver.' Haar stem klonk luid en aanmatigend. 'Dit lulletje hier heeft dit hele ongeluk veroorzaakt. Ik geef hem aan bij de stewards. Het was pure onachtzaamheid! Dat wordt een boete. Schorsing, op zijn minst.'

Oliver Wells knikte slechts en liep naar een van de artsen toe, die een blik op Rebecca wierp en zijn bewusteloze patiënt even alleen liet om te proberen de al-te-wakkere dame de pols te voelen.

Ze trok haar pols bits terug. 'Met mij is alles in orde,' zei ze nadrukkelijk. 'Stom mannetje.'

De dokter keek haar even vuil aan en liep toen weer terug naar zijn andere patiënt. Over het magere gelaat van Oliver Wells flitste een uitdrukking die niet anders dan vrolijk genoemd kan worden.

Hij zag me kijken nog voor hij zijn gezicht weer in de plooi had en belandde met een schok met beide benen op de grond.

'Lee Morris,' riep hij uit, 'is het niet?' Hij keek naar de kinderen. 'Wat doen zij hier allemaal?'

'Een dagje paardenrennen,' zei ik droog.

'Ik bedoel...' Hij keek op zijn horloge en naar de werkzaamheden om ons heen, 'als u teruggaat naar de tribune, zou u dan voor u vertrekt even op mijn kantoor willen langskomen? Het is vlak naast de weegkamer. Eh... *alstublieft?*'

'Oké,' stemde ik zonder lang aarzelen in. 'Als u dat wilt.'

'Mooi.' Hij keek me nog even halfverbaasd aan en wijdde zich toen weer aan zijn taak als renbaancommissaris. Nu de eerste schok voorbij was en de toestand langzaam weer wat normaliseerde, wendden de vijf jongens zich eindelijk af van het drama en liepen met me mee terug naar de hoofdtribune.

'Die man was afgelopen zondag bij ons thuis,' zei Toby tegen mij. 'Hij heeft een lange neus en flaporen.'

'Dat is waar.'

'De zon maakte er schaduwen van.'

Kinderen waren op ongecompliceerde wijze opmerkzaam. Ik was te veel bezig geweest met de reden van zijn bezoek om schaduwen op zijn gezicht op te merken.

'Hij is de man die de wedstrijden hier zo'n beetje organiseert,' zei ik. 'Hij runt de hele boel op wedstrijddagen. Ze noemen hem de baancommissaris.'

'Een soort veldmaarschalk?'

'Zoiets, ja.'

'Ik heb honger,' zei Alan, die zich altijd snel verveelde.

Neil zei twee keer: 'Torpide stoethaspel', alsof het een genot was die woorden uit te spreken.

'Waar heb je het over?' vroeg Christopher, en ik legde het uit.

'We probeerden haar alleen maar te helpen,' protesteerde hij. 'Die koe.'

'Koeien zijn aardig,' zei Alan.

Tegen de tijd dat we bij de tribune aankwamen was de vijfde wedstrijd, een hindernisrace, al begonnen, maar geen van de vijf maakte zich druk om de afloop aangezien ze geen kans hadden gehad een favoriet uit te zoeken.

Niemand had gewonnen op de vierde race. Ieders hoop was in die greppel geëindigd en het paard van Edward was zelfs gesneuveld.

Ik trakteerde op thee in de tearoom: rampzalig duur, maar een noodzakelijk tegengif. Toby verdronk zijn botsing met de echte wereld in vier verkwikkende koppen hete en zoete thee-met-heel-veel-melk, met zoveel koekjes erbij als hij in die korte tijd maar van de serveerster wist los te krijgen.

De zesde wedstrijd begon, maar ze bleven eten en drinken. Vervolgens moesten ze allemaal naar de wc. Het publiek stroomde alweer door de hekken naar buiten toen wij ons een weg baanden naar het kantoor van de baancommissaris, naast de weegkamer.

De jongens kwamen stilletjes achter mij binnen, heel ingetogen, zodat ze de indruk wekten alsof ze zich altijd en overal voorbeeldig gedroegen, wat op zijn zachtst gezegd misleidend was. Oliver Wells, gezeten achter een met paperassen bezaaid bureau, wierp een vage blik op de kinderen en praatte verder in een walkie-talkie. Roger Gardner, de manager van Stratton Park, was ook aanwezig. Hij zat met één heup op het bureau en zwaaide met zijn voet. Het niveau van zijn bezorgdheid leek de afgelopen week alleen nog maar gestegen: de groeven in zijn voorhoofd hadden zich verdiept. Zijn beschaafde gedrag zou hem er echter wel doorheen slepen, meende ik, ook al ging hij bij onze binnenkomst recht overeind staan met een blik alsof hij slechts één Lee Morris had verwacht, niet één plus vijf kloontjes.

'Kom binnen,' zei Oliver. Hij legde het apparaat neer. 'Wat zullen we met die jongens doen?' De vraag leek retorisch bedoeld, aangezien hij meteen zijn walkie-talkie weer oppakte en een paar knopjes indrukte. 'Jenkins? Naar mijn kantoor, graag.' Hij zette het ding weer af. 'Jenkins neemt ze wel even voor zijn rekening.'

Een official klopte kort aan en kwam door een binnendeur het kantoor in zonder een reactie af te wachten. Het was een boodschappenjongen van middelbare leeftijd in een blauwe regenjas. Zijn gezicht was aan de saaie kant en zijn enorme gedaante bewoog zich met een geruststellende traagheid.

'Jenkins,' zei Oliver, 'neem deze jongens even mee naar de kleedkamers om handtekeningen te verzamelen.'

'Zijn ze de jockeys niet tot last?' vroeg ik, zoals het een ouder betaamt.

'Jockeys zijn heel goed met kinderen,' zei Oliver. Hij riep nog net geen 'kst, kst!' naar de jongens. 'Ga maar met Jenkins mee,' zei hij, 'ik wil jullie vader even spreken.'

'Neem ze maar mee, Christopher,' moedigde ik aan, en het vijftal liep opgewekt achter het escorte aan.

'Ga zitten,' nodigde Oliver mij uit. Ik trok er een stoel bij en ging met het tweetal rond het bureau zitten. 'Ik reken er niet op dat we zonder interrupties kunnen praten,' zei Oliver, 'dus laten we meteen ter zake komen.' De walkie-talkie sputterde. Oliver pakte hem op, drukte op een knopje en luisterde.

'Oliver,' zei een bruuske stem, 'hier komen, pronto. De sponsors willen je spreken.'

'Ik ben bezig met mijn rapport over de vierde wedstrijd,' zei Oliver heel redelijk.

'Nu, Oliver.' De hooghartige stem schakelde zichzelf uit ten teken dat er niet over gediscussieerd kon worden.

Oliver kreunde. 'Mr. Morris... Hebt u nog even tijd?' Hij stond op en vertrok, of ik nog even tijd had of niet.

'Dat,' legde Roger neutraal uit, 'was een oproep van Conrad Darlington Stratton, de vierde baron.'

Ik gaf geen commentaar.

'Er is nogal wat veranderd sinds we zondag bij u zijn geweest,' zei Roger. 'Ten kwade, als dat nog mogelijk was. Ik wilde u nog een keer opzoeken, maar Oliver meende dat dat zinloos was. En nu... nou, u bent hier. Waarom bent u gekomen?'

'Uit nieuwsgierigheid. Maar ik had beter niet kunnen komen, met dat ongeluk waar mijn jongens met de neus boven op stonden.'

'Vreselijke toestand.' Hij knikte. 'Een paard gesneuveld. Geen reclame voor de rensport.'

'En de toeschouwers dan? Volgens mijn zoon Toby was daar ook één van dood.'

'Er wordt nog geen demonstratie tegen gevaarlijke sporten georganiseerd als er honderd toeschouwers bij omkomen,' zei Roger vol afkeer. 'De tribune kan in elkaar klappen en honderd man bedelven, maar de wedstrijd gaat door. Dode *mensen* zijn niet relevant, wist u dat niet?'

'Dus... die man was *inderdaad* dood?'

'Hebt u hem gezien?'

'Alleen met verband om zijn hoofd.'

'Het zal wel in de kranten komen,' zei Roger somber. 'Het paard kwam dwars door de vleugel heen en vloog met een been langs zijn ogen —en die hoefijzers doen voor zwaarden niet onder. Het was afgrijselijk, zei Oliver. Maar de man is gestorven aan een gebroken nek. Hij was meteen dood. Geveld door een halve ton paardevlees, iets mooiers kan ik er niet van maken.'

'Mijn zoontje Toby heeft het gezicht van die man gezien,' zei ik.

Roger keek me aan. 'Welke is Toby?'

'De tweede. Hij is twaalf. Degene die op zijn fiets kwam binnenrijden.'

'Ja, dat weet ik nog. Arm kereltje. Dat zullen wel nachtmerries worden, vrees ik.'

Toby was toch al degene over wie ik me het meeste zorgen maakte, en dit zou het er niet beter op maken. Hij was opstandig geboren, was als peuter een dwarsligger en was nooit makkelijk te overtuigen geweest. Ik had het trieste voorgevoel dat hij zich, ondanks mijn pogingen het af te wenden, in vier jaar tijd zou ontwikkelen tot een koppige tiener die de wereld haatte, vervreemd en ongelukkig. Ik voorvoelde dat het ging gebeuren en wilde niets liever dan dat het niet zou gebeuren, maar ik had al te vaak gezinnen zien lijden onder de ontwikkeling van een beminde zoon of dochter tot een destructieve jongere, vol haat, en vol afkeer van elke poging daar maar iets aan te veranderen.

Rebecca Stratton, veronderstelde ik, was misschien ook wel zo geweest, tien jaar geleden. Ze kwam het kantoor binnen als een wervelwind, smeet de deur open dat hij tegen de muur knalde en bracht een vlaag koude lucht van buiten mee, plus een nog altijd niet betijende aanval van razernij.

'Waar is die zak van een Oliver?' vroeg ze op hoge toon.

'Bij je vader...'

Ze luisterde niet. Ze droeg nog steeds een rijbroek en laarzen, maar nu met een lichtbruine sweater in plaats van haar wedstrijdkleuren. Haar ogen fonkelden, haar lichaam wekte een stramme indruk, ze leek half gedementeerd. 'Weet je wat die stomme lul van een dokter gedaan heeft? Hij heeft me voor *vier* dagen van wedstrijden uitgesloten. Vier dagen! Nou vraag ik je. Hij zegt dat ik een hersenschudding heb. Hersenschudding, me reet. Waar is Oliver? Hij moet die lul duidelijk maken dat ik maandag weer rijd. Waar is hij?'

Rebecca draaide zich om en verliet het vertrek met evenveel bombarie als ze was binnengekomen.

'Dat moet een flinke hersenschudding geweest zijn als je het mij vraagt,' zei ik terwijl ik de deur achter haar dichtdeed.

'Zij is altijd een beetje zo. Als ik de dokter was zou ik haar voor de rest van haar leven uitsluiten.'

'Ze is niet uw favoriete Stratton, begrijp ik.'

Roger werd opeens weer voorzichtig. 'Dat heb ik nooit...'

'Natuurlijk niet.' Ik zweeg even. 'Nou, wat is er allemaal veranderd sinds afgelopen zondag?'

Hij raadpleegde de roomwitte muren, de ingelijste prent van Arkle, de grote kalender waarop de dagen waren afgestreept, een enorme klok (accuraat) en zijn eigen schoenen, waarna hij uiteindelijk zei: 'Mrs. Binsham is weer op het toneel verschenen.'

'Is dat zo erg?'

'Weet u wie zij *is*?' Hij was nieuwsgierig, een beetje verrast.

'De zuster van de oude Lord.'

'Ik dacht dat u niets van de familie afwist.'

'Ik heb gezegd dat ik geen contact met ze had, en dat is ook zo. Maar mijn moeder praatte wel over ze. Zoals ik al eerder verteld heb is ze ooit getrouwd geweest met een zoon van de ouweheer.'

'Bedoelt u Conrad? Of Keith? Of... Ivan?'

'Keith,' zei ik. 'De tweelingbroer van Conrad.'

'Een twee-eiige tweeling,' zei Roger. 'En Keith was de jongste.'

Ik beaamde dat. 'Hij was vijfentwintig minuten jonger dan Conrad en is daar nooit overheen gekomen.'

'Dat zal ook wel een verschil zijn, mag ik aannemen.'

Het was het verschil tussen het wel of niet erven van de baronie. Het wel of niet erven van het landhuis van de Strattons. Het wel of niet erven van een fortuin. De jaloezie van Keith op zijn vijfentwintig minuten oudere broer was één – maar niet meer dan één, volgens mijn moeder – van de onuitroeibare rancunes geweest die de geest van haar ex-man vergiftigd hadden.

Ik bezat mijn moeders foto's van haar huwelijk met Keith Stratton. De bruidegom was lang, blond, met een brede glimlach en uitgesproken knappe gelaatstrekken: een en al belofte van een heerlijke toekomst, vol trots en tederheid voor zijn jonge bruid. Zij was die dag bijna uit elkaar gebarsten van gelukzaligheid, had ze me verteld: een onbeschrijflijk gevoel, alsof ze zweefde.

Binnen een half jaar had hij haar arm gebroken bij een ruzie en haar twee voortanden uit de mond geslagen.

'Mrs. Binsham,' zei Roger Gardner, 'stond op een aandeelhoudersvergadering volgende week. Ze is een draak, wordt beweerd. Maar ze is natuurlijk wel de tante van Conrad, en kennelijk is ze het enige levende wezen dat hem kan doen sidderen.'

Veertig jaar geleden had ze haar broer, de derde baron, meedogenloos gedwongen mijn moeder in het openbaar vervelend te behandelen. Toen al was Mrs. Binsham de dynamo van de familie geweest, de manipulator, degene die het beleid uitstippelde en de rest dwong om mee te doen.

'Ze gaf nooit op,' zei mijn moeder. 'Ze putte elke oppositie domweg uit, tot je voor de lieve vrede dan maar deed wat zij wilde. In haar eigen ogen, moet je weten, had ze altijd *gelijk*, dus ze wist altijd zeker dat wat zij wilde het *beste* was.'

'Kent u Mrs. Binsham persoonlijk?' vroeg ik aan Roger.

'Ja, maar niet goed. Ze is een indrukwekkende oude dame, heel recht door zee. Ze komt hier vaak op wedstrijddagen met Lord Stratton—eh, niet Conrad, maar de oude Lord—maar ik heb haar nog nooit echt onder vier ogen gesproken. Oliver kent haar beter. Of laat ik het zo zeggen,' hij grinnikte vaag, 'Oliver heeft haar instructies af en toe opgevolgd.'

'Misschien dat zij de ruzies kan bijleggen en de boel een beetje kalmeren,' zei ik.

Roger schudde zijn hoofd. 'Wat zij zegt gaat er misschien in bij Conrad en Keith en Ivan, maar de jongere generatie kan best eens in opstand komen, vooral aangezien ze nu allemaal over een aantal eigen aandelen gaan beschikken.'

'Weet u het zeker?'

'Ja.'

'Dus u hebt inmiddels een informant in het nest?'

Zijn gezicht verstrakte en hij keek bijna gealarmeerd. 'Dat heb ik niet gezegd.'

'Nee.'

Oliver kwam terug. 'De sponsors zijn niet gelukkig met het dode paard, de schatjes. Slechte publiciteit. Niet waar ze voor betalen. Ze zullen hun sponsoring voor volgend jaar in heroverweging moeten nemen, zeggen ze.' Hij klonk mistroostig. 'Ik had die wedstrijd goed georganiseerd,' zei hij tegen mij in het bijzonder. 'Tien deelnemers aan een 'chase over drie mijl. Dat is niet slecht, dat kan ik u verzekeren. Het komt vaak genoeg voor dat je er maar vijf of zes weet te strikken, of nog minder. Als de sponsor zich terugtrekt, wordt het volgend jaar een stuk armoediger allemaal.'

Ik maakte geluiden van medeleven.

'Als er een volgend jaar *is*,' zei hij. 'Volgende week is er een aandeelhoudersvergadering... u bent inmiddels op de hoogte?'

'Ja.'

'Hij wordt hier op de renbaan gehouden, in de eetzaal van de Strattons,' zei hij. 'Conrad is nog niet in het grote huis getrokken, en bovendien is dit minder persoonlijk, zegt hij. Komt u ook?' Het was niet zozeer een vraag, leek mij, maar meer een smeekbede.

'Ik heb nog geen besluit genomen,' zei ik.

'Ik hoop van harte dat u komt. Ik bedoel, ze hebben een gezichtspunt van buiten *nodig*, ziet u wel? Ze zijn er allemaal te nauw bij *betrokken*.'

'Ze willen me er vast niet bij hebben.'

'Een reden te meer om te gaan.'

34

Dat betwijfelde ik, maar ik nam niet de moeite erover in discussie te gaan. Ik stelde voor dat ik de jongens ging halen en trof ze aan terwijl ze bezig waren het personeel te 'helpen' met het inpakken van zadels en ander materiaal in grote wasmanden, onderwijl grote stukken vruchtencake verorberend.

Ze hadden geen problemen veroorzaakt, kreeg ik te horen, en ik hoopte vurig dat ik mijn oren geloven kon. Ik bedankte iedereen. Bedankte Roger. 'Uw aandelen hebben stemrecht. Maakt u daar gebruik van,' drong hij aan. Bedankte Jenkins. 'Keurige kereltjes,' zei hij vriendelijk. 'Ik zou zeggen, neemt u ze nog eens mee.'

'We noemden iedereen "sir",' bekende Neil toen we vertrokken.

'We noemden Jenkins ook "sir",' zei Alan. 'Hij heeft die cake voor ons geregeld.'

We kwamen bij de bus aan en klommen naar binnen, waar ze me de handtekeningen lieten zien die de jockeys in hun renprogramma's hadden gezet. Ze hadden zich wel vermaakt in de kleedkamer, naar het scheen.

'Was die man dood?' vroeg Toby, terugkomend op wat hem het meeste bezighield.

'Ik ben bang van wel.'

'Dat dacht ik wel. Ik heb nog nooit eerder een dode gezien.'

'Je hebt honden gezien,' zei Alan.

'Dat is iets anders, eikel.'

'Wat bedoelde de kolonel met die aandelen met stemrecht?' vroeg Christopher.

'Hè?'

'Nou, hij zei iets over aandelen met stemrecht, en dat je daar gebruik van moest maken. Hij leek nogal in de war, of niet?'

'Weet je wat aandelen zijn?' vroeg ik.

'Aandelen vruchtencake,' raadde Neil. 'Eén per persoon.'

'Stel dat je een schaakbord hebt,' zei ik, 'dan heb je vierenzestig velden, ja? Stel dat je elk veld een aandeel zou noemen, dan had je vierenzestig aandelen.'

De jonge gezichten zeiden mij dat het niet overkwam.

'Oké,' zei ik, 'stel dat je een vloer hebt van tegels.'

Ze knikten meteen. Als kinderen van een aannemer wisten ze alles van tegels.

'Stel dat je tien tegels in de breedte hebt, en tien in de lengte, en dat je zo het hele oppervlak vult.'

'Honderd tegels,' knikte Christopher.

'Ja. En noem elke tegel een aandeel, een honderdste deel van het hele oppervlak. Honderd aandelen. Akkoord?'

Ze knikten.

'En hoe zit het dan met dat stemrecht?' vroeg Christopher.

Ik aarzelde. 'Stel dat je een paar tegels bezat, dan kon je stemmen of die van jou blauw moesten zijn... of rood... of wat je maar wilde.'

'Voor hoeveel zou *jij* dat kunnen zeggen?'

'Acht,' zei ik.

'Je zou acht tegels blauw mogen maken? En de andere dan?'

'Alle andere, tweeënnegentig, zijn van andere mensen. Iedereen zou zijn eigen favoriete kleur mogen uitzoeken voor de tegels die hij of zij in zijn bezit had.'

'Dat zou een rotzooitje worden,' reageerde Edward. 'Je zou nooit iedereen zover krijgen dat ze er een mooi patroon van maakten.'

'Daar heb je volkomen gelijk in,' zei ik glimlachend.

'Maar je bedoelt toch niet echt *tegels*, of wel?' vroeg Christopher.

'Nee.' Ik zweeg. Het kwam niet vaak voor, maar nu luisterden ze allemaal. 'Kijk, moet je je voorstellen dat deze renbaan uit honderd tegels zou bestaan. Honderd velden. Honderd aandelen. Daar heb ik er acht van. Andere mensen hebben tweeënnegentig.'

'Dan is het niet veel,' zei Christopher schouderophalend. 'Acht is nog niet eens één rij.'

'Als de renbaan verdeeld was in honderd velden,' zei Neil, 'kon het net zo uitkomen dat de tribunes op die van papa stonden!'

'Eikel,' zei Toby.

3

Waarom ging ik erheen?

Ik weet het niet. Ik betwijfel of er zoiets bestaat als een volledig vrije keus, aangezien de keuzes die je doet in je persoonlijkheid wortelen. Ik kies wat ik kies omdat ik ben wie ik ben, zoiets.

Ik koos ervoor om te gaan vanwege laakbare redenen als de lokroep van onverdiende winst, en uit ijdelheid: wellicht zou ik, tegen alle verwachtingen in, de draak temmen en de Stratton-vetes op vreedzame wijze bijleggen, zoals Roger en Oliver wilden. Hebzucht en trots... machtige motieven, vermomd als verstandig financieel management en altruïstische goede daden.

Dus ik sloeg verder geen acht op de wanhopige smeekbede die ik me van mijn wijze moeder herinnerde, bracht mijn kinderen in groot gevaar en wijzigde, door mijn aanwezigheid, voorgoed de interne verhoudingen en het wankele machtsevenwicht binnen de familie Stratton.

Alleen zag het er daar op de dag van de aandeelhoudersvergadering natuurlijk niet naar uit.

De vergadering vond plaats op woensdagmiddag, op de derde dag van de ruïnejacht. Op maandagochtend waren de vijf jongens en ik van huis vertrokken in de grote, omgebouwde bus die in het verleden voor ons hele gezin dienst had gedaan als huis op wielen in periodes dat de ruïne die op dat moment verbouwd werd echt en volledig onbewoonbaar was.

De bus had zijn voordelen: je kon er met zijn achten in slapen, er was een douche aan boord die het deed, een pantry, er waren banken en een televisie. Ik was in de leer geweest bij een jachtbouwer, die me haarfijn uit de doeken had gedaan hoe je opslagruimte kon creëren waar dat onmogelijk leek, en we konden er dan ook heel goed een forse huishouding in kwijt. Evengoed bood de bus geen privacy of veel ruimte per persoon, en naarmate de jongens ouder werden hadden ze het steeds gênanter gevonden als woonadres.

Die maandag scheepten ze echter vrolijk in, aangezien ik ze een echte vakantie beloofd had op de middagen mits ik elke morgen een ruïne kon bezoeken, sterker nog: ik had met de kaart en berekeningen erbij een serie activiteiten gepland waar ze dol op waren. De maandagmiddag hadden we gekanood op de Theems, dinsdags hadden ze een kegel-baan op stelten gezet en voor die woensdag hadden ze beloofd de vrouw van Roger Gardner te helpen met het schoonmaken van haar garage, een karweitje waar ze een bizar behagen in schiepen.

Ik liet de bus bij het huis van de Gardners staan en liep met Roger naar de tribunes.

'Ik ben niet uitgenodigd,' zei hij alsof het een hele opluchting was, 'maar ik zal u de deur wel even wijzen.'

Hij nam me mee een trap op, een paar hoeken om en een deur door waar privé op stond, en waarachter een wereld vol zachte tapijten schuil-ging die in alles hemelsbreed verschilde van het functionele beton van de openbare ruimten. Zwijgend wees hij op de gepolijste dubbele pa-neeldeur voor ons, waarna hij me een bemoedigend schouderklopje gaf en me alleen liet, een beetje als een vaderlijke kolonel die een rekruut zijn eerste slagveld op stuurt.

Ik had nu al spijt van mijn afwezigheid, maar opende niettemin een van de deuren en ging naar binnen.

Ik had geen pak aangetrokken, maar gewone nette kleren, een grijze broek, een wit overhemd, een stropdas en een blazer: de conventionele outfit van de directiekamer. Mijn haar was keurig gekamd, ik was glad geschoren en mijn vingernagels waren schoon. Niets wees erop dat ik mijn brood verdiende in een wereld van gruis en stof.

De oudere mannen op de bijeenkomst waren allemaal in kostuum gehuld. Diegenen die meer van mijn leeftijd of jonger waren hadden een minder formeel voorkomen. Ik had, bedacht ik tevreden, precies de juiste toon getroffen.

Hoewel ik binnenkwam op het tijdstip dat in de brief van de notaris als aanvangstijd vermeld stond, bleken de Strattons allemaal al van de partij te zijn. De hele stam zat rond een waarlijk imposante Edwardian eettafel van oud, gepolitoerd mahoniehout. De stoelen waren nieuwer, waarschijnlijk uit de jaren dertig, net als de hoofdtribune.

De enige die ik van gezicht kende was Rebecca, de jockey, nu in broek, gedistingeerd jasje en zware gouden kettingen. De man aan het hoofd van de tafel, grijs, omvangrijk en gezaghebbend, moest Conrad zijn, de vierde en meest recente baron.

Hij draaide zijn hoofd in mijn richting. Ze draaiden uiteraard alle-maal hun hoofd in mijn richting. Vijf mannen, drie vrouwen.

'Ik ben bang dat u verkeerd bent,' zei Conrad nauwelijks beleefd. 'Dit is een privé-bijeenkomst.'

'Stratton-aandeelhouders?' vroeg ik onschuldig.

'Inderdaad. En u bent...?'

'Lee Morris.'

De schok die door hun leden voer was bijna grappig, alsof ze zich niet gerealiseerd hadden dat ik zelfs maar van de vergadering op de hoogte zou worden gesteld, laat staan dat ik ook maar één moment zou overwegen om te komen opdagen; en ze hadden ook alle reden om verbaasd te staan, want ik had nooit eerder gereageerd op hun officiële jaarlijkse A4-tje.

Ik drukte de deur kalm achter me dicht. 'Ik kreeg bericht dat er een aandeelhoudersvergadering was,' zei ik.

'Ja, maar...' zei Conrad zonder woord van welkom. 'Ik bedoel, het was niet nodig... U had de moeite niet hoeven nemen...' Hij zweeg onbehaaglijk, niet in staat zijn ontzetting te verbergen.

'Maar nu ik hier toch ben,' zei ik minzaam, 'kan ik net zo goed blijven. Zal ik hier gaan zitten?' Ik wees naar een lege stoel aan het eind van de tafel en liep er resoluut op af. 'We hebben elkaar nooit ontmoet,' vervolgde ik, 'maar u bent natuurlijk Conrad, Lord Stratton.'

'Ja,' zei hij bijna tandenknarsend.

Een van de oudere heren barstte opeens los. 'Dit is een schande! U hebt hier geen rechten. Ga niet zitten. U vertrekt *onmiddellijk.*'

Ik bleef bij de lege stoel staan en haalde de brief van de notaris uit mijn zak. 'Zoals u zult zien,' antwoordde ik vriendelijk, '*ben* ik aandeelhouder. Ik ben, zoals dat hoort, op de hoogte gesteld van deze vergadering en het spijt me als u dat niet aanstaat, maar ik sta juridisch in mijn recht. Ik ga gewoon rustig zitten en luister.'

Ik ging zitten. Van alle gezichten straalde de afkeuring af, behalve van één, dat van een jongeman die bijna zat te grinniken.

'Conrad! Dit is belachelijk.' De man die het felst tegen mijn aanwezigheid gekant was kwam overeind, bevend van woede. 'Stuur hem onmiddellijk weg.'

Conrad Stratton nam heel realistisch mijn postuur en relatieve jeugdigheid in ogenschouw en zei verslagen: 'Ga zitten, Keith. Wie moet hem eruit gooien?'

Keith, de eerste man van mijn moeder, was in zijn jeugd misschien sterk genoeg geweest om een ongelukkige jonge vrouw ervan langs te geven, maar er was geen sprake van dat hij hetzelfde kon proberen met haar vijfendertig jaar oude zoon. Hij haatte het feit dat ik bestond. Ik haatte wat ik over hem gehoord had. De vijandschap tussen ons was overweldigend, wederzijds en permanent.

Het lichte haar van de trouwfoto's was blondachtig grijs geworden. Zijn gelaatstrekken gaven hem nog altijd een aristocratischer aanzien dan zijn oudere tweelingbroer. Zijn spiegel moest hem er nog voortdurend aan herinneren dat de volgorde van hun geboorten een afgrijselijke vergissing van de natuur was geweest, dat *zijn* hoofd hetgene was dat het eerst te voorschijn had moeten komen.

Hij kon zich er niet toe zetten te gaan zitten. Met grote passen liep hij door het vertrek heen en weer, af en toe vernietigende blikken in mijn richting werpend.

Belangrijke mannen, wellicht de eerste en de tweede baron, keken onbewogen toe vanuit goudomlijste portretten aan de muren. De enige verlichting bestond uit ingewikkelde koperen kroonluchters met bewerkte glazen kapjes rond de talrijke kaarslampjes. Op een lang gepolitoerd mahoniehouten dressoir stond een klok geflankeerd door oude, zware maar toch slanke vazen die, als het hele vertrek, de indruk wekten daar het grootste deel van het leven van de oude Lord zo gestaan te hebben.

Daglicht kwam hier niet binnen, er waren geen ramen.

Naast Conrad zat, kaarsrecht overeind, een oude dame die makkelijk te herkennen viel als zijn tante, Marjorie Binsham, degene die iedereen had opgetrommeld. Veertig jaar eerder, op de trouwdag van mijn moeder, had ze grimmig in de cameralens gestaard alsof een glimlach haar aangezichtsspieren zou doen springen, en ook op haar leek de tijd wat dat betreft geen vat te hebben gehad: niets nieuws onder de koperen kroonluchter. Ze was inmiddels een aardig eindje in de tachtig, maar onder haar beheerst golvende witte haar zetelde nog een scherp stel hersens. Ze droeg een rood met zwart geruite jurk en een wit, kerkelijk ogend kraagje.

Enigszins tot mijn verbazing nam ze me meer met nieuwsgierigheid op dan met starre antipathie.

'Mrs. Binsham?' zei ik vanaf het andere eind van de tafel. 'Mrs. Marjorie Binsham?'

'Ja.' Het kwam er droog en afgemeten uit: ze bevestigde mijn vraag, niet meer en niet minder.

'Ik,' zei de man die zijn grijns nu onder controle had, 'ben Darlington Stratton, bekend als Dart. Mijn vader zit aan het hoofd van de tafel. Mijn zuster Rebecca zit aan uw rechterhand.'

'Dit is niet nodig!' snauwde Keith hem toe van ergens achter Conrad. 'Hij hoeft niet aan iedereen voorgesteld te worden. Hij vertrekt.'

Mrs. Binsham nam het woord, streng en met een uiterst voorname dictie: 'Keith, loop niet zo te loeren maar ga zitten. Mr. Morris heeft gelijk, hij heeft het volste recht hier te zijn. Zie de feiten onder ogen. Aangezien je hem niet kunt wegsturen kun je hem beter negeren.'

Mrs. Binsham keek intussen mij in de ogen, niet Keith. Mijn mondhoeken trokken. Mij negeren leek me zo ongeveer het laatste waar deze mensen toe in staat waren.

'Hebt u Hannah al ontmoet, uw zuster?' vroeg Dart met een uitgestreken gezicht waarachter een onvermoeibare plaaggeest schuilging.

De vrouw aan de andere kant van Conrad vibreerde van afkeer. 'Hij is geen broer van mij, hij *is* geen broer van mij.'

'Halfbroer,' zei Marjorie Binsham, met dezelfde realistische precisie. 'Je vindt het misschien onverteerbaar, Hannah, maar het veranderen kun je niet. Negeer hem.'

Voor Hannah was dat advies net zo onmogelijk op te volgen als voor Keith. Mijn halfzuster leek tot mijn opluchting niet op onze gemeenschappelijke moeder. Daar was ik bang voor geweest: bang om vertrouwde ogen vol haat naar me te zien kijken vanuit een echo van een bemind gelaat. Ze leek meer op Keith: lang, blond, met een fijne beenderstructuur en op dat moment ziedend van woede.

'Hoe durft u!' Ze schudde ervan. 'Hebt u geen fatsoen?'

'Ik heb aandelen,' repliceerde ik.

'En die had u nooit mogen hebben,' zei Keith hardvochtig. 'Waarom vader ze Madeline ooit gegeven heeft zal wel altijd een raadsel blijven.'

Ik weerhield mezelf ervan op te merken dat hij heel goed wist waarom. Lord Stratton had Madeline, zijn schoondochter, aandelen gegeven omdat hij wist waarom ze wegliep. Na de dood van mijn moeder had ik in haar papieren oude brieven gevonden van haar schoonvader waarin hij haar zei hoezeer het hem speet, hoeveel respect hij voor haar had en dat hij niet wilde dat ze financieel net zo zou lijden als ze fysiek had geleden. Hoewel hij in het openbaar loyaal was aan zijn zoon, had hij haar onder vier ogen niet alleen de aandelen gegeven, 'met het oog op de toekomst', maar ook een aanzienlijk bedrag in geld om van de rente een comfortabel leven te kunnen leiden. In ruil daarvoor had ze beloofd nooit met één woord te reppen over het gedrag van Keith, laat staan de naam van de familie door het slijk van een scheiding te halen. De oude man had geschreven dat hij haar afwijzing van Hannah begreep, verwekt als zij was bij een van de 'seksuele overweldigingen' van zijn zoon. Hij zou voor het kind zorgen, schreef hij. Hij wenste mijn moeder 'het beste dat te bereiken valt, mijn lieve'.

Het was Keith die later van mijn moeder scheidde—wegens overspel met een oudere illustrator van kinderboeken, Leyton Morris, mijn vader. Het huwelijk dat ze met hem aanging, een huwelijk vol toewijding, duurde vijftien jaar, en het was pas op haar ziekbed—kanker, ongeneeslijk—dat ze mij, in lange, nachtelijke ontboezemingen, vertelde over haar lijdensweg en haar genegenheid voor Lord Stratton; pas toen was het dat ik te horen kreeg dat het met geld van Lord Stratton was geweest dat mijn architectenopleiding was gefinancierd: de fundering van mijn leven.

Na haar dood had ik hem een brief geschreven om hem daarvoor te bedanken, en ik had zijn antwoord nog.

'Mijn beste jongen,

Ik hield van je moeder. Ik hoop dat je haar de vreugde hebt geschonken die ze verdiende. Ik dank je voor je brief, maar schrijf niet weer.

Stratton.'

Ik schreef niet weer. Ik stuurde bloemen naar zijn begrafenis. Bij zijn leven zou ik me nooit aan zijn familie hebben opgedrongen.

Nu duidelijk was wie Conrad was, wie Keith en wie Marjorie Binsham, en wie Dart en Rebecca waren, de nakomelingschap van Conrad, waren er nog twee heren over die van een naam moesten worden voorzien. Eén, eind middelbare leeftijd, zat tussen Mrs. Binsham en de stoel waaruit Keith was opgesprongen. Ik kon wel raden wie dat was.

'Het spijt me,' zei ik, vooroverleunend om zijn aandacht te trekken. 'Bent u... Ivan?'

De jongste van de drie zoons van de oude Lord, meer een buffel als Conrad dan een windhond als Keith, keek me nors aan zonder antwoord te geven.

'Mijn oom Ivan, inderdaad,' zei Dart luchthartig. 'En tegenover hem zit zijn zoon Forsyth, mijn neef.'

'Dart!' protesteerde Keith fel. 'Houd je mond.'

Dart keek hem onbewogen aan, zo te zien liet hij zich niet intimideren. Forsyth, de zoon van Ivan, was degene die volgens mij het minst op mijn aanwezigheid gereageerd had. Dat wil zeggen, hij vatte het minder persoonlijk op dan de anderen en naarmate de tijd verstreek werd mij duidelijk dat hij geen belang in mij stelde als de betreurenswaardige halfbroer van Hannah, maar uitsluitend als een onbekende factor in de aandelenbusiness.

Hij was jong en tenger, had een smalle kin en donkere, intense ogen. De anderen behandelden hem zonder enig respect. Niemand, de hele vergadering lang, vroeg waar dan ook zijn mening over en wanneer hij die toch gaf interrumpeerde zijn vader, Ivan, hem regelmatig. Forsyth zelf scheen die behandeling normaal te vinden en misschien was het voor hem ook wel normaal.

Conrad, die zich korzelig neerlegde bij het onvermijdelijke, zei op barse toon: 'Laten we de vergadering voortzetten. Ik heb hem bijeengeroepen...'

'*Ik* heb hem bijeengeroepen,' corrigeerde zijn tante scherp. 'Al dat gekibbel is belachelijk. Laten we ter zake komen. Er worden nu bijna negentig jaar wedstrijden gehouden op deze renbaan en dat blijft zo, punt uit. Dat geruzie moet afgelopen wezen.'

'Deze renbaan is op sterven na dood,' wierp Rebecca vol ongeduld tegen. 'U hebt absoluut geen idee hoe het er in de moderne tijd aan toegaat. Het spijt me als ik u van streek maak, tante Marjorie, maar u en grootvader zijn in het verleden blijven steken. Deze renbaan heeft nieuwe tribunes nodig en een heel nieuw uiterlijk, en wat deze renbaan beslist niet nodig heeft is een ouwe sok van een kolonel als manager en een baancommissaris van de oude stempel die nog geen boe of bah tegen een dokter durft te zeggen.'

'De dokter staat boven hem in rang,' merkte Dart op.

'Houd jij je mond,' beval zijn zuster. 'Jij hebt nooit het lef gehad om aan een race mee te doen. Ik heb op de meeste renbanen in dit land aan wedstrijden meegedaan en ik zeg jullie, deze tent is dodelijk ouderwets en mijn naam staat boven de ingang, dus ik sta nog voor paal ook. Het klopt van geen kanten. Als jullie dat niet willen of kunnen inzien, dan ben ik ervoor om nu meteen te vangen wat we ervoor krijgen kunnen.'

'Rebecca!' Het klonk vermoeid uit de mond van haar vader, alsof hij haar standpunten al veel te vaak had moeten aanhoren. 'We hebben nieuwe tribunes nodig. Daar kunnen we het allemaal over eens zijn. En ik heb plannen laten maken...'

'Daar had jij niet het recht toe,' hield Marjorie Conrad voor. 'Geldverspilling. Die oude tribunes zijn solide bouwwerken en voldoen uitstekend. We hebben *geen* nieuwe tribunes nodig. Ik ben er vierkant tegen.'

Keith zag zijn kans schoon om iets vervelends over zijn broer te zeggen en genoot daar zichtbaar van. 'Conrad heeft weken lang iemand laten rondneuzen die voor architect moest doorgaan. Het is maar wat je een architect noemt. Welnu, niemand is daarover geraadpleegd en ik ben alleen al uit principe tegen nieuwe tribunes.'

'Hù!' riep Rebecca uit. 'En waar denken jullie dat de vrouwelijke jockeys zich mogen omkleden? In een afgeschermd gedeelte ter grootte van een kast op het damestoilet. Het is zielig.'

'Allemaal uit gebrek aan een hoefnagel,' mompelde Dart.

'Wat bedoel je?' vroeg Rebecca.

'Ik bedoel,' legde haar broer doodkalm uit, 'dat we de renbaan nog verliezen aan het feminisme.'

Ze wist niet goed genoeg wat hij bedoelde om met een snedige reactie te komen, dus negeerde ze hem maar.

'We moeten onmiddellijk verkopen,' riep Keith uit, nog altijd rondstruinend. 'De markt is goed. Swindon is groeiende. Het industrieterrein grenst al zo'n beetje aan de renbaan. Verkopen, zeg ik. Ik heb al een plaatselijke projectontwikkelaar gepolst. Hij heeft toegezegd te komen kijken en erover na te denken.'

'*Wat* heb jij gedaan?' vroeg Conrad. 'En *jij* hebt ook niemand geraadpleegd. En dat is nooit de manier om *wat dan ook* te verkopen. Jij weet niets van zakelijke transacties.'

'Ik weet wel dat als je iets wilt verkopen, dat je dan moet adverteren,' snoefde Keith.

'Nee,' zei Conrad bot, alsof de kous daarmee af was. 'Wij verkopen niet.'

'Jij hebt makkelijk praten,' zei Keith met stijgende verontwaardiging. 'Jij hebt het grootste deel van vaders nalatenschap geërfd. Het is niet eerlijk, het is *nooit* eerlijk geweest, dat bijna alles aan de oudste zoon wordt nagelaten. Vader was hopeloos ouderwets. *Jij* hebt misschien geen geld nodig, maar niemand hier wordt er jonger op en ik zeg: laten we ons kapitaal *nu* vrijmaken.'

'Later,' zei Hannah met nadruk. 'Verkopen wanneer er minder land beschikbaar is. Wachten.'

'Jouw dochter, Keith,' merkte Conrad ernstig op, 'is bang dat als jij het kapitaal nu voor je rekening neemt er voor haar niets meer overblijft om te erven.'

Aan het gezicht van Hannah te zien bleek dat niet alleen een rake diagnose, maar was ze ook woedend dat haar begrijpelijke motieven zo treffend waren verwoord.

'Hoe zit het met jou, Ivan?' informeerde zijn tante. 'Nog steeds even besluiteloos?'

Ivan reageerde nauwelijks op de schimpscheut, ook al herkende hij haar vraag wel als zodanig. Hij knikte met veel vertoon van wijsheid. 'Afwachten,' zei hij, 'dat is het beste.'

'Afwachten tot de kans verkeken is,' zei Rebecca vernietigend. 'Dat bedoelt u toch?'

'Waarom ben je altijd zo *scherp*, Rebecca?' verdedigde hij zich. 'Er is niks mis met geduld.'

'Passiviteit,' corrigeerde ze. 'Géén besluit is net zo slecht als het verkeerde besluit.'

'Onzin,' zei Ivan.

Forsyth begon: 'Hebben we gedacht aan de fiscale kant van de

44

zaak...', maar Ivan onderbrak hem: 'Het is duidelijk dat we het nemen van een beslissing moeten uitstellen tot...'

'Tot sint-juttemis,' onderbrak Rebecca hem op haar beurt.

'Rebecca!' De afkeuring van haar oudtante kwam automatisch. 'Houd daarmee op, allemaal, want voorlopig kan ik, en ik alleen, hier de beslissingen nemen en ik kan me niet aan de indruk onttrekken dat geen van jullie zich dat realiseert.'

Aan hun gezichten te zien wisten ze het niet of wilden ze het niet weten.

'Tante,' probeerde Conrad haar terecht te wijzen. 'U hebt slechts tien aandelen. U kunt niks alleen beslissen.'

'O, en of ik dat kan,' zei ze triomfantelijk. 'Jullie zijn zo onnozel, stuk voor stuk. Jullie denken dat je zakenmannen bent – o, en zaken-vrouwen, Rebecca – maar geen van jullie schijnt te beseffen dat in elk bedrijf de raad van bestuur, niet de aandeelhoudersvergadering, de be-slissingen neemt, en *ik*...' ze keek om zich heen tot aller aandacht op haar gericht was, 'ik ben op dit moment het enig overgebleven bestuurs-lid. *Ik* neem de beslissingen.'

Ze wist de vergadering voor het eerst stil te leggen.

Na een poosje begon Dart te lachen. Alle anderen keken kwaad, voornamelijk naar hem, omdat hij als kleinzoon zo verstandig zou moe-ten zijn de draak niet te tarten.

De voortreffelijke oude dame pakte een paar opgevouwen vellen pa-pier uit een dure leren handtas en schudde ze met een bijna theatraal gebaar open.

'Dit is een brief,' zei ze, terwijl ze een leesbril opzette, 'van de nota-ris. Ik zal jullie niet lastigvallen met de introductie, waar het om draait is dit.' Ze zweeg weer even, keek om zich heen naar haar aandachtige en ongeruste publiek en begon vervolgens uit de brief voor te lezen. 'Aangezien twee bestuursleden voldoende zijn, was het volkomen cor-rect dat u en Lord Stratton samen de voltallige raad van bestuur vorm-den en dat hij, als degene met verreweg de meeste aandelen, alle beslis-singen nam. Nu hij is overleden zou u misschien een nieuwe raad wil-len vormen met meer bestuursleden. Dat *mogen* leden van de familie Stratton zijn, maar niets hoeft u ervan te weerhouden bestuursleden van buiten, en zonder aandelen, te kiezen als u dat mocht willen.

We zouden dan ook willen voorstellen dat u een buitengewone aan-deelhoudersvergadering bijeenroept om nieuwe leden te kiezen voor de raad van bestuur van Stratton Park Ltd., en wij willen u daarbij graag waar mogelijk van dienst zijn.'

Marjorie Binsham keek op. 'De notaris had deze bijeenkomst wel willen voorzitten, maar ik heb gezegd dat ik het wel kon en dat hij geen moeite hoefde te doen. Als enig overgebleven bestuurslid van de renbaan dien ik een motie in om over te gaan tot het benoemen van nieuwe leden van de raad van bestuur, en als bestuurslid steun ik tevens die motie, en dat mag dan misschien niet precies de procedure zijn, het gaat me in dit geval om het effect.'

'Tante...' probeerde Conrad, voor zijn doen nogal zacht.

'Aangezien jij, Conrad, nu in naam hoofd van de familie bent, stel ik voor dat jij onmiddellijk toetreedt tot de raad van bestuur.' Ze keek in de brief. 'Hier staat dat een bestuurslid benoemd kan worden als hij tenminste vijftig procent van de uitgebrachte stemmen op een aandeelhoudersvergadering krijgt. Elk aandeel van elke aandeelhouder aan deze tafel heeft één stem. Volgens deze brief zijn er, als ik en alle erfgenamen de vergadering bijwonen, vijfentachtig stemmen beschikbaar. Dat wil zeggen: mijn tien aandelen en de vijfenzeventig die nu geërfd zijn door jullie.' Ze zweeg weer even en keek naar waar ik zat. 'We hadden Mr. Morris niet verwacht, maar aangezien hij er is, kan hij acht stemmen uitbrengen.'

'Nee!' zei Keith furieus. 'Hij heeft niet het *recht.*'

'Hij heeft acht stemmen,' reageerde Marjorie Binsham onverbiddelijk. 'Die kan hij uitbrengen. Dat kun jij niet voorkomen.'

Haar oordeel had mij net zozeer verrast als het de anderen verbijsterde. Ik was toch vooral uit nieuwsgierigheid naar deze vergadering gekomen, weliswaar bereid om ze enigszins op de kast te jagen, maar niet zo grondig als nu leek te gebeuren.

'Het is een *schande,*' riep Hannah, die net als haar nog altijd heen en weer lopende vader van haar stoel oprees. 'Ik wil het niet hebben!'

'Volgens de notaris,' vervolgde haar oudtante, haar woedeaanval totaal negerend, 'zijn het de nieuw te benoemen bestuursleden die over de toekomst van deze renbaan beslissen.'

'Maak *mij* bestuurslid,' vroeg Rebecca.

'Daar heb je zevenenveertig stemmen voor nodig,' mompelde Dart, die even had zitten hoofdrekenen. 'Elk nieuw bestuurslid heeft er zevenenveertig nodig, minimaal.'

'Ik stel voor dat we Conrad nu meteen kiezen,' herhaalde Marjorie. 'Hij krijgt mijn tien stemmen.' Ze keek uitdagend de tafel rond.

'Goed,' zei Ivan, 'Conrad, mijn eenentwintig stemmen heb je.'

'Ik neem aan dat ik ook op mezelf kan stemmen,' zei Conrad. 'Ik breng mijn eigen eenentwintig stemmen uit. Dat wordt dan, eh, tweeënvijftig.'

'Gekozen,' zei Marjorie met een knik van haar hoofd. 'Dan kun je nu de rest van de vergadering voorzitten.'

Conrad had weer wat zelfvertrouwen herwonnen en leek letterlijk in zijn nieuwe rol te groeien. 'Dan denk ik dat we ervoor moeten stemmen om Marjorie in de raad van bestuur te houden,' zei hij vriendelijk. 'Dat lijkt me niet meer dan gepast.'

Niemand opperde bezwaren. En de hooggeboren Mrs. Binsham keek alsof ze ieder die dat waagde met huid en haar zou verslinden.

'Ik hoor ook in de raad van bestuur,' verklaarde Keith. 'Ik heb ook eenentwintig aandelen. Ik stem voor.'

Conrad schraapte zijn keel. 'Ik draag Keith voor als nieuw lid van de raad van bestuur...'

'Dat is vragen om moeilijkheden,' zei Forsyth net iets te snel.

Conrad hoorde het niet of wilde het niet horen en draafde door. 'Dat zijn dan de eenentwintig van Keith, en die van mij. Tweeënveertig. Tante?'

Marjorie schudde haar hoofd. Keith deed drie snelle passen in haar richting met uitgestrekte handen, alsof hij haar te lijf wilde gaan. Ze knipperde niet met haar ogen en deinsde geen millimeter achteruit. Ze staarde hem alleen maar aan en hij bleef staan.

'Dat is precies de reden waarom ik niet voor jou stem, Keith,' zei ze vormelijk. 'Jij hebt nooit enige zelfbeheersing gehad en je bent er met het klimmen der jaren niet wijzer op geworden. Probeer het maar ergens anders. Vraag Mr. Morris.'

Een giftige oude dame, werd me duidelijk. Keith werd knalrood. Dart grinnikte.

Keith liep om de tafel heen naar Ivan. 'Broer,' commandeerde hij, 'ik heb je eenentwintig stemmen nodig.'

'Maar wacht eens,' aarzelde Ivan. 'Tante Marjorie heeft gelijk. Jij zou alleen maar de hele tijd met Conrad in de clinch liggen. Er zou nooit één verstandige beslissing uit komen.'

'Jij *weigert* voor mij te stemmen?' Keith kon het nauwelijks geloven. 'Daar krijg je spijt van, let op mijn woorden. Daar krijg je spijt van.' De gewelddadigheid van zijn karakter was gevaarlijk dicht naar de oppervlakte gekomen. Hannah, zijn dochter, had zich op haar stoel laten zakken en zei ongemakkelijk: 'Papa, maakt u zich niet druk om hem. U kunt mijn drie stemmen krijgen. Kalmeer alstublieft.'

'Dat is vijfenveertig,' zei Conrad. 'Je moet er nog twee hebben, Keith.'

'Rebecca heeft er drie,' zei Keith.

Rebecca schudde haar hoofd.

'Forsyth, dan,' zei Keith woedend, maar in elk geval zonder enige onderdanigheid.

Forsyth keek naar zijn vingers.
'*Dart?*' Keith beefde van woede.
Dart keek naar zijn zwetende oom en kreeg medelijden.
'Goed dan,' zei hij. Hij deed er niet moeilijk over. 'Mijn drie.'
Zonder veel emotie, een opluchting na de storm, zei Conrad toonloos: 'Keith is gekozen.'
'En om eerlijk te zijn,' zei Dart, 'stel ik ook voor om Ivan te kiezen.'
'We hebben geen vier bestuursleden nodig,' zei Keith.
'Aangezien ik voor *u* heb gestemd,' hield Dart hem voor, 'zou u zo fatsoenlijk kunnen wezen om voor Ivan te stemmen. Hij heeft tenslotte eenentwintig aandelen, net als u, en hij heeft er net zoveel recht op om beslissingen te kunnen nemen. Dus, vader,' zei hij tegen Conrad, 'ik draag Ivan voor.'
Conrad dacht na over het voorstel van zijn zoon en haalde zijn schouders op: niet omdat hij het er niet mee eens was, denk ik, maar omdat hij geen hoge dunk had van de intelligentie van zijn broer Ivan.
'Uitstekend. Ivan. Iemand op tegen?'
Iedereen schudde het hoofd, inclusief Marjorie.
'Mr. Morris?' vroeg Conrad formeel.
'Mijn stemmen heeft hij.'
'Unaniem, dus,' zei Conrad, verrast. 'Nog meer nominaties?'
'Vier is een verkeerd aantal,' zei Rebecca. 'Er zou een vijfde moeten komen. Iemand van de jongere generatie.'
Ze bedoelde zichzelf weer. Niemand, zelfs Dart niet, reageerde. Het magere gezicht van Rebecca was op haar manier net zo vals als dat van Keith.
Niet één van de vier kleinkinderen was van zins een ander kleinkind macht te geven en de drie oudere broers leken er al evenmin voor te voelen het stokje door te geven. Het bleef bij de drie zoons van de oude Lord en hun volhardende tante, al was niemand over de gang van zaken volledig tevreden.
Zonder verdere problemen werd besloten dat Conrad voorzitter zou worden ('Ja, ga er voor *zitten*, daar hebben we wat aan,' zei Rebecca. 'Doe niet zo belachelijk,' zei Keith), maar Marjorie had nog een uitsmijter.
'De brief van de notaris zegt ook,' deelde ze mee, 'dat als de aandeelhouders ontevreden zijn over een der bestuursleden, ze een vergadering bijeen kunnen roepen om hem weg te stemmen. Daar hebben ze eenenvijftig procent van de stemmen voor nodig.' Ze staarde vermanend naar Keith. 'Als het raadzaam wordt ons allen te behoeden voor een onverantwoordelijk bestuurslid, zal ik ervoor zorgen dat Mr. Morris

met zijn acht stemmen wordt aangemoedigd de vergadering bij te wonen.'

Hannah was even zwaar beledigd als Keith, maar Keith was voor de verandering niet alleen woedend, hij leek bijna verbijsterd, alsof het nooit bij hem was opgekomen dat zijn tante hem zo venijnig zou afvallen. Tegelijkertijd was het bij mij nooit opgekomen dat ze niet om mijn verwijdering zou verzoeken, maar om mijn aanwezigheid. Marjorie, begreep ik toen, zou elk instrument gebruiken dat van pas kwam om haar doel te bereiken: een door en door pragmatische tante.

Dart zei, met bedrieglijke minzaamheid: 'Staat er ook niet een of andere regel in de statuten dat alle bestuursvergaderingen openbaar zijn? Ik bedoel dat alle aandeelhouders ze mogen bijwonen?'

'Onzin,' zei Keith.

'Bijwonen zonder te interrumperen,' zei Forsyth. 'Niets zeggen tenzij daartoe uitge...'

De stem van Forsyth ging verloren in die van zijn vader: 'We zullen de betreffende artikelen moeten lezen.'

'Dat heb ik gedaan,' zei Forsyth. Niemand schonk enige aandacht aan hem.

'Het heeft er tot nog toe nooit iets toe gedaan,' merkte Conrad op. 'De enige aandeelhouders naast vader en tante Marjorie waren Mr. Morris, en voor hem natuurlijk Madeline, en... eh... Mrs. Perdita Faulds.'

'Wie *is* Mrs. Perdita Faulds precies?' vroeg Rebecca.

Niemand gaf antwoord. Als ze het al wisten, zeiden ze het niet.

'Weet u,' richtte Dart zich rechtstreeks tot mij, 'wie Mrs. Perdita Faulds is?'

Ik schudde mijn hoofd. 'Nee.'

'We vinden haar wel als dat nodig mocht zijn,' verklaarde Marjorie. Ze zei het zo onheilspellend mogelijk. 'Laten we hopen dat het nooit zover hoeft te komen.' Haar boosaardige blik trof andermaal Keith. 'Als we een bestuurslid moeten verwijderen, vinden we haar wel.'

Op de korte lijst aandeelhouders die Roger me had laten zien, had in plaats van een adres voor Mrs. Faulds een firmanaam gestaan, een notaris. Boodschappen aan de dame zouden zonder enige twijfel routinematig worden doorgestuurd, maar om haar zelf op te sporen zou wel eens de nodige moeite kunnen kosten. En vernuft. Misschien zelfs een professionele bloedhond. Maar ook daarvoor zou Marjorie niet terugdeinzen, vermoedde ik.

Het kwam me ook voor dat als ze zo zeker wist dat de mysterieuze Mrs. Faulds zou stemmen zoals Marjorie wilde, dat Marjorie dan in elk geval ook wist wie zij was. Maar dat waren mijn zaken niet, dacht ik. Conrad probeerde met enig vertoon de touwtjes weer in handen te nemen. 'Goed,' begon hij. 'Nu we een nieuwe raad van bestuur hebben, kunnen we misschien knopen gaan doorhakken. Dat moeten we wel. Zoals jullie weten worden er maandag weer wedstrijden gehouden en we kunnen Marjorie niet vragen om overal verantwoordelijk voor te blijven. Vader deed een hoop werk waar geen van ons iets van afweet. We zullen snel moeten leren.'

'Het eerste wat moet gebeuren is de kolonel en onnozele Oliver ontslaan,' zei Rebecca.

Conrad wierp een zijdelingse blik op zijn dochter en vervolgde tegen de anderen: 'De kolonel en Oliver zijn momenteel de enigen die de zaak draaiende kunnen houden. We hebben hun expertise nodig, sterker nog, hun expertise is het enige waarop we kunnen vertrouwen en ik ben vast van plan hen over elk detail te blijven raadplegen.'

Rebecca zette de bokkepruik op. Marjorie overwoekerde haar als een welig tierende aardbeienplant met haar afkeuring.

'Ik dien een motie in,' zei Ivan verrassend, 'dat we de wedstrijden als voorheen blijven organiseren, met Roger en Oliver in hun normale rol.'

'Steun ik,' zei Marjorie kernachtig.

Keith keek nors. Conrad negeerde hem en maakte een notitie in het schrijfblok dat voor hem lag. 'Het eerste besluit van de raad van bestuur is dat we voorlopig op de oude voet verder gaan.' Hij tuitte zijn lippen. 'Ik neem aan dat we een secretaris moeten hebben om te notuleren.'

'U zou de secretaris van Roger kunnen gebruiken,' stelde ik voor.

'Nee!' Rebecca sprong er bovenop. 'Dan gaat alles wat hier gezegd wordt rechtstreeks naar Roger. En niemand heeft u iets gevraagd. U bent een buitenstaander.'

Dart barstte in poëzie uit. 'Oh was er maar een macht die ons de gave gaf, onszelf te zien als anderen ons zien! Dat zou ons voor menige blunder behoeden, en voor menige dwaze gedachte.'

'*Wat?*' vroeg Rebecca.

'Robert Burns,' zei Dart. 'Aan een luis.'

Ik kon mijn lachen net inhouden. Niemand scheen het verder grappig te vinden.

'U zou een motie kunnen indienen over het verplaatsen van de kleedkamer voor vrouwelijke jockeys,' zei ik mild tegen Rebecca.

'O werkelijk?' vroeg ze sarcastisch. 'Waarnaar toe?'

'Dat zal ik u laten zien. En,' vervolgde ik tegen Conrad, 'u zou de omzet van de bars kunnen verdubbelen.'

'Grote *goden*,' zei Dart komiek, 'wat krijgen we nu?'

'Zijn er al gedetailleerde plannen voor nieuwe tribunes?' vroeg ik aan Conrad.

'Er komen geen nieuwe tribunes!' Marjorie was onvermurwbaar.

'Het zal wel moeten,' zei Conrad.

'We verkopen de grond,' hield Keith vol.

Ivan aarzelde.

'Nieuwe tribunes,' zei Rebecca. 'Nieuw management. Alles moet nieuw. En anders verkopen we.'

'Verkopen, maar later,' herhaalde Hannah obstinaat.

'Mee eens,' knikte Forsyth.

'Niet zolang ik leef,' zei Marjorie.

4

Toen de vergadering uiteenging werd duidelijk waarom deze op neutraal terrein gehouden was: geen der aanwezigen leefde met een der anderen onder één dak.

Ze liepen naar buiten als individuen, elk in een schijnbaar potdichte omheining van eigendunk, en geen van hen leek er behoefte aan te hebben mijn bestaan nog langer te erkennen.

Alleen Dart, die al bij de deur stond, draaide zich om naar waar ik de exodus stond gade te slaan.

'Ga je mee?' vroeg hij. 'Het is uit met de pret.'

Met een glimlach voegde ik me bij hem, terwijl hij me bedachtzaam opnam.

'Zin om wat te drinken?' vroeg hij, en toen ik aarzelde voegde hij eraan toe: 'Er is een pub vlak buiten de hoofdingang die de hele dag open is. En eerlijk gezegd ben ik nieuwsgierig.'

'Nieuwsgierigheid kan niet van één kant komen.'

Hij knikte. 'Afgesproken dan.' Hij ging me voor een trap af, langs een andere route dan ik gekomen was, en we kwamen buiten in de buurt van de paddocks, vlakbij waar de renpaarden werden afgezadeld. Afgelopen zaterdag was het er een gekrioel van mensen geweest, maar nu stonden er maar een paar auto's geparkeerd. In elk daarvan stapte één enkele Stratton, en geen der broers, kinderen, neven of nichten ging bij een der anderen staan voor een gezellig babbeltje.

Dart scheen het alleen maar normaal te vinden en vroeg waar ik mijn auto had staan.

'Daar.' Ik wees vaag.

'O? Nou, stap dan maar in.'

De auto van Dart, een oud, stoffig, zuinig wagentje, stond naast de zwart glanzende Daimler-met-chauffeur van Marjorie, die langzaam weggleed. Marjorie liet haar achterraampje zakken en staarde naar Dart alsof ze niet kon geloven dat hij zich met mij inliet. Dart wuifde haar vrolijk na en deed me meteen aan mijn zoon Alan denken, die een zelfde gebrek aan achting voor draken aan de dag legde, wat niet alleen met een gebrek aan visie te maken had, maar ook simpelweg een kwestie van moed was.

Autoportieren werden dichtgeslagen, motoren bromden, remlichtjes gingen aan en uit; de Strattons verspreidden zich. Dart schakelde en reed ons rechtstreeks naar de poort, waar een paar troosteloos ogende figuren langzaam heen en weer liepen met borden waarop stond VERBIED STEEPLECHASES en DIERENMISHANDELING.

'Die hebben geprobeerd mensen ervan te weerhouden naar binnen te gaan sinds dat paard hier afgelopen zaterdag verongelukt is,' merkte Dart op. 'De wollen-mutsenbrigade, noem ik ze.'

De beschrijving leek aardig accuraat, aangezien de meerderheid zich met gebreide mutsen had getooid. Hun protestborden waren handgeschreven en amateuristisch, maar aan hun toewijding hoefde niet getwijfeld te worden.

'Ze begrijpen niets van paarden,' zei Dart. 'Paarden rennen en springen omdat ze dat willen. Paarden doen alles wat in hun vermogen ligt om vooraan in de kudde te komen. Het fenomeen paardenrennen zou niet eens bestaan als paarden zich niet van nature afbeulden om als eerste over de finish te gaan.' Een grijns kwam en ging. 'Ik heb dat niet, het instinct van een paard.'

Maar zijn zuster wel, dacht ik.

Dart reed langs de demonstranten en stak de straat over naar de parkeerplaats van de Mayflower Inn, die er niet uitzag alsof hij ooit in de haven van Plymouth had gelegen, laat staan dat hij de Atlantische Oceaan was overgestoken.

Binnen was de herberg vastberaden versierd met imitatie-aandenkens aan het roemruchte jaar 1620, maar het zag er niet eens zo beroerd uit. Muurschilderingen van Pilgrim Fathers met hoge hoeden (een anachronisme) en witte baarden (fout: de Pilgrim Fathers waren jong) deden denken aan Abraham Lincoln tweehonderd jaar later, maar wat maakte het uit? Het was warm binnen, de pub straalde een zekere gastvrijheid uit en ze hadden het tenminste geprobeerd.

Dart kwam met twee niet erg avontuurlijke *half pints* aanzetten en zette ze behoedzaam op een donker eikehouten tafeltje neer, waar we aanschoven in redelijk comfortabele, oude eiken stoelen met houten armleuningen.

'Nou,' stak hij van wal, 'waarom ben je gekomen?'

'Ik bezit acht aandelen.'

Hij had staalgrijze ogen: ongewoon. Hij had niets van die hoekige magerheid die bij zijn zuster in het gezicht geslepen leek te zijn. De strijd tegen overgewicht, met alle kwellingen en humeurbedervende ontberingen van dien, was aan hem niet besteed. Dart was dertig of daaromtrent, maar hij had reeds die rondheid die makkelijk kon uitgroeien tot de algehele zwaarlijvigheid van zijn vader. In tegenstelling tot zijn vader begon hij echter ook al te kalen, en dat, daar kwam ik niet veel later achter, zat hem vreselijk dwars.

'Ik had wel over je gehoord,' zei Dart, 'maar je werd altijd als een schurk afgeschilderd. Je ziet er helemaal niet uit als een schurk.'

'Wie schilderde mij als schurk af?'

'Hannah vooral, denk ik. Ze is nooit over de afwijzing van haar moeder heen gekomen. Ik bedoel, moeders worden niet geacht zuigelingen te dumpen, of wel? Vaders doen dat regelmatig, maar het is toch een mannelijk privilege. Rebecca zou me de nek omdraaien als ze het hoorde. Hoe dan ook, jullie moeder heeft Hannah wel gedumpt en jou *niet*. Ik zou maar oppassen voor messen tussen de schouderbladen, als ik jou was.'

Zijn stem klonk luchthartig, frivool, maar ik had de indruk dat ik een serieuze waarschuwing had gekregen.

'Wat doe je voor de kost?' vroeg ik neutraal. 'Wat doen jullie allemaal voor de kost?'

'Wat ik doe voor de kost? Ik boer. Dat wil zeggen: ik houd toezicht op de landerijen van de familie.' Misschien las hij beleefde verbazing op mijn gezicht, want hij grimaste vol zelfkritiek en zei: 'Toevallig hebben we een manager die het agrarische gedeelte voor zijn rekening neemt en een makelaar die de huizen beheert, maar ik neem de beslissingen. Dat wil zeggen: ik luister naar wat de manager wil en naar wat de makelaar wil, en dan besluit ik dat dat nou net is wat *ik* wil dat *zij* doen, en vervolgens doen ze het. Tenzij vader andere ideeën heeft. Tenzij grootvader andere ideeën had, tot voor kort. En uiteraard tenzij ze allemaal naar mijn oudtante Marjorie hebben geluisterd, want haar ideeën zijn doorslaggevend.' Hij keek me opgewekt aan. 'Het is allemaal verschrikkelijk vervelend, en absoluut niet wat ik graag zou willen.'

'En dat is?' vroeg ik, geamuseerd.

'Fantasieën,' zei hij. 'Eigen weg. Verboden toegang.' Hij bedoelde het niet beledigend. Dezelfde woorden hadden uit de mond van Keith als een vervloeking geklonken. 'Wat doe *jij*?' vroeg hij.

'Ik ben bouwer,' zei ik.

'O ja? Wat bouw je?'

'Meest huizen.'

Het interesseerde hem niet bijster. Hij nam kort de bezigheden van de andere Strattons door, of althans van degenen die ik ontmoet had.

'Rebecca is jockey, ik neem aan dat je dat al wel geraden had? Ze is haar hele leven al geobsedeerd door paarden. Ze is twee jaar jonger dan ik. Onze papa heeft een renpaard of twee in eigendom en verder jaagt hij. Hij deed mijn werk tot hij besloot dat ik te weinig om handen had, dus nu doet hij nog minder. Maar ik moet eerlijk zijn: hij bedoelt het niet kwaad, wat hem in deze dagen tot een soort heilige maakt. Mijn oom Keith... Joost mag het weten. Hij wordt verondersteld in het financiewezen te zitten, wat dat ook moge betekenen. Mijn oom Ivan heeft een tuincentrum, allemaal van die foeilelijke tuinkabouters en dat soort ongein. Hij scharrelt daar een paar dagen per week rond en vertrouwt op zijn manager.'

Hij nam een slok. Zijn glimmende ogen namen me op over de rand van het glas.

'Ga verder,' zei ik.

'Hannah.' Hij knikte. 'Die heeft nog nooit de handen uit de mouwen hoeven steken. Mijn grootvader overlaadde haar met geld ter compensatie van de afwijzing door haar moeder—*jouw* moeder—maar hij wekte nooit de indruk van haar te houden... hoewel ik dat misschien niet mag zeggen. Hoe dan ook, Hannah is niet getrouwd, maar ze heeft een zoontje genaamd Jack, een ontzettend ettertje. Wie hebben we nog meer? Oudtante Marjorie. Die heeft niet alleen haar Stratton-geld, maar was ook nog eens zo slim om te trouwen met een rijke stinkerd die op tamelijk jonge leeftijd de pijp uitging. Geen kinderen.' Hij dacht even na. 'Dat was het hele stel.'

'En Forsyth dan?' vroeg ik.

Een luik knalde neer en sloot de stroom informatie over de bezigheden van de Strattons hermetisch af.

'Grootvader heeft zijn vijfenzeventig aandelen van Stratton Park onder ons verdeeld,' verklaarde hij. 'Eenentwintig aandelen elk gingen naar zijn drie zoons, en drie aandelen naar elk van zijn vier kleinkinderen. Forsyth heeft net als de anderen drie aandelen gekregen.' Hij zweeg en zijn gezichtsuitdrukking sloot daar naadloos bij aan. 'Wat Forsyth doet is mijn zaak niet.' Wat hij niet zei maar zonneklaar wel bedoelde, was dat het ook mijn zaak niet was.

'En wat gaan jullie nou met de renbaan doen?' vroeg ik.

'Behalve erover kissebissen? Voorlopig niets, aangezien tantetje dat wil. Daarna zullen we wel een paar hopeloze tribunes krijgen tegen enorme kosten, en moeten we de grond verkopen om die tribunes af te betalen. Je kunt je aandelen net zo goed meteen verscheuren.'

'Je lijkt er niet erg mee te zitten.'

Zijn snelle grijns schitterde en verbleekte. 'Om eerlijk te zijn kan het me geen donder schelen. Zelfs als ik onterfd werd omdat ik iets buitengewoon laakbaars deed zoals me bijvoorbeeld aansluiten bij de anti-jachtlobby, zou ik alleen maar rijker worden. Grootvader heeft me om te beginnen negen jaar geleden al miljoenen geschonken. En mijn vader heeft ook zijn pluspunten. Hij heeft me al een deel van zijn eigen fortuin gegeven, en als hij nog drie jaar leeft hoef ik daar niet eens belasting over te betalen.' Hij fronste zijn voorhoofd en keek me aan. 'Waarom vertel ik je dit eigenlijk?'

'Om indruk op me te maken?'

'Nee, dat is het niet. Wat jij denkt kan mij geen bal schelen.' Hij knipoogde. 'Nee, dat is geloof ik niet waar.' Hij zweeg even. 'Ik heb een aantal ergernissen in mijn leven.'

'Zoals?'

'Te veel geld. Geen motivatie. En ik word kaal.'

'Ga trouwen,' zei ik.

'Daar gaat mijn haar niet van groeien.'

'Misschien zou je het minder erg vinden.'

'Onmogelijk. En het is verdomd oneerlijk. Ik ga naar artsen die zeggen dat ik er niks tegen doen kan, het zit in de genen, maar ik zou weleens willen weten hoe het daar verdomme in is gekomen. Met vader is niks aan de hand en grootvader had zijn volledige haardos nog, ook al was hij achtentachtig, en kijk eens naar Keith, met al dat haar waar hij zijn handen doorheen kan halen als een blozende bakvis. Ik haat dat maniertje. En zelfs Ivan heeft geen kale plekken, hij wordt dun over de hele linie maar dat is lang zo *erg* niet.' Hij wierp een onheilspellende blik op mijn hoofd. 'Jij bent ongeveer van mijn leeftijd en jouw haar is *dik.*'

'Probeer het eens met slangeolie,' stelde ik voor.

'Dat is typerend. Mensen als jij hebben *geen idee* hoe het is om overal haren aan te treffen. In de wastafel. Op het kussen. Haren die uit mijn schedeldak zouden moeten groeien, verdomme. Hoe wist je trouwens dat ik niet getrouwd ben? En geef me niet het standaardantwoord van je ziet er niet bezorgd uit. Ik ben *wel* bezorgd, verdomme, om mijn haar.'

'Je zou implantatie kunnen proberen.'

'Ja. Lach niet, dat ga ik ook doen.'

'Ik lach niet.'

'Ik wil wedden van wel, in je vuistje. Iedereen vindt het om te gillen als een ander kaal wordt. Maar wanneer het je zelf overkomt is het tragisch.'

Er waren onherstelbare rampen, begreep ik, die alleen maar erger konden worden. Dart nam grote slokken bier, alsof hij daarmee de falende follikels kon irrigeren, en vroeg of ík getrouwd was.

'Zie ik er zo uit?'

'Je ziet er stabiel uit.'

Verrast bevestigde ik dat ik inderdaad getrouwd was.

'Kinderen?'

'Zes zoons.'

'Zes!' Hij leek geschokt. 'Zo oud ben je nog niet.'

'We zijn getrouwd toen we negentien waren en mijn vrouw krijgt graag kinderen.'

'Grote God.' Andere woorden schoten hem te kort, en als zo vaak dacht ik weer terug aan die onstuimige studententijd waarin Amanda en ik smoorverliefd op elkaar waren geworden. Vrienden om ons heen vormden paartjes en woonden samen: dat was algemeen aanvaard.

'Laten we gaan trouwen,' had ik impulsief gezegd. 'Trouwen doet *niemand*,' zei Amanda. 'Laten wij dan *alternatief* zijn,' zei ik.

Dus trouwden we, gelukkig giechelend, en ik schonk geen aandacht aan mijn moeder, die me probeerde duidelijk te maken dat ik Amanda huwde met mijn ogen, dat ik een halfvolwassen vrouw trouwde die ik niet echt kende. 'Ik ben met Keith Stratton getrouwd omdat hij zo mooi was,' hield ze me voor, 'en dat was een afschuwelijke fout. Dat is altijd fout.'

'Maar Amanda is geweldig.'

'Ze is geweldig om te zien en ze is aardig en het is duidelijk dat ze van *jou* houdt, maar jullie zijn allebei nog zo jong, jij zult veranderen in de loop der jaren en zij ook.'

'Mama, je komt toch wel op onze bruiloft?'

'Natuurlijk.'

Ik trouwde met Amanda om haar lange benen en haar blonde haar en haar naam, Amanda, waar ik stapel op was. Ik had tien jaar nodig om er eindelijk rond voor uit te komen dat mijn moeder gelijk had gehad wat dat veranderen betreft.

Noch Amanda noch ik had op de leeftijd van negentien geweten dat ze bijna terstond een enorme honger naar kinderen zou ontwikkelen. Geen van ons had ooit kunnen voorzien dat ze extatisch zou genieten van het feitelijke barensproces, of dat ze de volgende zwangerschap al zou plannen zodra de laatste achter de rug was.

Zowel Christopher als Toby waren al geboren tegen de tijd dat ik me door mijn laatste examens heen worstelde, en ons gezin van vier voeden en huisvesten leek een onmogelijke taak. In de eerste week na afloop van mijn studie was ik mijn zorgen gaan verdrinken in een deprimerende oude pub, waar de tranen van de eigenaar in het warme bier drupten: de man was op de fles gegaan, zijn droom was voorbij.

De hele tent was onbewoonbaar verklaard, hij had overal schulden, zijn vrouw had hem verlaten en zijn vergunning om alcoholhoudende dranken te verkopen zou de volgende dag verlopen zijn.

We kwamen een absolute bodemprijs overeen. Ik ging naar de gemeenteraad om uitstel van sloop te krijgen. Ik smeekte en soebatte en verpachtte mijn ziel, en Amanda, de twee jongens en ik betrokken onze eerste ruïne.

Ik begon hem bewoonbaar te maken terwijl ik uitkeek naar een baan. Op een groot architectenbureau vond ik een lage betrekking, een baan die me tegenstond maar waar ik me grimmig aan vastklampte vanwege de loonzakjes.

In tegenstelling tot Dart wist ik heel goed wat het was om 's nachts te liggen zweten over de vraag welke rekening het beste eerst betaald kon worden, of hoe we welke rekening dan ook moesten betalen, over de vraag wat ik meer nodig had, elektriciteit of een telefoon (elektriciteit) en of ik de loodgieter moest betalen (ja, maar ook zijn vak leren) en of ik eerst dakpannen moest aanschaffen (ja) of nieuwe stenen (nee).

Ik haalde overal gratis puin vandaan en improviseerde en mengde cement met emmers zand en maakte oude stenen mooi en bouwde een schoorsteen die nooit rookte. De ruïne kwam weer tot leven, en ik verliet het architectenbureau en groeide en veranderde onherroepelijk.

Op mijn negentiende had ik niet geweten dat ik ongeschikt zou zijn om in teamverband te werken, of dat mijn eigenlijke *métier* het gewone handwerk was: niet tekenen maar bouwen. Amanda had er geen voorstelling van gehad dat het leven met een architect vuil kon betekenen, ontreddering, maanden zonder inkomsten; maar we schikten ons in het onverwachte: zij leerde leven met bouwvallen, ik met baby's, en zo vonden we beiden de voldoening die we zochten, zij het dat we steeds verder uit elkaar groeiden, tot we zelfs onze seksuele belangstelling voor elkaar verloren en seks een inspanning werd, geen vreugde.

Na de geboorte van Neil, in een tijd waarin niets goed leek te gaan, waren we bijna definitief uit elkaar gegaan, maar voor de kinderen waren we bij elkaar gebleven: een scheiding was alleen al uit economisch oogpunt onverantwoord. Ik sliep voortaan alleen onder geïmproviseerde daken terwijl de rest in de bus sliep. Ik vluchtte in mijn werk en maakte dagen van achttien uur. Na vier steeds welvarender, maar ongelukkige jaren, waarin geen van beiden iemand was tegengekomen om de ander te vervangen, hadden we een grootse poging gewaagd om 'opnieuw te beginnen'. Het resultaat was Jamie. Hij hield Amanda nog steeds gelukkig, en al was het nieuwe begin langzaam op het oude liedje uitgedraaid, we hadden toch een soort *modus vivendi* bereikt waarin we elkaar verdroegen en er allebei het beste van maakten, een schikking waarmee te leven viel, in elk geval tot de kinderen de deur uit waren.

En waar zat hem nu de vrije keus? Ik had ervoor gekozen om te trouwen om alternatief te zijn, en ik had ervoor gekozen me neer te leggen bij de gevolgen omdat ik geen fouten kon toegeven. Ik had ervoor gekozen alleen te werken omdat ik niet de kwaliteiten had die nodig waren voor teamwerk. Elke keus was mede bepaald door vastliggende factoren. Niks vrije keus.

'Ik kies ervoor om te zijn wat ik ben,' zei ik.

'Wat?' vroeg Dart, verbaasd.

'Niks. Het is maar een theorie. Was het onvermijdelijk dat Conrad, Keith, Ivan en de anderen en jij de keuzes maakten die jullie gemaakt hebben met betrekking tot de toekomst van de renbaan?'

Hij zocht een antwoord in zijn glas en keek me kort aan. 'Dat gaat me boven mijn pet,' zei hij.

'Zou je ooit hebben verwacht dat je vader wilde verkopen? Of dat Keith maar een beetje zou aanrommelen?'

'Of dat Rebecca op mannen zou vallen?' Hij grinnikte. 'Nee, het antwoord op alle drie vragen is nee.'

'Wat wil jij zelf voor de renbaan?' vroeg ik.

'Zeg jij het maar,' zei hij minzaam, 'jij bent de deskundige.'

Ik voelde een algehele onverschilligheid in zijn wezen. Niet iets wat je zomaar zegt tegen iemand die je nauwelijks kent.

'Nog één?' stelde ik voor, wijzend op onze bijna lege glazen.

'Nee, doe geen moeite. Wat dacht je van een geheel willekeurige keus? Kies maar een kaart, zoiets. Of een rationele keus? Zoals moet ik een paraplu meenemen omdat het regent.'

'Een heleboel mensen nemen geen paraplu mee ook al regent het.'

'Omdat het niet in hun aard ligt? Omdat ze het slap vinden?'

'Zoiets.'

'Hoe komen we hier eigenlijk op?' Het onderwerp leek hem te vermoeien. 'Even terug naar de vergadering. Toen je aan vader vroeg of hij al gedetailleerde ontwerpen voor die nieuwe tribunes had waar hij altijd zo op hamert, was dat omdat je zelf aannemer bent?'

'Ja,' knikte ik.

'O. Nou... en als je de plannen kon bekijken, zou je er dan een mening over hebben?'

'Misschien.'

Hij dacht erover na. 'Ik weet waar je de plannen kunt inzien, maar dat zal niemand willen behalve ik. Als ik jou er een kijkje in laat nemen, zou je dan alleen aan *mij* willen vertellen wat je ervan denkt? Dan zou ik tenminste enig idee hebben of nieuwe tribunes een goed idee zijn of niet. Ik bedoel, ik weet niet hoe ik over de toekomst van de renbaan moet stemmen, omdat ik geen goed inzicht heb in de verschillende opties. Dus wat dat betreft heb je gelijk, als ik nu zou moeten kiezen zou dat een instinctieve keus worden. Hoe en wie ik ben zou mijn keus bepalen. Toch?'

'Ja zeker.'

'Zullen we dan een kijkje gaan nemen in de snode plannetjes van die architect van Conrad?'

'Goed,' zei ik.

Hij grinnikte. 'Kiezen we daarvoor. Kom op, we gaan inbreken.' Hij stond vastberaden op en liep naar de deur. 'Kun je sloten opensteken?'

'Dat hangt van het slot af. Maar als ik weet hoe lang ik heb en het moet per se, dan wil het weleens lukken.'

'Mooi.'

'Hoe lang gaat het duren?' vroeg ik.

Hij zweeg even en trok zijn wenkbrauwen op. 'Een halfuurtje, misschien.'

'Oké.'

Ik volgde hem de Mayflower uit en zijn wagentje in. Met een schok reisden we af naar een voor mij nog onbekende bestemming.

'Als ik er nu eens voor koos om niet kaal te worden?' De kwestie amuseerde hem op een wat bittere wijze.

'Je hebt geen keus.'

We reden in oostelijke richting, Swindon lag achter ons en volgens de bordjes was Wantage het eerstvolgende plaatsje. Maar lang voor we daar aankwamen trapte Dart op de rem en reed met een wijde boog door een poort in een stenen muur. De oprijlaan was kort en we bleven staan voor een groot huis gebouwd van gladde grijze bakstenen met banden van gladde roze stenen en ingelegde patronen van gladde geelachtige stenen, alles bij elkaar (in mijn ogen) een foeilelijk geheel.

'Hier ben ik grootgebracht,' zei Dart bemoedigend. 'Wat denk je ervan?'

'Edwardian,' zei ik.

'Bijna. Laatste jaar van Victoria.'

'Het lijkt me in elk geval solide.'

Een torentje. Grote schuiframen. Een oranjerie. Typisch weelderig vertoon van de middenstand.

'Mijn ouders ratelen er nu in rond,' zei Dart openhartig. 'Maar ze zijn er op het moment niet. Vader had na de renbaan een afspraak met moeder. Ze blijven nog uren weg.' Hij haalde het sleuteltje uit het contact, hield de sleutelbos in de hand en stapte uit. 'We kunnen er achter wel in,' zei hij, terwijl hij een sleutel uitzocht. 'Kom.'

'Geen inbrekerij?'

'Later.'

Van dichtbij waren de muren nog steeds weerzinwekkend, en voelden glibberig aan bovendien. Het pad naar de achterkant was omzoomd door sombere struiken. Achter het huis was een rood bakstenen gedeelte aangebouwd voor een badkamer en een toilet: bruin geschilderde afvoerpijpen zigzagden over de buitenkant, een open uitnodiging aan de vrieskou. Dart draaide een bruin geschilderde deur van het slot en liet ons binnen in de ingewanden (ja, letterlijk) van het huis.

'Deze kant op,' zei hij. Hij marcheerde langs een garderobe en een kamertje met nog meer afvoerbuizen, beide in een glimp te zien door halfopen deuren. 'Hierdoor.' Hij duwde een tochtdeur open die van min of meer functioneel naar ronduit weelderig leidde; we stonden op de zwart-wit betegelde vloer van een grote hal.

Aan de andere kant gingen we een rommelige kamer met eikehouten lambrizeringen binnen waar mijn oog onmiddellijk viel op een eindeloze hoeveelheid paarden; sommige, op olieverfschilderijen, hingen protserig aan de muren met eigen lampjes op de lijst, andere prijkten op zwart-witfoto's in zilveren lijstjes die op elk denkbaar oppervlak waren neergezet en weer andere waren vereeuwigd op boekomslagen. Paardekoppen als boekensteun schraagden in leer gebonden klassiekers als de *Irish R. M.* en *Handley Cross*. Een zilveren vos hield een stapel papieren in het gareel op een rommelig bureau. Zilveren en gouden munten lagen uitgestald. Een rijzweepje lag losjes op een stoel waarvan de veren gesprongen waren. Exemplaren van *Horse and Hound* en *Country Life* vulden een tijdschriftenrek.

'Dit is het heiligdom van vader,' zei Dart onnodig. Hij wandelde onbekommerd door de kamer, liep langs het bureau en de grote stoel erachter en bleef voor een paneel staan waarvan hij zei dat het een kastdeur was die zijn vader altijd zorgvuldig op slot hield.

'De renbaanplannen liggen hierachter,' zei Dart. 'Zullen we hem maar opendoen?'

'Dat zou je vader vast niet goed vinden.'

'Dat denk ik ook niet, nee. Ga me nu niet vertellen dat je geweten ineens opspeelt. Je hebt gezegd dat het geen probleem was.'

'Dit is te persoonlijk.'

Toch kwam ik naast hem staan en bukte me om het slot iets beter te bekijken. Het enige dat je aan de buitenkant kon zien was een onopvallend sleutelgat: als Dart niet had geweten dat het er zat zou de deur min of meer onzichtbaar zijn gebleven, vooral omdat er een schildering van een groep jagers met honden op het paneel was aangebracht waardoor het nauwelijks van andere panelen te onderscheiden was.

'Nou?' vroeg Dart.

'Hoe ziet de bijbehorende sleutel eruit?'

'Hoe bedoel je?'

'Nou, is het een kleine, korte sleutel, of één met een wat langere, smalle schacht met een baard aan het eind?'

'Een lange schacht.'

Ik ging rechtop staan en vertelde hem het slechte nieuws.

'Ik raak dat slot niet aan,' zei ik. 'Ligt de sleutel hier niet ergens in de kamer?'

'Ik heb in mijn jeugd jarenlang geprobeerd hem te vinden. Zonder succes. Wat dacht je van een beetje geweld?'

'Geen sprake van.'

Dart pakte een paar voorwerpen van het bureau op. 'Wat dacht je van deze briefopener? Of dit?' Hij liet me een lang knopehaakje zien. 'We gaan hem niet *bestelen*. Alleen maar even kijken.'

'Waarom houdt je vader de plannen achter slot en grendel?'

Dart haalde zijn schouders op. 'Hij is van nature nogal gesloten. Maar het kost zoveel *energie*, als je alles geheim wilt houden. Ik kan me er nooit toe zetten.'

Het slot was oud en ongetwijfeld simpel te kraken, en zat waarschijnlijk aan de binnenkant van het deurtje vastgeschroefd. Het sleutelgat zelf was ongeveer tweeëneenhalve centimeter lang, een gezond formaat dat forceren tot een makkie maakte. Zonder loper had je aan twee draadjes ook genoeg. Maar ik ging het niet openbreken, om de doodeenvoudige reden dat Conrad terecht woedend zou zijn als hij erachter kwam, en ook omdat mijn belangen bij het inzien van de plannen niet echt torenhoog waren.

'Dus we zijn hier voor niks heen gereden?' vroeg Dart.

'Het spijt me.'

'O, nou ja.' De lust leek hem alweer vergaan, alsof het gezond verstand inmiddels de kop had opgestoken. Hij bekeek me met een taxerende blik. 'Toch heb ik onmiskenbaar het gevoel dat je het wel zou *kunnen*, maar dat je het gewoon niet wilt.'

De trip was op een anticlimax uitgelopen. Ik keek op mijn horloge en vroeg of hij me naar de renbaan zou willen terugbrengen. Hij stemde toe, schijnbaar met hetzelfde gevoel als ik. Het was duidelijk dat ik niet aan zijn verwachtingen had voldaan.

We reden weer weg in zijn autootje en ik vroeg waar hij nu zelf woonde.

'Je zult het misschien niet geloven,' zei hij, 'maar ik woon in Stratton Hays.'

'Is dat een dorp?'

'O jee, nee hoor.' Hij vond het wel grappig. 'Een huis. Hoewel, nu je het zo zegt, het is wel zo groot als een dorp. Het is het huis van mijn grootvader. Die was eenzaam toen oma overleden was, dus vroeg hij mij een poosje bij hem te blijven. Dat was een jaar of tien geleden. Keith vond het uiteraard maar niks. Hij probeerde mij eruit te werken en zelf binnen te komen. Hij had er tenslotte een groot deel van zijn leven gewoond. Hij zei dat het niet natuurlijk was voor een jongen van twintig om daar zijn intrek te nemen, maar grootvader wilde Keith niet meer terug hebben. Ik herinner me het geschreeuw nog. Ik ging altijd maar uit de weg als Keith in de buurt was. Niet dat dat nieuw was, hoor. Hoe dan ook, ik *mocht* grootvader, en we konden het prima met elkaar vinden. We dineerden iedere avond samen en ik reed hem bijna iedere dag over de landerijen rond en naar de renbaan. Hij runde Stratton Park in feite zelf. Dat wil zeggen, de kolonel waar Rebecca over klaagde, kolonel Gardner, dat is de manager van de renbaan, deed wat grootvader wilde. Hij is een uitstekende manager, wat Rebecca ook over hem zegt. Grootvader had echt een neus voor goed personeel, zoals kolonel Gardner, en die twee waar ik op steun, mijn manager en die makelaar. En dat is maar goed ook, want om heel eerlijk te zijn hebben we maar één genie in de familie gehad en dat was de eerste baron. Die was koopman en bankier, en werkelijk alles wat die man aanraakte veranderde in goud.' Zijn stem klonk nog steeds luchthartig, maar wat hij vervolgens zei was diep doorvoeld. 'Ik mis de ouweheer ongelooflijk, weet je dat?'

We ronkten verder tot de wollen mutsen weer in zicht kwamen.

'Stratton Hays is voorbij de poort, hier rechtdoor,' zei Dart. 'Het is niet ver. Aan de rand van Stratton Park. Wil je het zien? Je moeder heeft er gewoond met Keith. Ze heeft er Hannah gedumpt.'

Ik keek op mijn horloge, maar mijn nieuwsgierigheid won het van mijn vaderlijke verantwoordelijkheidsgevoel. Ik zei dat het me zeer interessant leek, en daar gingen we al.

Stratton Hays had alles waar het het huis van Conrad aan ontbrak. Het was een eeuwenoud, homogeen geheel dat wel iets weg had van een klein uitgevallen Hardwicke Hall. Vroeg zeventiende-eeuws steen en glas in een luchthartige harmonie van proporties, gebouwd volgens de gouden formules van de Elizabethaanse tijd – het stond er nog precies zo bij als het ongetwijfeld al vierhonderd jaar gedaan had, en in elk geval zoals het erbij had gestaan toen mijn moeder er als bruid over de drempel was gegaan, veertig jaar geleden.

Ze had over 'huize Stratton' gesproken als een harteloze steenhoop, maar dat moest toch worden uitgelegd als projectie van haar eigen ongeluk. Niettemin verraste mij de laconieke grandeur van het landhuis. In mijn ogen was het vriendelijk, gastvrij.

'Mijn betovergrootvader heeft het gekocht,' zei Dart nonchalant, 'omdat hij het wel een geschikte residentie vond voor een recentelijk in de adelstand verheven baron. Van de eerste barones wordt beweerd dat ze het niet aristocratisch genoeg vond. Zij wilde Palladiaanse pilaren, timpanen en zuilengangen.'

Net als bij ons vorige uitstapje gingen we het huis binnen door een onopvallende zijdeur, en net als toen belandden we in een zwart-witte hal, alleen deze tegels waren van marmer. Er was meer ruimte dan meubilair, voor de hoge ramen hingen geen gordijnen en overal hing, zoals mijn moeder dat had uitgedrukt, de echo van verdwenen generaties.

'Keith had de westvleugel,' zei Dart, terwijl hij een brede trap beklom. 'Na zijn scheiding van je moeder hertrouwde hij, en grootvader dwong hem om met zijn nieuwe vrouw en Hannah ergens anders onderdak te zoeken. Dat was uiteraard voor mijn geboorte. Het schijnt dat Keith niet wilde vertrekken, maar dat grootvader voet bij stuk heeft gehouden.'

Dart struinde door een grote ongemeubileerde ruimte en sloeg een hoek om. We stonden aan het begin van een lange brede gang met een donkerhouten vloer, een karmozijnrode loper en aan het eind een hoog raam.

'Westvleugel,' zei Dart. 'De deuren zijn allemaal open. De kamers worden eens per maand gestoft. Kijk maar even rond, als je wilt.'

Ik keek rond en voelde me onbehaaglijk. Dit was waar mijn moeder in elkaar was geslagen en 'verkracht binnen het huwelijk', zoals dat tegenwoordig heette. In hun slaapkamer had de tijd stilgestaan. Ik huiverde er.

Een kleedkamer, een boudoir, een studeerkamer en een zitkamer, allemaal met hoge ramen zonder gordijnen, lagen aan dezelfde gang. Een Victoriaanse badkamer en een twintigste-eeuwse keuken waren in wat vermoedelijk eerder een slaapkamer was geweest ingebouwd. Geen spoor van een kinderkamer.

Ik liep terug door de gang en bedankte Dart.

'Hebben er nooit gordijnen in die kamers gehangen?' vroeg ik.

'Die zijn weggerot,' zei Dart. 'Grootvader heeft ze weggehaald en wilde niet dat oma nieuwe ophing.' Hij liep naar de trap. 'Grootvader en oma woonden in de oostvleugel. Die is architectonisch hetzelfde, maar dat is een echt woonhuis. Tapijten, gordijnen, heel leuk. Oma heeft alles zelf uitgezocht. Maar het voelt heel leeg aan, nu ze er geen van beiden meer zijn. Ik bracht er de meeste avonden met grootvader door in hun zitkamer, maar ik kom er nu niet vaak meer.'

We gingen de trap weer af.

'Waar woon je dan?' vroeg ik.

'Dit huis heeft de vorm van een E,' zei hij. 'Ik heb de begane grond van de zuidvleugel.' Hij wees naar een brede gang die in de hal begon. 'Vader heeft dit huis geërfd maar hij en moeder willen er niet wonen. Ze zeggen dat het te groot is. Ik ben met vader aan het onderhandelen of ik hier niet als huurder kan blijven wonen. Keith wil mij eruit hebben en zichzelf erin, die klootzak.'

'Het moet wel een fortuin kosten om hier te wonen,' merkte ik op.

'Er zit geen dak op de noordvleugel,' zei hij. 'Het klinkt belachelijk, maar als een deel van het huis onbewoonbaar is hoef je minder belasting te betalen. De noordvleugel had een nieuw dak nodig, maar het was aantrekkelijker om het dak eraf te halen en weer en wind vrij spel te geven. De noordvleugel is een ruïne. De buitenmuren zien er nog best uit, maar het is een omhulsel, meer niet.'

Ik zou binnenkort nog weleens terugkomen, dacht ik, om te vragen of ik de ruïne mocht bekijken, maar op dit moment kon ik er alleen maar aan denken dat ik de Gardners zo snel mogelijk van hun tijdelijke verantwoordelijkheid voor mijn kinderen moest ontslaan.

Dart was zo attent om me de anderhalve kilometer terug te rijden naar de hoofdingang, waar ons de weg werd versperd door een grote baardmans met een wollen muts op. Dart vloekte en trapte op de rem, zijn enige keus.

'Dit hebben ze al eerder geflikt,' zei hij. 'Ze hebben tante Marjorie ook al tegengehouden op weg naar de aandeelhoudersvergadering. En vader, en Keith. Ze waren woedend.'

Dankzij Roger Gardner, die me via een andere route naar zijn huis had gedirigeerd, had ik zelf deze vernederende weg niet hoeven nemen. De jongens, dat wist ik, zouden ervan genoten hebben, hoog en droog in de bus.

De grote baard droeg een rode boodschap op een bord—DE RECHTEN VAN HET PAARD GAAN VOOR. Hij stond zonder zich te verroeren voor de wagen terwijl een vrouw met een vlijmscherp gezicht op het raampje van Dart roffelde en gebaarde dat hij het open moest draaien.

Dart weigerde onverstaanbaar, waarop ze haar eigen boodschap begon te krijsen, die erop neerkwam dat iedereen die iets met paardenrennen te maken had een moordenaar was. Haar magere intensiteit deed me sterk aan Rebecca denken, en ik vroeg me áf wat voor beiden eerst was gekomen: een hang naar obsessie of een activiteit die een obsessie waard was.

Ze droeg een plakkaat met een zwarte rand waar onheilspellend op geschreven stond: DOEM OVER RENBAANBEZOEKERS, en kreeg gezelschap van een iets vrolijker dame wier boodschap luidde: BEVRIJD ALLE PAARDEN.

Iemand klopte gebiedend op het raampje aan mijn kant. Ik draaide mijn hoofd en keek recht in de dreigende ogen van een fanatieke jongeman die in al zijn vlammende verbetenheid nog het meest op een evangelist leek.

'Moordenaar,' riep hij, en hij zwaaide naar me met een uitvergrote foto van een paard dat dood naast een wit hekwerk lag. 'Moordenaar,' herhaalde hij.

'Ze zijn niet goed snik,' zei Dart, onverschillig.

'Ze doen wat ze denken dat ze doen moeten.'

'Zielepoten.'

De evangelisten hadden zich nu allemaal rond de auto verzameld, maar lieten het bij onheilspellende blikken en gingen niet zover ons daadwerkelijk te bedreigen. Hun toewijding aan de zaak was niet zo groot dat ze ons echt kwaad wilden doen. Ze kregen er een kick van om zich die avond aan het warme gevoel te kunnen overgeven dat ze uitdrukking hadden gegeven aan hun eigen goedaardigheid. Ze konden weinig uitrichten om de industrie die de op vijf na grootste werkgever in het land was voorgoed plat te krijgen, maar juist die wetenschap gaf hun waarschijnlijk dat gevoel van veiligheid van waaruit ze tot de aanval durfden overgaan.

Tot dusver, dacht ik, kijkend naar hun kwade, toegewijde gezichten, waren ze nog niet ingekapseld door professionele actievoerders en saboteurs. Een kwestie van tijd, wellicht.

Dart, die er genoeg van had, begon langzaam door te rijden. De baardmans leunde op de motorkap. Dart gebaarde de levende hindernis dat hij zich moest verwijderen. De hindernis balde zijn vuist en bleef leunen. Dart drukte geïrriteerd op de claxon en de hindernis sprong aan de kant alsof hij opeens onder stroom stond. Dart rolde langzaam verder. De demonstrant beende naast ons mee maar bleef abrupt staan toen we de poort binnenreden. Iemand moest hem de les hebben gelezen over wederrechtelijke betreding van de renbaan.

'Heel vervelend,' zei Dart, en hij gaf flink gas. 'Hoe lang denk je dat ze het volhouden?'

'Ik denk dat jullie voor de wedstrijden van maandag beter politie-assistentie kunnen vragen,' stelde ik voor.

5

'Waar heb je je auto staan?' vroeg Dart. 'Ik ga door de achteruitgang. Ik ben die haatverkopers beu. Waar staat je auto?'

'Ik ben ook achterom gekomen,' zei ik. 'Zet me daar maar ergens af.'

Zijn wenkbrauwen gingen omhoog, maar het enige dat hij zei was: 'Prima.' We reden over het smalle, onopvallende weggetje langs de tribune naar het huis van de renbaanmanager.

'Wat doet die monsterlijke bus daar?' vroeg hij retorisch zodra hij hem in het oog kreeg.

Ik zei: 'Die is van mij', maar de woorden gingen verloren in een scherpe uitroep van afgrijzen van mijn chauffeur die achter de bus de zwarte Daimler-met-chauffeur van zijn oudtante zag opdoemen.

'Tante Marjorie! Wat doet *die* in godsnaam hier!'

Hij parkeerde zijn roestige brik naast de glanzende praalwagen van zijn tante en besloot zonder veel enthousiasme op onderzoek uit te gaan. Het tafereel dat we zagen toen we een hoek van het keurige moderne huis van de manager omsloegen deed me in een hulpeloos lachen uitbarsten, maar ik was de enige die lachte.

Dubbele garagedeuren stonden open. De garage zelf was leeg en schoongeveegd. Op de oprijlaan ervoor lag de voormalige inhoud van de garage uitgestald in slordige hopen tuingereedschap, kartonnen dozen, dakpannen en rollen netten voor over de aardbeien. Langs de kant stonden een uitgebeende koelkast, een beschimmelde buggy, een metalen koffer vol butsen, een door de muizen aangevreten divan en een rol roestig prikkeldraad.

Min of meer in de houding in een rafelig rijtje van vijf stonden daar de jonge hulpjes, diep in de problemen, met Mrs. Gardner ernaast, lief maar bedreigd door autoriteit: haar pogingen de jongens te verdedigen bleven zonder resultaat.

De doordringende stem van Marjorie zei: 'Het is allemaal goed en wel dat jullie al dat spul naar buiten sjouwen, maar jullie kunnen het daar niet zo laten liggen. Breng het onmiddellijk weer naar binnen.'

'Maar Mrs. Binsham,' zei de arme Mrs. Gardner handenwrijvend, 'ik heb ze alleen maar gevraagd de garage leeg te halen...'

'Deze rotzooi kan niet getolereerd worden. Doe wat ik jullie zeg, jon-

68

gens. Breng het weer naar binnen.'

Christopher keek wanhopig om zich heen en klampte zich aan mijn opkomst met Dart vast alsof hij ter elfder ure aan de gruwelijkste horrorfilm ontkomen was.

'Papa!' barstte hij uit. 'We hebben de garage schoongemaakt.'

'Ja, goed zo.'

Marjorie draaide zich op één hiel om en richtte haar afkeurende blikken nu op Dart en mij. Dat ik de vader in kwestie bleek te zijn maakte haar even sprakeloos.

'Mr. Morris,' zei de vrouw van Roger Gardner snel, 'uw kinderen zijn geweldig geweest. U moet mij geloven.'

Dat was dapper van haar, vond ik, gezien de kwetsbare positie van haar man, die in alles aan de grillen van de Strattons was overgeleverd. Ik bedankte haar warm dat ze mijn kinderen had beziggehouden terwijl ik de aandeelhoudersvergadering had bijgewoond.

Marjorie Binsham staarde mij doordringend aan maar richtte het woord tot Dart. Haar ongenoegen deed de lucht trillen. 'Wat doe jij hier met Mr. Morris?'

'Hij wilde Stratton Hays zien,' zei Dart lafhartig.

'O ja, wilde hij dat? Hij heeft daar niets te zoeken. Maar deze renbaan is van *jou*, tenminste dat had ik gedacht. Van jou en van je vader. Maar wat hebben jullie eraan gedaan? Ik ben degene die hier altijd heeft moeten rondrijden om te zien of alles in orde is. Kolonel Gardner en ik, niet jij en je vader, hebben de renbaan aan een grondige inspectie onderworpen.'

Ik zag net zo goed als zij dat het nooit bij Dart was opgekomen dat hij enige verantwoordelijkheid had voor de staat waarin de renbaan verkeerde. Het was nooit zijn terrein geweest. Hij opende en sloot zijn mond een paar keer maar geen woord van protest of verdediging kwam over zijn lippen.

Een uitgeput ogende kolonel kwam in een jeep aanrijden. Hij sprong eruit en verzekerde Marjorie Binsham dat er aan haar eis dat toeschouwers verder bij de hekken vandaan moesten worden gehouden, om ze voortaan van ongelukken te vrijwaren, reeds gewerkt werd.

'Het is mijn werk helemaal niet,' klaagde ze tegen Dart. 'Een paar paaltjes, wat touw, instructies om daar niet overheen te klimmen, meer is er niet voor nodig. *Jij* had eraan moeten denken. De renbaan heeft al te veel slechte publiciteit gehad. We kunnen ons niet nog zo'n fiasco veroorloven als afgelopen zaterdag.'

Niemand merkte op dat het de paarden waren geweest, en niet de toeschouwers, die de ellende hadden veroorzaakt.

'En verder,' vervolgde Marjorie, 'moeten jij en je vader ervoor zorgen dat die mensen bij de hoofdingang opkrassen. Zo niet, dan zullen ze extremisten van heinde en verre aantrekken, en blijven de toeschouwers weg. En dat zou net zo snel het begin van het einde betekenen als die bizarre plannetjes van Keith en je vader. En dan Rebecca! Je hebt misschien wel gezien dat er net zo'n vrouw als zij in dat groepje bij de poort staat. Het is nu nog een groepje. Zorg dat het geen massa wordt.'

'Ja, tante Marjorie,' zei Dart. Tegen die taak was hij niet opgewassen, en misschien was niemand dat wel.

'Demonstranten willen geen succes,' zei Marjorie met nadruk, 'ze willen *demonstreren*. Ga maar zeggen dat ze voor betere arbeidsomstandigheden voor stalknechten moeten demonstreren. De paarden worden genoeg in de watten gelegd, de stalknechten niet.'

Niemand merkte op dat gewonde stalknechten het meestal wel overleven.

'U, Mr. Morris,' ze fixeerde me met een scherpe blik. 'Ik wil met *u* spreken.' Ze wees naar haar auto. 'Daar.'

'Goed.'

'En jullie, kinderen, ruim meteen die rotzooi op. Kolonel, ik weet niet wat u in gedachten hebt. Het lijkt wel een *stortplaats* hier.'

Verbeten liep ze naar haar auto toe, zonder te kijken of ik wel meeliep, wat ik deed.

'Mark,' zei ze tegen haar chauffeur, die al die tijd achter het stuur was blijven zitten. 'Ga alsjeblieft even je benen strekken.'

Hij tikte aan zijn pet en voldeed aan haar verzoek alsof hij eraan gewend was. Zijn werkgeefster bleef naast een van de achterportieren staan tot ik het voor haar geopend had.

'Goed,' zei ze, terwijl ze zich in de ruime achterbank liet zakken. 'Stap in en kom naast me zitten.'

Ik ging zitten waar zij wees en trok het portier dicht.

'Stratton Hays,' zei ze, meteen ter zake komend, 'was het huis waar je moeder met Keith woonde.'

Ik beaamde het verrast.

'Heb jij erom gevraagd of je het mocht zien?'

'Dart bood het aan, heel vriendelijk. En ik nam zijn aanbod aan.'

Ze zweeg even en nam me op.

'Ik heb Madeline nooit meer gezien, toen ze eenmaal vertrokken was,' zei ze eindelijk. 'Ik keurde haar vertrek af. Heeft ze je dat verteld?'

'Ja, dat heeft ze me verteld, maar na zoveel jaren droeg ze u geen kwaad hart meer toe. Ze zei dat u er bij uw broer op had aangedrongen om de familierijen voor haar te sluiten, maar ze hield van uw broer.'

'Het heeft lang geduurd,' zei ze, 'voor ik erachter was wat voor man Keith is. Zijn tweede vrouw heeft zelfmoord gepleegd, wist je dat? Toen ik tegen mijn broer zei dat Keith alleen maar ongelukkige keuzes maakte, hield hij me voor dat het niks met pech te maken had, maar dat het Keith's aard was. Hij vertelde me dat je moeder niet van Hannah als baby kon houden of voor haar zorgen vanwege de wijze waarop het kind verwekt was. Je moeder had tegen mijn broer gezegd dat alleen de baby aanraken haar al ziek maakte.'

'Dat heeft ze mij niet verteld.'

'Ik bied je mijn formele verontschuldigingen aan voor mijn gedrag tegenover je moeder,' zei Marjorie.

Ik dacht even na over wat mijn moeder gewild zou hebben. 'Ik aanvaard uw verontschuldigingen,' zei ik.

'Dank je.'

Ik dacht dat het gesprek daarmee ten einde zou zijn, maar dat bleek niet het geval.

'De derde vrouw van Keith is bij hem weggegaan en is van hem gescheiden omdat hun huwelijk reddeloos verloren was. Hij heeft nu een vierde vrouw, Imogen, die de helft van de tijd dronken is.'

'Waarom gaat die niet ook bij hem weg?' vroeg ik.

'Ze wil of kan niet toegeven dat ze zich vergist heeft.'

Dat klonk zo bekend dat ik sprakeloos was.

'Keith is de enige Stratton met geldgebrek,' zei zijn tante. 'Imogen heeft het me verteld. Ze kan na zes glazen wodka haar mond niet meer houden. Keith zit in de schulden. Dat is de reden dat hij zo op verkopen aandringt. Hij heeft geld nodig.'

Ik keek naar de verschijning die Marjorie aan de wereld presenteerde: het oude dametje, diep in de tachtig, met golvend wit haar, een zachte, roze en witte huid en havikachtige donkere ogen. Haar pittige, krachtige geest en haar gespierde taalgebruik maakten haar, stelde ik me voor, de Stratton die het nauwst verwant was aan het financiële genie dat de familie gegrondvest had.

'Ik was woedend op mijn broer vanwege die aandelen die hij aan Madeline gegeven had,' zei ze. 'Hij kon heel obstinaat zijn. Maar nu, na al die jaren, ben ik blij dat hij het gedaan heeft. Ik ben blij,' rondde ze haar betoog langzaam af, 'dat iemand van buiten de familie de Strattonbroeikas enig gevoel voor proportie kan bijbrengen.'

'Ik weet niet of ik dat kan.'

'De vraag is,' zei ze, 'of je het wilt. Of liever, hoezeer je het wilt. Als je niet in het minst geïnteresseerd was geweest, zou je hier vandaag niet zijn komen opdagen.'

'Dat is waar.'

'Je zou me zeer verplichten,' zei ze, 'als je erachter kon komen hoeveel schulden Keith heeft, en aan wie. En als je erachter kon komen wat voor relatie Conrad heeft met de architect waar hij zich aan verbonden heeft, en van wie kolonel Gardner zegt dat hij niets van paardenrennen weet en dat hij bezig is een monstruositeit te ontwerpen. De kolonel zegt dat we harder een architect nodig hebben zoals degene die jouw eigen huis heeft gebouwd, maar dat die architect alleen op kleine schaal ontwerpt.'

'Heeft de kolonel u verteld dat hij bij me langs is geweest?'

'Het verstandigste wat hij dit jaar gedaan heeft.'

'U verbaast me.'

'Ik wil jou als bondgenoot,' zei ze. 'Help me de renbaan weer tot bloei te brengen.'

Ik probeerde mijn eigen verwarde gedachten op een rijtje te zetten, maar tevergeefs. Ik reageerde op haar verzoek, nog steeds vanuit die verwarring en in de verste verte niet doordacht.

'Goed, ik zal het proberen.'

Ze stak een kleine hand uit om de overeenkomst te bezegelen, en ik gaf haar mijn hand.

Marjorie werd weggereden zonder terug te keren naar de leeggehaalde garage, wat maar goed was ook, want ik trof de rommel nog onaangeroerd aan, en de jongens, de Gardners en Dart zaten in de keuken aan een cake. Het was een warme, geurige, bleke vruchtencake, net uit de oven. Christopher vroeg om het recept 'zodat papa hem kan maken in de bus'.

'Kan papa dan koken?' vroeg Dart ironisch.

'Papa kan alles,' zei Neil, tevreden kauwend.

Papa, dacht ik bij mezelf, had zich zonet vermoedelijk impulsief op weg naar een regelrechte mislukking begeven.

'Kolonel...' begon ik.

Hij onderbrak me. 'Zeg maar Roger.'

'Roger,' zei ik, 'kan ik... ik bedoel, mag de architect van mijn huis hier morgen langskomen om de staat van de tribunes aan een grondig onderzoek te onderwerpen? Je zal vast wel professionele adviseurs hebben voor de staat van de constructie en zo, maar zouden we een nieuw, onafhankelijk onderzoek kunnen doen met het oog op de vraag of nieuwe tribunes wel of niet essentieel zijn voor een rendabele toekomst?'

De hap cake van Dart kwam halverwege tot stilstand en het gezicht van Roger Gardner verloor iets van zijn gebruikelijke somberheid.

'Graag,' zei hij, 'maar morgen kan niet. Morgen komen de baanbouwers, en dan is al het grondpersoneel hier om de renbaan in gereedheid te brengen voor de wedstrijden van maandag.'

'Vrijdag, dan?'

'Dan is het Goede Vrijdag,' zei hij twijfelend. 'Pasen, hè. Misschien wil hij op Goede Vrijdag niet werken.'

'Hij doet wel wat ik zeg,' zei ik. 'Ik ben het namelijk zelf.'

Zowel Dart als Roger was verrast.

'Ik ben een bevoegd architect,' zei ik mild. 'Ik heb vijf jaren hard gewerkt aan de Architectural Association, een van de meest degelijke scholen ter wereld. Ik verkies huizen boven hoogbouw, maar dat is omdat horizontale lijnen die zich bij de natuur aanpassen me beter bevallen. Ik ben een volgeling van Frank Lloyd Wright, niet van Le Corbusier, als je dat iets zegt.'

'Ik heb van ze gehoord,' zei Dart. 'Wie niet?'

'Frank Lloyd Wright,' zei ik, 'is de uitvinder van het cantileverdak dat je overal ziet op nieuwe tribunes.'

'Wij hebben geen cantilever,' zei Roger bedachtzaam.

'Nee, maar laten we eens gaan kijken wat jullie wel hebben, en waar jullie ook inderdaad zonder kunnen.'

Dart bekeek me met iets andere ogen. 'Je zei dat je aannemer was,' zei hij beschuldigend.

'Ja, dat ben ik ook.'

Dart keek naar de kinderen. 'Wat doet jullie vader?' vroeg hij.

'Huizen bouwen.'

'Met zijn eigen handen, bedoel je?'

'Nou ja,' lichtte Edward toe, 'met schoppen en troffels en een zaag en alles.'

'Ruïnes,' legde Christopher uit. 'We zijn deze paasvakantie op ruïnejacht.'

Samen beschreven ze hun leven ten overstaan van een nog verbaasder publiek. Met name hun nuchtere acceptatie van wat verre van alledaags was bleek aanleiding voor groeiende verbazing.

'Maar we houden het laatste dat hij gedaan heeft. Hè pap?'

'Ja.'

'Beloof je het?'

Ik beloofde het voor zo ongeveer de twintigste keer, wat wel aangaf hoe hoog het ze zat, want ik had de beloften die ik ze gedaan had altijd gehouden.

'Wat zullen jullie moe zijn van al dat getrek,' zei Mrs. Gardner mee-levend.

'Dat is het niet,' verduidelijkte Christopher, 'het gaat om het huis. Dat is geniaal.' Geniaal in zijn tienervocabulaire betekende slechts dat het niet waardeloos was.

Maar Roger knikte en beaamde het. 'Geniaal. Maar wel verdomd lastig te verwarmen, lijkt me, met die enorme ruimte.'

'Het heeft een hypocaustum,' zei Neil, onderwijl zijn vingers aflik-kend.

De Gardners en Dart staarden hem aan.

Dart was de eerste die het opgaf. 'Wat is een hypocaustum?'

'Centrale verwarming uitgevonden door de Romeinen,' zei mijn zoontje van zeven bedaard. 'Je maakt holle ruimten en richels onder een stenen vloer en jaagt daar hete lucht doorheen, dan blijft de vloer de hele tijd warm. Papa dacht dat het wel zou werken en dat deed het ook. We hebben de hele winter zonder schoenen gelopen.'

Roger keek me aan.

'Kom dan maar op vrijdag,' zei hij.

Toen ik de bus op een zonnige morgen twee dagen later naar dezelfde plek terugreed, stond het er niet vol troep van tientallen jaren, maar vol paarden.

Mijn zoons keken vanachter hun veilige ramen neer op een beweeg-lijke groep van zo'n zes forse viervoeters en besloten niet uit te stappen tussen al die hoeven, al werd elk dier bereden door een ruiter.

De paarden leken me niet fijn gebouwd genoeg voor renpaarden, en ook de ruiters waren niet zo licht als de gemiddelde staljongen, en toen ik uit de cabine sprong kwam Roger vanuit zijn huis aansnellen, overal enorme achterwerken ontduikend, om me te vertellen dat dit Conrads jachtpaarden waren die werden uitgelaten. Eigenlijk behoorden ze dat op de weg te doen, zei Roger, maar ze waren bij de poort belaagd door de zes of zeven wollen mutsen die daar nog koppig stonden te posten.

'Waar komen ze vandaan?' vroeg ik, om me heen kijkend.

'De paarden? Die houdt Conrad hier op de renbaan, op een terrein vlak bij de achteringang, waar je bent binnengekomen.'

Ik knikte. Ik had de achterkant gezien van wat heel goed de stallen konden zijn.

'Nu lopen ze maar een beetje over het weggetje hier heen en weer,' zei Roger. 'Ideaal is het niet, maar ik wil ze niet op de renbaan zelf heb-ben. Daar lopen ze ook weleens, maar alles is nu net mooi klaar voor de wedstrijden van maandag. Willen je jongens niet even uitstappen om ze te bekijken?'

'Ik denk het niet,' zei ik. 'Sinds het bloedbad bij die greppel afgelopen zaterdag zijn ze er een beetje bang voor. Ze waren heel erg geschokt door de verwondingen van die toeschouwer die is omgekomen.'

'Ik was alweer vergeten dat ze hem gezien hadden, die arme kerel. Blijven ze dan gewoon in de bus terwijl jij en ik naar de tribune gaan? Ik heb nog een paar van de originele tekeningen op mijn kantoor liggen. Die kunnen we eerst wel gaan bekijken, als je wilt.'

Ik stelde voor om de bus en de jongens zo dicht mogelijk bij het kantoor neer te zetten, met als gevolg dat we daar parkeerden waar twee dagen eerder het wagenpark van de familie Stratton had gestaan. De jongens, opgelucht over deze regeling, vroegen of ze een soort verstoppertje mochten spelen op de tribunes als ze beloofden niks stuk te maken.

Roger gaf schoorvoetend toestemming. 'Er zitten een heleboel deuren op slot,' hield hij ze voor. 'En het hele gebouw is gisteren schoongemaakt, klaar voor maandag, dus maak alsjeblieft geen rommel.'

Dat beloofden ze. Roger en ik lieten ze alleen bij het bepalen van de spelregels en liepen naar een laag, witgeschilderd houten gebouw aan de andere kant van de voorbrengring.

'Wordt het weer piraatje?' vroeg Roger geamuseerd.

'Ik denk dat ze bestorming van de Bastille gaan spelen. Dat wil zeggen: een gevangene bevrijden zonder zelf gevangen te worden. Dan moet de bevrijde gevangene zich verstoppen en zien dat hij niet weer gevangen wordt.'

Ik keek achterom terwijl Roger de deur van zijn kantoor van het slot draaide. De jongens wuifden. Ik wuifde terug en ging naar binnen, waar ik me een weg begon te banen door oude bouwtekeningen die zo lang opgerold hadden gezeten dat het neerleggen op tafel wel iets weg had van een partijtje worstelen met een octopus.

Ik trok mijn jasje uit en hing het over de rug van een stoel om meer greep op de situatie te krijgen, en Roger maakte een opmerking over de warmte van de voorjaarsdag en hoopte dat de zon in elk geval tot maandag zou blijven.

De meeste tekeningen waren gewoon bouwtekeningen, met gedetailleerde specificaties voor elke moer en bout. Ze waren grondig, compleet en indrukwekkend, en dat zei ik.

'Het enige probleem,' zei Roger met een grimas, 'is dat de aannemer zich niet aan de specificaties heeft gehouden. Van beton dat zeveneneenhalve centimeter dik om de bewapening heen zou moeten zitten is onlangs gebleken dat het maar amper zes centimeter dik is, en we hebben altijd en eeuwig problemen met de balkons, waar water door spleten binnendringt zodat de bewapening gaat roesten, waardoor het weer gaat uitzetten en het beton nog verder openbarst. Het verbrokkelt hier en daar echt.'

'Versplintering.' Ik knikte. 'Kan gevaarlijk zijn.'

'En,' vervolgde Roger, 'als je naar het ontwerp voor de wateraf- en -aanvoer en de riolering kijkt, dan zitten de tekeningen prima in elkaar, maar de pijpen lopen niet zoals ze zouden moeten lopen. Er was één rijtje damestoiletten dat voortdurend volliep en de vloer blank zette terwijl wij er maar niet achter konden komen hoe dat kon. Met de afvoer leek niets aan de hand, tot we ontdekten dat we de verkeerde afvoer controleerden, dat de afvoer van die toiletten een heel andere kant opging en helemaal verstopt zat.'

Het klonk me bekend in de oren. Aannemers hadden een eigen willetje en negeerden maar al te vaak de instructies van architecten, ofwel omdat ze werkelijk dachten dat ze het beter wisten, of omdat ze een vettere winst konden maken door op de kwaliteit te beknibbelen.

We ontkrulden nog een stuk of tien bladen en probeerden ze uitgespreid te houden met potjes met pennen op de hoeken, maar het was steeds weer onbegonnen werk. Evengoed kreeg ik een aardig idee van wat gebouwd had moeten worden, en waar ik naar eventuele zwakke plekken moest kijken. Ik had wel oude bouwtekeningen bestudeerd die heel wat minder betrouwbaar oogden dan deze, en de tribunes hier waren geen bouwval: ze hadden meer dan een halve eeuw stormen en rotting weerstaan.

Het kwam erop neer dat de voorkant van de tribune, de kant voor de toeschouwers, van gewapend beton was. Ook het dak werd gestut door stalen wapeningsstaven. Het gewapende beton kreeg weer steun van massieve, uit bakstenen opgetrokken pilaren die het gewicht droegen van de bars, de eetkamers en de privé-vertrekken voor de eigenaars en de stewards. Centraal in het gebouw lag een trappenhuis, dat vijf verdiepingen besloeg en dat je, op elke verdieping, zowel van binnen als van buiten kon betreden. Een simpel effectief ontwerp, al was het inmiddels gedateerd.

De deur van het kantoortje vloog opeens open en Neil vloog naar binnen.

'Papa,' zei hij met aandrang, 'papa...'

'Ik ben bezig, Neil.'

'Maar het is dringend. Echt echt dringend.'

Ik liet per ongeluk een tekening oprollen. 'Hoe dringend?' vroeg ik, terwijl ik hem weer probeerde open te rollen.

'Ik heb een paar draadjes gevonden, papa, die een paar muren in- en uitliepen.'

'Wat voor draadjes?'

'Weet je nog toen ze die schoorsteen opbliezen?'

Ik liet de tekening aan zijn lot over en was een en al oor voor mijn oplettende zoontje. Mijn hart sloeg een slag over. Ik herinnerde me inderdaad nog het opblazen van die schoorsteen.

'Waar zijn die draadjes?' vroeg ik, zo rustig mogelijk.

'Vlak bij die bar met die stinkvloer,' zei Neil.

'Waar heeft hij het in 's hemelsnaam over?' vroeg Roger.

'Waar zijn je broers?' vroeg ik kort.

'In de tribune. Zich aan het verstoppen. Ik weet niet waar.' Neil keek me aan met grote ogen. 'Laat ze niet opblazen, papa.'

'Nee.' Ik draaide me om naar Roger. 'Kun jij een intercom aanzetten die je overal in de tribunes kunt horen?'

'Wat in hemelsnaam...'

'*Kan dat?*' Ik voelde mijn paniek stijgen, maar verzette me ertegen.

'Maar...'

'In godsnaam,' schreeuwde ik half tegen hem, tamelijk oneerlijk. 'Neil zegt dat hij detonatiedraden en explosieve ladingen op de tribunes heeft gezien.'

Roger verstrakte. '*Meen* je dat?'

'Hetzelfde als bij die fabriekspijp?' vroeg ik voor alle zekerheid nog eens aan Neil.

'Ja, papa. *Precies* hetzelfde. Toe nou.'

'De intercom, Roger,' zei ik met aandrang en doodsangst. 'Ik moet die kinderen daar meteen weg hebben.'

Hij keek me daas aan, maar kwam eindelijk in actie. Snel liep hij het kantoortje uit en rende half door de voorbrengring naar de weegkamer, onderwijl zijn sleutelbos doorzoekend. Naast de deur naar het kantoor van Oliver, het hol van de baancommissaris, bleven we staan.

'We hebben het systeem gisteren nog getest,' zei Roger, enigszins klungelig. 'Weet je het *zeker*? Dat kind is nog zo klein. Hij moet zich vergissen.'

'Vertrouw er niet op,' zei ik. Ik kon hem wel door elkaar schudden.

Eindelijk kreeg hij de deur open en liep door het vertrek naar een metalen paneel, dat hij ontgrendelde. Ik zag een rij schakelaars.

'Deze,' zei hij, terwijl hij er één met een klik indrukte. 'Je kunt rechtstreeks van hier spreken. Nog even de microfoon inpluggen.'

Hij pakte een ouderwetse microfoon, plugde die in en gaf hem aan mij.

'Toe maar,' zei hij.

Ik haalde diep adem en probeerde zo dringend mogelijk te klinken zonder echt beangstigend te worden, hoewel ik zelf doodsangsten uitstond.

'Dit is papa,' zei ik zo langzaam als ik kon, zodat ze me goed konden verstaan. 'Christopher, Toby, Edward, Alan, de tribune is niet veilig. Waar jullie ook verstopt zitten, verlaat de tribune en ga naar de opening in het hek waar we de afgelopen zaterdag door naar die hindernis op de baan zijn gelopen. Ga de tribune aan de voorkant uit en verzamel je bij dat hek. Het hek is het verzamelpunt. En doe het *meteen*. Het Bastille-spelletje is nu even afgelopen. Het is *dringend*, jullie moeten meteen naar het hek gaan waar we de renbaan op zijn gegaan. Het is vlak bij de finishpaal. Ga er nu heen. De tribune is niet veilig. Hij kan elk moment de lucht in vliegen.'

Ik schakelde de intercom even uit en vroeg aan Neil: 'Weet jij nog hoe je bij dat hek moet komen?'

Hij knikte en vertelde het. Hij wist het nog.

'Ga jij daar dan ook heen, als je wilt, dan kunnen de anderen je zien. En vertel ze wat je gezien hebt.'

'Ja, papa.'

'Heb jij een sleutel van dat hek?' vroeg ik aan Roger.

'Ja, maar...'

'Dan heb ik liever dat ze erdoor naar buiten gaan en bij de finishpaal zelf gaan staan. Zelfs dat is misschien niet ver genoeg.'

'Je moet overdrijven,' protesteerde hij.

'Ik hoop het, bij God.'

Neil had niet gewacht. Ik zag zijn kleine figuur weghollen.

'We zijn een keer wezen kijken bij een oude fabriekspijp die werd opgeblazen,' zei ik tegen Roger. 'De jongens waren gefascineerd. Ze hebben een paar explosieve ladingen geplaatst zien worden. En dat is maar drie maanden geleden.' Ik sprak weer in de microfoon. 'Jongens, ga naar het hek. Het is heel, heel dringend. De tribune is niet veilig. Hij kan de lucht in vliegen. Rennen.' Ik draaide me weer om naar Roger. 'Kun je dat hek voor ze openmaken?'

'Waarom doe jij het niet?' vroeg hij.

'Ik kan beter die draden gaan bekijken, denk je niet?'

'Maar...'

'Luister, ik moet toch kijken of Neil inderdaad gelijk heeft, of niet? en we weten ook niet wanneer de bom barst, of wel? Het kan over vijf minuten gebeuren, over vijf uur, of als het donker wordt. Maar we kunnen geen risico's nemen met de jongens. Ze moeten daar meteen uit.'

Roger slikte en maakte geen tegenwerpingen meer. Samen renden we van zijn kantoor naar de tribunes, hij met de sleutels en ik met het voornemen te kijken of alle vijf in veiligheid waren.

Het kleine clubje bij het hek groeide aan tot vier toen Neil erbij kwam staan. Vier, geen vijf.

Vier. *Geen Toby.*

Ik sprintte terug naar het kantoor van Oliver en pakte de microfoon weer.

'Toby, dit is geen spelletje. Toby, kom van die tribune af. De tribune is niet veilig. Toby, in godsnaam doe wat ik zeg. *Dit is geen spelletje.*'

Ik hoorde mijn stem galmen en weerkaatsen, door het gebouw en langs de paddocks. Ik herhaalde mijn dringende oproep nog een keer en rende toen weer naar de tribune om te kijken of Toby het al gehoord had.

Vier jongens. Vier jongens en Roger, ze wandelden over de renbaan naar de finishpaal. Zonder zichtbare haast. Als Toby het zag, zou hij geen enkele reden zien zich *wel* te haasten.

'Kom op, *knuppeltje*,' fluisterde ik. 'Doe eens één keer in je leven wat je gezegd wordt.'

Ik liep terug naar de microfoon en zei het luid en zonder omwegen. 'Er ligt een bom in de tribune, Toby, luister je? Weet je nog die schoorsteen? De tribune kan ook de lucht in vliegen. Toby, kom naar buiten en ga naar de anderen toe.'

Ik liep nog een keer terug naar de voorkant van de tribune, maar nog was Toby niet te voorschijn gekomen.

Ik was geen explosievendeskundige. Als ik een gebouw wilde slopen deed ik dat meestal steen voor steen, zodat ik alles van waarde kon redden. Ik was op dat moment heel wat gelukkiger geweest als ik meer had geweten. De eerste prioriteit was echter duidelijk kijken naar wat Neil gezien had. Daartoe moest ik het centrale trappenhuis in, waar ook die bar met de stinkvloer aan lag, de ledenbar, waar het veel drukker had moeten zijn dan het was.

Het was hetzelfde trappenhuis, merkte ik, dat ook toegang gaf tot de dubbele deur waarachter de welingerichte privé-vertrekken van de Strattons lagen. Volgens de tekeningen en ook naar wat ik me er zelf van herinnerde, was dat trappenhuis de centrale, verticale slagader waar alle verdiepingen van de tribune uit putten; de ruggegraat van het hele hoofdgebouw.

Bovenin was een groot vertrek met enorme ramen, een soort verkeerstoren vanwaar de stewards de wedstrijden volgden door indrukwekkende verrekijkers. Daar nog weer bovenop lag een moderne opbouw, een arendsnest bewoond door commentatoren, televisieploegen en de krabbelende klasse.

Op andere niveaus bood het trappenhuis naar binnen toegang aan een ledenlunchroom en naar buiten toe aan rijen staanplaatsen zonder enige bescherming tegen de elementen. Een gang op de eerste verdieping liep naar een rij afgescheiden balkons, waar keurige lichte, witgeschilderde houten stoeltjes de lasten verlichtten voor rijke en oude voeten.

Ik betrad het trappenhuis aan de voorkant, vanaf de open tribunes, en sprintte naar de verdieping met de stinkende ledenbar. De deur van de bar zat op slot, maar langs de witte muur aan de buitenkant, op nog geen halve meter boven de grond, liep een onschuldig ogende dikke witte draad die eruitzag als het soort lijn waar in talloze achtertuintjes de was aan werd gedroogd.

De lijn verdween hier en daar in de muur en kwam er meteen weer uit, en uiteindelijk was er een gat geboord naar de bar zelf, waar de witte lijn in verdween zonder nog terug te komen.

Neil had zich niet vergist. De witte waslijn was een explosief dat *det cord* werd genoemd: detonatiekoord, waarlangs detonatie zich met een snelheid van bijna twintig kilometer per seconde kon verplaatsen, alles de lucht in blazend wat het aanraakte. Op elke plek waar het koord de muur in ging en er weer uit kwam zou wel een kneedbom verstopt zitten. Explosieven die ergens in zaten gedrukt richtten nu eenmaal meer schade aan dan een zelfde lading in de open lucht.

Det cord was niet zoiets als die oude lonten die langzaam en sputterend naar een bom liepen waar BOM op stond, zoals je zag in stripverhalen en oude westerns. *Det cord* was het explosief zelf; en zo te zien liep het op zijn minst één verdieping onder en boven mij door de muren van het trappenhuis.

Ik schreeuwde 'Toby' zo hard als ik kon. Ik schreeuwde 'Toby' naar boven en ik schreeuwde 'Toby' naar beneden, en ik kreeg nergens een reactie.

'Toby, als je hier ergens bent, de tribune zit vol explosieven.' Ik schreeuwde het naar boven en naar beneden.

Niets.

Hij moest ergens zijn, dacht ik. Maar waar? *Waar?* Het *det cord* kon wel door alle gebouwen op het terrein lopen; door de hele club, door de omheining waarbinnen op wedstrijddagen de bookmakers hun standjes opzetten, door de muren van de goedkoopste afdeling waar bijna meer bars waren dan staanplaatsen.

'Toby,' schreeuwde ik. Stilte.

Ik zag geen enkele mogelijkheid een wondertje te verrichten en wat eruitzag als een grondig voorbereide aanslag te verijdelen. Ik wist niet genoeg, ik wist niet eens waar te beginnen. Hoe dan ook, mijn eerste prioriteit was de veiligheid van mijn zoontje, dus terwijl de stilte voortduurde draaide ik me om teneinde weer naar buiten te gaan, om de tribune verder af te rennen en het weer te proberen.

Ik had me al omgedraaid om weg te spurten toen ik een heel zwak geluidje hoorde, en het klonk me in de oren alsof het van boven kwam, ergens op de trap, boven mijn hoofd.

Ik sprintte twee verdiepingen hoger, naar de verdieping bij de uitkijkkamer van de stewards, en schreeuwde opnieuw. Ik probeerde de deur van de stewards, maar die zat, als zoveel andere, op slot. Daarbinnen kon hij niet zitten, maar ik riep toch.

'Toby, als je hier bent, kom *alsjeblieft* naar buiten. Dit gebouw kan elk moment de lucht in vliegen. Alsjeblieft, Toby. *Alsjeblieft.*'

Niets. Vals alarm. Ik draaide me om en wilde weer naar beneden gaan om ergens anders verder te zoeken.

Een weifelend stemmetje zei: 'Papa?'

Ik draaide me om als een wervelwind. Met moeite kwam hij uit zijn perfecte schuilplaats geklauterd: een klein kastje op spillepootjes naast een lege rij haakjes voor de jassen en hoeden van de stewards.

'Goddank,' zei ik kortweg. 'Kom mee.'

'Ik was de ontsnapte gevangene,' zei hij, terwijl hij zich oprichtte. 'Als ze me gevonden hadden, hadden ze me weer in de Bastille gestopt.'

Ik luisterde maar nauwelijks. Ik was me naast mijn opluchting alleen maar bewust van een geweldige innerlijke drang nu voort te maken.

'Zou het echt de lucht in vliegen, papa?'

'Laten we nou maar gewoon wegwezen hier.'

Ik greep naar zijn hand en trok hem met me mee naar de trap, en beneden ons klonk een soort geknars, gevolgd door een oogverblindende flits en een verschrikkelijke knal en een gezwaai om ons heen, en het was precies zoals ik me voorstel hoe het moet zijn om door een aardbeving te worden overrompeld.

6

In de fractie van een seconde dat denken mogelijk was, gilden zowel wijsheid als intuïtie dat de trap zelf, als een rollade omwonden met explosieven, gelijk stond aan een omarming van de dood.

Ik sloot Toby in mijn armen, draaide me om op de deinende vloer en slingerde ons met wegglippende voeten en elke door zwaar werk geharde spier naar de schuilplaats van Toby naast de kapstok van de stewards.

De ruggegraat van Stratton Park implodeerde, klapte in elkaar. De trap scheurde en kraakte en stortte in, muren vielen in het gat en alle ruimten die aan het trappenhuis grensden gaapten naar de voortwoekerende ravage.

De deur van de stewards werd opengeblazen, de enorme ruiten versplinterden en stukken glas vlogen als speren in het rond. Het verschrikkelijke kabaal was oorverdovend. De tribune gilde terwijl alles uit elkaar scheurde, hout tegen hout tegen baksteen tegen beton tegen steen tegen staal.

Met Toby onder mij viel ik naar voren, krabbelend en op zoek naar steun om niet terug te glijden naar het ingestorte trappenhuis; en de hoge, kwetsbare toren die overal boven uitstak, het uitkijkpunt voor pers en televisie, kwam door de plafondbalken en het pleisterwerk boven ons naar beneden storten en viel in scherpe stukken en waanzinnige hoeken over mijn rug en benen. Het leek of mijn ademhaling stopte. Scherpe pijnscheuten drukten me tegen de vloer. Bewegen werd onmogelijk.

Bollende zwarte rook kwam vanuit het gat omhoog, vulde mijn longen en smoorde me. Ik begon verkrampt te hoesten hoewel daar geen plaats voor was.

Het donderende geraas stierf weg. Ver beneden af en toe nog wat gekraak en gerommel. Overal zwarte rook, grijs stof. In mij, pijn.

'Papa,' zei de stem van Toby, 'je drukt me fijn.' Hij hoestte ook. 'Ik kan niet ademhalen, papa.'

Ik keek vaag onder mij. De bovenkant van zijn hoofd, met het bruine haar, reikte tot aan mijn kin. Ongepast, maar hoe kun je helpen wat je denkt, dacht ik aan een ooit regelmatig terugkerende klacht van zijn moeder: 'Lee, je drukt me fijn.' Dan richtte ik me op op mijn ellebogen om haar te ontlasten, keek in haar glanzende, lachende ogen en kuste haar, en zei zij dat ik te groot was en dat ik ooit nog eens haar longen zou inklappen, haar ribben zou breken en haar zou smoren uit liefde.

Haar longen zou inklappen, haar ribben zou breken, haar smoren... lieve Heer.

Met grote inspanning wist ik mijn ellebogen in de vertrouwde steun-positie te krijgen en richtte me tot het twaalf jaar oude zoontje van Amanda.

'Kruip eruit,' zei ik kuchend. 'Kruip er hier uit, je hoofd eerst.'

'Papa... je bent te zwaar.'

'Kom op,' zei ik. 'Je kunt daar niet de hele dag blijven liggen.' Ik bedoelde dat ik geen idee had hoe lang ik me opgedrukt kon houden teneinde hem niet dood te drukken.

Ik voelde me net Atlas, alleen de wereld lag niet op mijn schouders, maar eronder.

Misplaatst zonlicht scheen rondom ons. Door een gat in het dak ving ik een glimp op van de blauwe lucht. Daar ontsnapte ook de zwarte rook, en loste langzaam op.

Toby maakte stuiptrekkende bewegingen tot zijn gezicht pal onder het mijne lag. Zijn bruine ogen keken doodsbang en hij huilde, tegen zijn gewoonte in.

Ik kuste zijn wang, wat hij normaal nooit leuk vond. Deze keer leek hij het niet te merken en veegde het niet af.

'Het is al goed,' zei ik. 'Het is voorbij. We zijn er allebei nog. We hoeven hier alleen maar uit te komen. Doorgaan, je doet het hartstikke goed.'

Met moeite wriemelde hij zich verder omhoog, stukken metselwerk aan de kant duwend. Af en toe snikte hij, maar er kwam geen klacht over zijn lippen. Hij ging door tot hij naast mijn rechterschouder op zijn knieën stil zat te hijgen en, nu en dan, te kuchen.

'Goed gedaan,' zei ik. Ik liet mijn borst weer op de vloer liggen en probeerde te ontspannen. Een enorme verlichting was het niet, behalve voor mijn ellebogen.

'Papa... je bloedt.'

'Geeft niet.'

Nog een paar snikken.

'Niet huilen,' zei ik.

'Die man,' zei hij. 'Het paard trapte zijn ogen uit.'

Ik bewoog mijn rechteronderarm, nog in de mouw van mijn over-hemd, zijn kant op. 'Geef me een hand,' zei ik. Zijn vingers gleden langzaam over mijn handpalm. 'Luister,' zei ik, hem lichtjes vasthoudend, 'verschrikkelijke dingen gebeuren. Er zal nooit een tijd komen dat je je het gezicht van die man niet herinnert. Maar je zult er steeds minder en minder aan denken, niet de hele tijd, zoals nu. En je zult je ook herinneren hoe wij hier liggen, boven op die ingestorte tribunes. De geheugens van een heleboel mensen zitten vol echt afschuwelijke dingen. Elke keer als jij over die man wilt praten, zal ik luisteren.'

Hij kneep verbeten in mijn hand, en liet los.

'We kunnen hier niet voor altijd blijven zitten,' zei hij.

Ondanks onze tamelijk penibele situatie glimlachte ik.

'Het zit er dik in,' merkte ik op, 'dat je broers en kolonel Gardner hebben opgemerkt dat de tribunes op hol zijn geslagen. Er komen heus wel mensen.'

'Ik zou naar die kapotte ramen kunnen gaan om te wuiven en te zeggen waar we zitten...'

'Nee, hier blijven,' zei ik scherp. 'Zo'n vloer kan zo in elkaar storten.'

'Deze niet, hè papa?' Hij keek verwilderd om zich heen. 'Deze niet, waar we nu op zitten, hè pap?'

'Deze zit wel goed,' zei ik, hopend dat ik de waarheid sprak. De hele verdieping hing echter scheef naar waar de trappen waren geweest, en ik zou er weinig voor gevoeld hebben er een dansje op te wagen.

De druk van de stukken plafond en perstoren bleef onverbiddelijk gehandhaafd op mijn rug en benen en pinde me vast. Ik kon mijn tenen echter in mijn schoenen bewegen, en gevoel had ik in elk geval nog. Tenzij het gebouw nog verder in elkaar stortte vanwege de toegenomen interne druk, leek het mogelijk dat ik zou ontkomen met een helder hoofd, een intact wervelkanaal, beide handen en voeten en een ongedeerde zoon. Niet slecht, de omstandigheden in aanmerking genomen. Evengoed hoopte ik dat er snel een reddingsploeg zou komen.

'Papa.'

'Mm?'

'Doe je ogen nou niet dicht.'

Ik deed ze open, en hield ze open.

'Wanneer komen de mensen?' vroeg hij.

'Gauw.'

'Het was niet mijn schuld dat de tribunes de lucht in vlogen.'

'Natuurlijk niet.'

Na een korte stilte zei hij: 'Ik dacht dat je een grapje maakte.'

'Jep.'

'Het is niet mijn schuld dat je gewond bent, hè?'

'Nee.' Hij was nog niet overtuigd, zag ik. 'Als jij je niet hier helemaal boven had verstopt, had ik lager op de trap kunnen zijn toen de explosie kwam, en dan was ik nu waarschijnlijk dood geweest.'

'Weet je het zeker?'

'Ja.'

Het leek heel rustig. Bijna alsof er niets was gebeurd. Als ik probeerde te bewegen, ander verhaal...

'Hoe wist je dat de tribune zou ontploffen?' vroeg Toby.

Ik vertelde hem dat Neil het *det cord* gezien had. 'Het is aan hem te danken,' zei ik, 'dat jullie niet alle vijf dood zijn.'

'Ik heb helemaal geen koord gezien.'

'Nee, maar je weet hoe Neil is.'

'Hij ziet *alles*.'

'Ja.'

In de verte, na wat een hele lange tijd had geleken, hoorden we sirenes. Eerst één, toen verscheidene en uiteindelijk een heel jankend orkest.

Toby wilde weer in beweging komen maar opnieuw zei ik hem dat hij zich stil moest houden, en niet veel later hoorden we stemmen aan de renbaankant, buiten, een eind onder ons, die mijn naam riepen.

'Zeg ze dat we hier zijn,' zei ik tegen Toby, en hij riep met zijn hoge stem: 'We zijn hier. We zijn hierboven.'

Na een korte stilte riep een mannenstem: 'Waar?'

'Zeg naast de kamer van de stewards,' zei ik.

Toby schreeuwde de informatie naar beneden en kreeg een andere vraag terug.

'Is je vader bij je?'

'Ja.'

'Praat hij?'

'Ja.' Toby keek naar mij en gaf ze spontaan nog meer nieuws. 'Hij kan zich niet bewegen. Er is een dak ingestort.'

'Blijf daar.'

'Oké?' zei ik tegen Toby. 'Ik zei toch dat ze zouden komen.'

We luisterden naar gekletter en gebons en zakelijk geschreeuw, allemaal ver weg, buiten. Toby huiverde, niet van de kou, want de middagzon verwarmde ons nog steeds, maar van de schrik, die hem steeds meer te pakken leek te krijgen.

'Het zal nu niet lang meer duren,' zei ik.

'Wat zijn ze aan het *doen*?'

'Ik denk dat ze een soort steiger aan het bouwen zijn.'

Ze kwamen naar boven vanaf de renbaankant, waar de staanplaatsen van gewapend beton de aanslag heel aardig leken te hebben doorstaan.

Een brandweerman met een grote helm op in een felgele jas verscheen plotseling voor de kapotte ramen van de stewardskamer en tuurde naar binnen.

'Is daar iemand?' riep hij opgewekt.

'Ja.' Toby stond vrolijk op en ik zei hem onmiddellijk dat hij stil moest blijven staan.

'Maar papa...'

'Blijf staan.'

'Blijf daar nog even, jongen. We hebben je er zo uit,' hield ook de brandweerman hem voor, waarop hij even snel verdween als hij gekomen was. Hij kwam terug met een collega en een veilige metalen loopladder voor Toby, waarover hij naar het raam kon klauteren. En inderdaad, zoals beloofd plukte hij de jongen zo uit het raam. Het gevaar voor Toby was geweken. Toen hij uit het gezicht verdween, voelde ik me opeens zwak. Ik beefde van opluchting. Een hele hoop kracht leek uit me weg te vloeien.

Even later stapte de collega door het raam naar binnen en kwam langs de loopladder mijn kant op. Aan het eind, misschien een meter of iets verder bij me vandaan, bleef hij staan.

'Lee Morris?' vroeg hij. *Dr. Livingstone, I presume.*

'Ja,' zei ik.

'Het zal niet lang meer duren.'

Ze kwamen met touwen om het middel, met hefbomen en stutten en cantilevers en schommels en zaaggereedschap en een mini-kraan, en ze wisten wat ze deden, maar de hele verdieping waar ik op lag bleek vervaarlijk instabiel, en op een gegeven moment kwam nog een groot deel van de persbox met veel geraas door het dak naar beneden, miste mijn voeten op een haar na, en knalde en kaatste verder naar beneden door het gat waar zopas nog het trappenhuis had gestaan. Je hoorde het de hele val lang tegen wrakke muren slaan, tot het met een enorme dreun op de grond in stukken sloeg.

De brandweerlieden zweetten en zetten op zoveel mogelijk plaatsen stutten tussen vloer en plafond.

Drie man waren aan het werk. Ze bewogen zich behoedzaam en leken geen stap te zetten zonder daar eerst over te hebben nagedacht. Een van hen, drong langzaam tot me door, leek nota bene wel een videocamera te hanteren. Het gesnor kwam en ging. Ik draaide mijn hoofd om te kijken of het inderdaad zo was en keek recht in de lens, wat ik vreselijk gênant vond maar waar ik niets aan kon doen. Een vierde man verscheen, ook weer in het geel, ook weer met een touw om zijn middel, en ook hij had een camera bij zich. Te veel, vond ik. Hij vroeg de eerste drie om een voortgangsrapport en ik las zijn identificatie—POLITIE—in zwart op zijn gele borst.

Het gebouw *kraakte*.

De mannen bleven allemaal roerloos staan wachten. Het gekraak hield op en de brandweerlieden begonnen weer uiterst omzichtig te werk te gaan, vloekend, vol toewijding, dapper en nuchter de risico's inschattend.

Ik lag dankbaar op mijn buik, als een log gevaarte, en vond dat ik niet zo'n slecht leven had gehad, als dit het einde mocht blijken te zijn. De brandweerlieden waren echter niet van plan mijn leven ten einde te laten komen. Ze legden een stel riemen om mijn borstkas en maakten die vast rond mijn armen en over mijn schouders, zodat ik, als ik weggleed, niet in het gapende gat zou verdwijnen. Vervolgens begonnen ze, stukje bij beetje, de stukken steen en pleisterwerk voorzichtig van me af te halen en bevrijdden me van de versplinterde balken tot ze me, door aan het harnas te trekken, een eindje de scheefgezakte vloer op konden slepen, naar de drempel van de stewardskamer. Daar lag ik iets veiliger, zeiden ze.

Ik kon niet veel voor ze betekenen. Ik had zo lang onder die brokstukken gelegen dat mijn spieren niet meer deden wat ik wilde. Overal in mijn lichaam prikte en klopte het, maar dat kon me niet veel schelen. De snijwonden die ik her en der had opgelopen door stukken versplinterd hout waren erger.

Een man in een fluorescerend groen jack kwam door het raam naar binnen, kwam over de loopladder mijn kant op, wees naar de zwarte letters op zijn borst en zei dat hij arts was.

Dr. Livingstone? Nee, dr. Jones. O, nou ja.

Hij boog zich over mijn hoofd, dat ik van vermoeidheid had laten zakken.

'Kunt u in mijn hand knijpen?' vroeg hij.

Ik deed wat hij van me verlangde en zei dat ik niet erg gewond was. 'Mooi.'

Hij vertrok weer.

Pas veel later, toen ik een van de videobanden bekeek, begreep ik dat hij me niet helemaal geloofd had, want afgezien van mijn kraag en mouwen, was mijn witte overhemd helemaal rood, en hier en daar gescheurd, net als de huid eronder. Hoe dan ook, toen hij terugkeerde verwachtte hij duidelijk niet dat ik zou zijn opgestaan om zelf naar buiten te klauteren: hij had iets bij zich wat ik op een slee vond lijken, geen platte brancard, maar een geval met leuningen langs de zijkanten, zodat hij makkelijker te dragen was.

Op de een of andere manier, met één brandweerman die het laatste stuk hout van mijn benen optilde terwijl de ander me aan de gordels verder naar voren trok en ik mijn best deed zoveel mogelijk mee te werken, gleed ik met mijn gezicht naar beneden op het aangeboden transportmiddel. Toen mijn zwaartepunt min of meer op de loopladder lag, en ik er vanaf mijn dijbenen naar boven steun had gevonden, begon het gebouw opnieuw onheilspellend te kraken, deze keer erger dan voorheen, en met meer trillingen.

De brandweerman achter mijn voeten zei: 'Jezus' en sprong op de loopladder. Zijn actie werkte aanstekelijk: alsof ze het gerepeteerd hadden lieten ze alle omzichtigheid varen, grepen de zijkant van mijn slede-brancard en rukten hem achter zich aan over het smalle pad naar het raam. Ik klampte me vast zo goed en zo kwaad als dat ging.

Het gebouw sidderde en schudde. De rest van de perskamer — verreweg het grootste gedeelte — tuimelde, brak los en viel door wat restte van het plafond precies op de plek waar ik gelegen had. Het gewicht rukte de hele verdieping los van zijn muren en met een geweldig gedonder en geraas stortte alles naar beneden. Gruis, stof, stenen, brokstukken, pleisterwerk en glasscherven vlogen door de lucht. Als verlamd keek ik over mijn schouder en zag de schuilplaats van Toby, het kastje, voorovertuimelen en verdwijnen. De vloer van de stewardskamer zonk onder ons weg en de loopladder stak vanaf de vensterbank naar binnen, nog steeds stevig, maar niet meer gesteund. Mijn benen staken vanaf de knieën de loze ruimte in.

Het was niet te geloven, maar de politieman, inmiddels vlak buiten het raam, ging gewoon door met filmen.

Ik greep de zijkanten van de brancard vast, mijn handen verkrampt van de angst om alsnog in de diepte te verdwijnen. De brandweerlieden hielden me bij het harnas vast, trokken de brancard verder naar zich toe en brachten mij en zichzelf toen met een paar laatste rukken in veiligheid. De hele club mensen baadde opeens in het zonlicht, smoezelig, rommelig, kuchend van het stof, maar levend.

Maar zelfs toen waren we er nog niet. De betonnen staanplaatsen hielden een verdieping lager op en om alles die laatste drie meter omhoog te krijgen was een ingenieus geconstrueerde steiger nodig geweest. Onder ons, bij het hek van de renbaan zelf, waar op wedstrijddagen het publiek de strijd om de eerste plaats toejuichte, stonden gras en asfalt nu vol voertuigen — brandweerauto's, politiewagens, ambulances — en, erger, een busje van een televisiestation.

Ik zei dat het veel makkelijker en minder gênant zou zijn als ik gewoon opstond en naar beneden liep, en niemand verder aandacht aan mij besteedde. De dokter kwam weer aanzetten en had het over interne verwondingen en dat hij me geen kans wilde geven het erger te maken, dus werd ik tegen mijn wil ingepakt in een paar lakens en een deken en werd met riemen aan de brancard gegespt, waarna ze me langzaam en heel voorzichtig naar beneden droegen, naar de ambulances. Ik bedankte de brandweerlieden. Ze grinnikten.

Aan het eind van de reis werd ik opgewacht door vijf jongens op een rij, bang en verschrikkelijk gespannen.

'Met mij is alles goed, jongens,' zei ik, maar ze leken niet overtuigd.

'Dit zijn mijn kinderen,' zei ik tegen de dokter. 'Zegt u ze dat met mij alles in orde is.'

Hij keek eerst naar mij en toen naar hun jonge, angstige gezichten.

'Jullie vader,' zei hij nuchter, 'is een grote sterke vent en hij is prima in orde. Hij heeft wat schaafwonden en wat snijwonden waar we een paar pleisters op gaan plakken. Jullie hoeven je geen zorgen te maken.'

Ze lazen het woord DOKTER op de voorkant van zijn felgroene jack en besloten hem voorlopig te geloven.

'We brengen hem naar het ziekenhuis,' zei de man in het groen, wijzend op een wachtende ambulance, 'maar hij is gauw weer bij jullie terug.'

Roger kwam naast de jongens staan en zei dat hij en zijn vrouw op de jongens zouden passen. 'Maak je geen zorgen,' zei hij.

Een paar verpleegkundigen begonnen me met de voeten naar voren in de ziekenwagen te schuiven.

'Moet ik jullie moeder vragen of ze jullie komt halen?' vroeg ik aan Christopher.

Hij schudde zijn hoofd. 'We willen in de bus blijven.'

De anderen knikten zwijgend.

'Ik zal haar wel bellen,' zei ik.

'Nee, papa,' zei Toby met aandrang. 'We willen in de bus blijven.' Ik zag dat hij nog steeds vreselijk van streek was. Alles wat daar verbetering in kon brengen was goed.

'Ga dan maar schipbreukelingetje spelen,' zei ik.

Ze knikten allemaal, inclusief Toby, die me opgelucht aankeek.

De dokter, die iets opschreef om aan de ambulancejongens mee te geven, vroeg: 'Schipbreukelingetje?'

'Dat betekent dat ze zich even alleen moeten redden.'

Hij glimlachte boven zijn aantekeningen. 'Heer der vliegen?'

'Zo ver laat ik het nooit komen.'

Hij gaf de aantekeningen aan een van de ambulancejongens mee en wierp nog een blik op de vijf. 'Goeie jongens.'

89

'Ik zal wel op ze passen,' zei Roger. 'Graag, zelfs.'

'Ik bel nog wel,' zei ik. 'En bedankt.'

Het bezige ambulancepersoneel drukte het portier achter me dicht, en Mrs. Gardner, hoorde ik later, maakte vruchtencakes voor de jongens tot ze geen cake meer konden zien.

Als medisch spoedgeval stond ik tamelijk laag op de prioriteitenlijst van de eerste-hulpafdeling van het ziekenhuis, maar op de lijst van de plaatselijke media stond ik torenhoog. Het leek overal te gonzen van de 'terroristische bomaanslag op de renbaan'. Ik smeekte om een telefoon bij een paar half chagrijnige, half geboeide verpleegsters en belde mijn vrouw.

'Wat is er in *godsnaam* aan de hand?' vroeg ze op hoge toon. 'Een of andere klotekrant belde me net om te vragen of ik al wist dat mijn man en kinderen waren opgeblazen. Het is toch niet te geloven, hè?'

'Amanda...'

'Jij bent duidelijk *niet* opgeblazen.'

'Welke krant?'

'Wat maakt het uit? Ik weet het niet meer.'

'Dan kan ik een aanklacht indienen. Hoe dan ook, luister. Iemand die een appeltje te schillen heeft met Stratton Park heeft explosieven geplaatst in de tribunes en die zijn inderdaad zo'n beetje de lucht in gevlogen.'

'De *jongens*,' onderbrak ze me. 'Alles goed?'

'Ongedeerd. Volkomen in orde. Alleen Toby was in de buurt, en die is door een of andere brandweerman ontzet. Ik verzeker je, geen van hen heeft ook maar een schrammetje.'

'Waar zit je nu?'

'De jongens zijn bij de manager en zijn vrouw.'

'Zijn ze niet bij *jou*? Waarom zijn ze niet bij jou?'

'Ik ben net... um. Ik ben in een mum van tijd weer bij ze. Ik heb een paar schaafwonden waar het ziekenhuis zich nog even over wil buigen, daarna ga ik naar ze toe. Christopher zal je nog wel bellen.'

De jongens belden hun moeder iedere avond vanuit de bus, dat was routine op expedities.

Ik moest Amanda nog wel een tijdje kalmeren en geruststellen. Het was duidelijk mijn fout, zei ze, dat de kinderen in gevaar waren geweest. Ik ontkende het niet. Ik vroeg haar of ze ze thuis wilde hebben.

'Wat? Nee, dat heb ik niet gezegd. Je weet dat ik dit weekend een hele hoop gepland heb. Ze kunnen beter bij jou blijven. Pas alleen een beetje beter op.'

'Ja.'

'En wat moet ik nu zeggen als er weer een krant belt?'

'Zeg dat je mij gesproken hebt en dat alles in orde is. Misschien zie je er nog iets over op televisie, er waren ook nieuwscamera's op de renbaan.'

'Pas alsjeblieft een beetje beter op, Lee.'

'Ja.'

'En bel niet vanavond. Ik ga een nachtje met Jamie uit logeren bij Shelly. Haar verjaarsetentje, weet je nog?'

Shelly was haar zuster. 'Inderdaad,' zei ik.

We namen afscheid, als altijd beleefd, met veel water bij de zure wijn.

De verscheidenheid aan schaaf- en snijwonden die ik zoveel mogelijk had gebagatelliseerd werd eindelijk onthuld en betutteld. Stof en gruis werden weggewassen, indrukwekkende splinters werden verwijderd met een pincet en hele rijen hechtingen werden aangebracht onder plaatselijke verdoving.

'U zult wel pijn krijgen als de verdoving is uitgewerkt,' hield de hechter me opgewekt voor. 'Verschillende van die wonden waren dieper dan je zo zou denken. Weet u *zeker* dat u niet een nachtje wilt blijven? We zullen ongetwijfeld een bed voor u weten te vinden.'

'Bedankt,' zei ik, 'maar nee, bedankt.'

'Slaap dan in elk geval een paar dagen op uw buik. Kom over een week terug, dan halen we de hechtingen eruit. Dan zou u genezen moeten zijn.'

'Heel erg bedankt,' zei ik.

'En blijf die antibiotica gebruiken.'

Het ziekenhuis regelde een ambulance om me terug te rijden naar het huis van Roger Gardner (via de achteringang, op mijn aandringen) en met enige hulp van een geleend looprek en gehuld in een blauwe badjas uit de ziekenhuiswinkel legde ik het laatste eind van de reis rechtop af.

De bus, merkte ik dankbaar op, was weer teruggereden en stond geparkeerd bij de schoongemaakte garage. De vijf jonge busbewoners zaten in de woonkamer van de Gardners televisie te kijken.

'*Papa!*' riepen ze uit. Ze sprongen overeind, maar toen ze het hulpmiddel voor oudere mensen zagen zwegen ze onzeker.

'Ja,' zei ik, 'we gaan hier niet om giebelen, oké? Er zijn een hele hoop stenen en stukken plafond op mijn rug en benen gevallen en die hebben een paar snijwondjes veroorzaakt, die nu weer gehecht zijn. Sommige sneetjes zaten op mijn rug en een heleboel op mijn benen en één snee loopt dwars over mijn achterwerk, zodat ik niet zo makkelijk kan zitten, en daar wordt niet om gelachen.'

Wat ze natuurlijk wel deden, voornamelijk van pure opluchting, en ik vond het best.

Mrs. Gardner leefde van harte met me mee.

'Wat kan ik voor u klaarmaken?' vroeg ze. 'Een kop gloeiend hete thee?'

'Een driedubbele whisky?'

Haar lieve gezicht werd één brede glimlach. Ze schonk een flinke bel voor me in en vertelde dat Roger de hele dag bezig was geweest bij de tribunes en dat hij was uitgeput door de politie en de persmensen en door het leeuwedeel van de familie Stratton, dat woedend was komen opdraven.

De jongens en Mrs. Gardner bleken te wachten op het nieuws, dat op dat moment inderdaad begon. De bomaanslag op Stratton Park was een belangrijk item. Verscheidene shots toonden de achterzijde van het tribunecomplex en legden de schade aan het centrale trappenhuis genadeloos bloot. Een vijf seconden durend interview met Conrad ging meteen tot de kern van de zaak ('geschokt en boos'). 'Gelukkig slechts één lichtgewonde,' zei een stem bij een shot van mijzelf (gelukkig onherkenbaar) terwijl ik de trap werd afgedragen.

'Dat ben jij, papa,' zei Neil opgewonden.

Een kort shot van Toby die hand in hand met een brandweerman kwam aanlopen deed de jongens in gejuich losbarsten. Vervolgens kwamen tien seconden Roger—'kolonel Gardner, manager van de renbaan' —die meedeelde dat de familie Stratton beloofd had dat de wedstrijden van maandag doorgang zouden vinden als gepland. 'Belangrijk niet toe te geven aan terreur.' Besloten werd met een shot van de wollen mutsen met hun borden bij de poort, waarmee de kijkers, zonder dat met zoveel woorden iemand werd beschuldigd, op een idee werden gebracht. Niet eerlijk, vond ik.

Toen het nieuws afgleed in een ware lawine van politici zei ik tegen Mrs. Gardner en de jongens dat ik me ging aankleden. Ik hinkte langzaam met het rek naar de bus en kromp ineen toen ik het rek liet staan en eigenbenig het trapje beklom, en hoewel het mijn bedoeling was geweest me aan te kleden ging ik in plaats daarvan op de lange bank liggen die tevens mijn bed was, en voelde me koortsig en ziek. Eindelijk gaf ik bij mezelf toe dat ik veel erger gewond was dan ik wilde.

Na een poosje ging de deur open en ik verwachtte een kind, maar het was Roger.

Hij ging op de andere lange bank tegenover me zitten en oogde vermoeid.

'Gaat het weer?' vroeg hij.

'Ja,' zei ik, zonder me te verroeren.

'Mijn vrouw vond je er grauw uitzien.'

'Je ziet er zelf ook niet rooskleurig uit.'

Hij glimlachte kort en masseerde zijn neus met een vinger en duim; een magere, keurige, gedisciplineerde militair die zich een gebaar van vermoeidheid toestond na een lange dag in het veld.

'De politie en alle veiligheid-eerst-mensen kwamen als bloedhonden op ons af. Oliver heeft zich ermee bemoeid – ik had hem meteen gebeld – en hij is altijd fantastisch met dat soort mensen. Hij wist onmiddellijk toestemming los te krijgen voor doorgang van de wedstrijden van maandag als wij onze voorzorgsmaatregelen treffen. Die man praat iedereen van de sokken.' Hij zweeg even. 'De politie is naar het ziekenhuis gegaan om jou te spreken,' zei hij. 'Er was daar toch zeker wel een bed voor je, in jouw toestand?'

'Ik wilde niet blijven.'

'Maar ik had toch gezegd dat wij op de jongens zouden passen.'

'Dat weet ik. Een of twee was misschien nog in orde geweest, maar geen vijf.'

'Het zijn makkelijke kinderen,' protesteerde hij.

'Ze zijn nog onder de indruk van het gebeurde. Het was beter dat ik weer terugging.'

Hij maakte geen tegenwerpingen meer maar vroeg, alsof hij er nog niet klaar voor was om te spreken over wat hem bezighield, wie wie was. 'Even voor alle duidelijkheid,' zei hij.

Ik gaf hem antwoord met hetzelfde gevoel: ik wilde de vragen die gesteld en beantwoord zouden moeten worden nog even voor me uitschuiven.

'Christopher, de lange blonde, is veertien. Zoals de meeste oudste kinderen past hij op de anderen. Toby, degene die bij me was op de tribune, is twaalf. Edward is tien. Hij is de rustige jongen van het stel. Als je hem niet kunt vinden, zit hij ergens in een hoekje een boek te lezen. Dan komt Alan.'

'Sproeten en een grijns,' zei Roger, knikkend.

'Sproeten en een grijns,' beaamde ik, 'en een gebrekkig ontwikkeld besef van gevaar. Hij is negen. Springt eerst en schrikt achteraf.'

'En Neil,' zei Roger. 'Kleine Neil met de heldere blik.'

'Die is zeven. En Jamie, de baby, tien maanden.'

'Wij hebben twee dochters,' zei Roger. 'Allebei volwassen en de deur uit en te druk om te trouwen.'

Hij viel stil, en ik ook. Aan het respijt van de harde werkelijkheid dat we onszelf gegund hadden begon langzaam een einde te komen.

Ik ging anders liggen en voelde een pijnscheut. Roger merkte het maar zei niets.

'De tribunes waren gisteren schoongemaakt,' zei ik.

Roger zuchtte. 'Ze waren schoongemaakt. Ze waren schoon. Geen explosieven. Zeker geen *det cord* door het hele trappenhuis. Ik ben overal geweest om te controleren. Ik doe voortdurend de ronde.'

'Maar niet op de ochtend van Goede Vrijdag.'

'Gistermiddag laat. Vijf uur. Heb ik de ronde gedaan met mijn voorman.'

'Het was er niet om begonnen mensen te doden,' zei ik.

'Nee,' beaamde hij. 'Het was om die tribune te doen, op een van de zeer weinige weekdagen in het jaar dat er nergens in Engeland geraced wordt. Het was er juist om te doen *geen* mensen te doden.'

'Ik neem aan dat je een nachtwaker hebt,' zei ik.

'Ja, die hebben we.' Hij schudde vol frustratie het hoofd. 'Die doet zijn ronden met een hond. Hij zegt dat hij niets gezien heeft. Hij heeft geen mensen gaatjes in de muren horen boren. Hij heeft geen licht zien bewegen op de tribunes. Hij heeft om zeven uur vanmorgen geklokt en is naar huis gegaan.'

'Heeft de politie hem ondervraagd?'

'De politie heeft hem ondervraagd. Ik heb hem ondervraagd. Conrad heeft hem ondervraagd. De arme man werd hier half in slaap weer heen gesleept en onder de beschuldigende vragen bedolven. Hij is niet superslim. Hij knipperde wat met zijn ogen en keek onnozel. Conrad geeft mij nu de schuld dat ik een uilskuiken in dienst heb genomen.'

'Er zal nog wel met beschuldigingen gestrooid gaan worden alsof het confetti is,' zei ik.

Hij knikte. 'Da's een ding dat zeker is. En het is voornamelijk mijn fout.'

'Welke Strattons kwamen allemaal kijken?' vroeg ik.

'Welke niet?' Hij zuchtte. 'Allemaal behalve Rebecca die hier waren voor de aandeelhoudersvergadering, plus Conrads vrouw Victoria, plus Imogen, de vrouw van Keith, toeterzat, plus Jack, die nietsnut van Hannah, plus de kleine muis van Ivan, Dolly. Marjorie Binsham gebruikte haar tong weer als zweep. Conrad is niet tegen haar opgewassen. Ze heeft de politie verpulverd. Ze wilde vooral weten waarom jij niet had voorkomen dat de tribune de lucht in was gevlogen, toen je zoontje de problemen voor jou ontdekt had.'

'Die lieve Marjorie!'

'Iemand vertelde haar dat je bijna zelf de lucht in was gevlogen en zij zei: net goed.' Hij schudde zijn hoofd. 'Soms denk ik weleens dat de hele familie niet goed snik is.'

'In dat kastje boven je hoofd staan een fles whisky en glazen,' zei ik.

Hij ontspande zich en schonk glimlachend twee glazen in. 'Je zult je er niet beter door voelen,' merkte hij op, terwijl hij een glas op het tafeltje met laden zette dat het eind van mijn bed markeerde. 'En waar heb je deze fantastische bus vandaan? Ik heb nog nooit zoiets gezien. Toen ik hem hierheen had gereden met de jongens aan boord hebben ze me een kleine rondleiding gegeven. Ze schenen te denken dat je het interieur eigenhandig gebouwd had. Ik neem aan dat je een jachtbouwer hebt geraadpleegd.'

'Allebei waar.'

Hij sloeg zijn whisky in twee teugen achterover, als een echte militair, en zette het glas neer.

'We kunnen je jongens geen bedden geven, daar hebben we niet genoeg ruimte voor, maar eten is geen probleem.'

'Bedankt Roger. Ik stel je aanbod op prijs, maar er is genoeg proviand in deze bus voor een bataljon, en het bataljon heeft al heel wat ervaring met doe-het-zelf-werk in de keuken.'

Ondanks zijn tegenwerpingen merkte ik dat hij opgelucht was. Hij was misschien nog wel meer uitgeput dan ik.

'Maar doe me een lol, als je wilt,' zei ik.

'Zeg het maar.'

'Wees een beetje vaag over waar ik vanavond uithang. Als, zeg, de politie of de Strattons ernaar informeren.'

'Ergens links van Mars?'

'Ik zal het ooit met je goedmaken,' zei ik.

De echte wereld, zoals Toby gezegd zou hebben, ging er de volgende morgen weer met hernieuwde energie tegenaan.

Enigszins oncomfortabel reed ik met Roger mee in zijn jeep naar zijn kantoor naast de voorbrengring. De vijf jongens gingen de bus wassen met emmers vol schuimend water, bezems en moppen aan lange stelen, en de buitenkraan en tuinslang van de Gardners.

Dergelijke grootscheepse poedelpartijen eindigden altijd met vijf voldane en vooral doorweekte kinderen (in het circus waren ze dol op clowns met water-acts) en een op zijn minst half schone bus. Ik had Mrs. Gardner aangeraden om naar binnen te gaan en ramen en ogen te sluiten, en nadat de eerste emmer vol sop de voorruit gemist had en op Alan terecht was gekomen, had ze me verwilderd aangekeken en mijn raad opgevolgd.

'Vind je het niet erg dat ze nat worden?' vroeg Roger toen we van de potentiële zeeslag wegreden.

'Ze hebben een hoop stoom af te blazen,' zei ik.

'Je bent een bijzondere vader.'

'Zo voel ik me niet.'

'Hoe is het met de hechtingen?'

'Hopeloos.'

Hij gniffelde, parkeerde voor de deur van zijn kantoor en gaf me het looprek aan zodra ik op mijn benen stond. Ik had het liever niet nodig gehad, maar de enige kracht die ik nog over had leek in mijn armen te zitten.

Hoewel het nauwelijks halfnegen was kwam de eerste wagen vol problemen al aanstuiven nog voor Roger zijn kantoordeur van het slot had. Hij keek over zijn schouder om te zien wie het was en zei, uit de grond van zijn hart: '*Verdomme*.' Hij herkende de wagen. 'Keith, die klootzak.'

Keith, die klootzak, kwam niet alleen. Keith, die klootzak, had Hannah meegenomen, en Hannah bleek haar zoon Jack te hebben meegenomen. Het drietal klom uit de auto van Keith en begon vastberaden op het kantoor van Roger af te benen.

Die zwaaide de deur open en zei abrupt tegen mij: 'Kom binnen.'

Op loopreksnelheid volgde ik hem naar zijn bureau waar toevallig mijn jasje nog over zijn stoel hing, daar de vorige morgen achtergelaten. Een mensenleven geleden – op een haar na.

Keith, Hannah en Jack drongen binnen, alle drie met kwaaie koppen. Keith reageerde op mijn aanwezigheid alsof hij allergisch voor me was, en Hannah zou haar eigen feeksachtige gelaatsuitdrukking ook vast niet bewonderd hebben. Jack, een tiener met een grote mond, leek veel te veel op zijn grootvader: knap en vals.

'Gardner,' zei Keith, 'stuur die vent weg! En jij bent ontslagen. Je bent incompetent. Ik neem je baan over, jij kunt oprotten. Wat jou betreft...' – hij richtte zijn woede weer vol op mij – 'die kinderen van jou hadden op de tribunes niks te zoeken, en als je denkt dat je ons een proces aan de broek kunt doen omdat je zo stom was bijna de lucht in te vliegen, ben je nog niet jarig.'

De gedachte was nog geen moment bij me opgekomen. 'Je brengt me op ideeën,' zei ik onbezonnen.

Roger maakte te laat een waarschuwend gebaar om me tot stilte te manen en geen grote mond op te zetten. Ik had op de aandeelhoudersvergadering met eigen ogen gezien hoe snel de woede van Keith tot een kookpunt kon komen, en ik herinnerde me de voldoening waarmee ik

bedacht had dat hij fysiek geen schijn van kans maakte tegen de vijfen-
dertigjarige zoon van Madeline.

Maar er was nogal wat veranderd sinds die dag. Ik had nu een looprek nodig om overeind te blijven. En bovendien, zij waren met zijn
drieën.

7

'Verdomme,' fluisterde Roger nog een keer.

En ik zei: 'Wegwezen hier.'

'Nee.'

'Ja. Denk aan je baan.'

Roger bleef.

Keith trapte de deur achter zich dicht en hoewel hij nog, een seconde of twee, leek te aarzelen, kende Hannah geen enkele twijfel of terughoudendheid. In haar ogen was ik het gehate symbool van alle wrok die ze veertig jaar lang gekoesterd had. Keith, die haar gekwetste gevoelens al vanaf haar kindertijd had kunnen en moeten sussen, had ze zonder enige twijfel alleen maar aangewakkerd. Hannah had geen controle meer over haar walging. Een dolk tussen de schouderbladen... ik las het in haar ogen.

Ze kwam op me af met dezelfde katachtige loop die ik bij Rebecca gezien had en gebruikte haar volle gewicht om me ruggelings tegen de muur te duwen, waarna ze haar scherpgenagelde klauwen in stelling bracht om mijn gezicht open te halen.

Roger probeerde een beschaafd protest. 'Miss Stratton...'

Maar met een roofdier valt niet te praten.

Ik had haar graag een keiharde stomp op haar borstbeen verkocht en een hersenschudding geslagen, maar allerlei onderbewuste taboes staken daar een stokje voor, en misschien kon ik die vrouw wel niet vloeren omdat Keith mijn moeder had geslagen. Mijn moeder, de moeder van Hannah. Een puinhoop. Hoe dan ook, ik liet het bij een poging mijn etterige halfzuster bij de polsen te pakken, waarvoor ik mijn looprek moest loslaten, en dat gaf Keith een gelegenheid waar hij geen enkele morele moeite mee had.

Hij pakte het rek, duwde Hannah aan de kant en haalde verwoestend naar me uit met een stevige buis van chroom met een zwart rubberen voetje eraan. Mis. Althans voor mij: pal op een hechting.

Roger greep Keith bij een arm om een tweede uithaal te voorkomen en ik hield nog altijd de polsen van Hannah vast en probeerde te voorkomen dat ze me in het gezicht spuugde. Al met al begon het op een weinig geslaagde zaterdagochtend uit te draaien.

En het werd nog erger.

Keith maaide met het rek naar het hoofd van Roger, die zich snel bukte. Keith zwaaide de buizen verder in mijn richting en trof opnieuw doel. Hannah trok intussen furieus om vrij te komen en Keith had de vier poten van het rek nu allemaal op mijn buik gericht. Op dat uiterst ongelukkige moment besloten mijn benen iedere verdere steun in te trekken. Ik begon te wankelen en te zwaaien en klapte uiteindelijk smadelijk tegen de grond.

Hannah ontworstelde zich aan mijn greep en wierp haar voeten in de strijd. Haar zoon, die mij niet eens kende, mengde zich ook in het gewoel en gaf me twee trappen met evenveel venijn, en eveneens zonder over de consequenties na te denken. Ik greep de voet die een derde keer naar voren kwam en gaf er een ruk aan, waarop hij met een schreeuw van verrassing zijn evenwicht verloor en op de grond viel, binnen mijn handbereik.

Pech voor hem. Ik greep hem, sloeg hem in het gezicht en ramde zijn hoofd tegen de vloer, waarop Hannah zich gillend als een bosgeest boven op ons stortte. Haar schoenen, moest ik tot mijn leedwezen constateren, hadden scherpe punten en nog scherpere hakken.

Ik was me ervan bewust dat Roger, ergens boven mij, pogingen deed de orde te herstellen, maar wat de kolonel daar eigenlijk voor nodig had gehad was een pistool.

Keith, op een idee gebracht door zijn dochter, begon zijn zware schoenen nu ook te gebruiken. Hij stampte en trapte en er gingen zware trillingen door mijn lichaam onder zijn gewicht en zijn wreedheid. Van Roger moet gezegd worden dat hij probeerde hem bij me weg te slepen, en zo ongeveer op dat moment, en geen moment te vroeg, ging de deur naar buiten opnieuw open en werden we onderbroken.

'Zeg,' blaatte een mannenstem, 'wat is hier aan de hand?'

Keith schudde Roger van zich af en zei, geen moment uit het veld geslagen: 'Wegwezen, Ivan. Dit zijn jouw zaken niet.'

Ivan zou waarschijnlijk nog gedaan hebben wat hem werd opgedragen ook, maar in zijn kielzog kwam een veel hardere noot om te kraken.

De heerszuchtige stem van Marjorie klonk boven het gekrakeel uit.

'Keith! Hannah! Wat denken jullie in godsnaam dat je aan het doen bent? Kolonel, bel de politie. Bel onmiddellijk de politie.'

Het dreigement werkte. Hannah hield op met trappen en krijsen. Keith, hijgend, deed een stapje achteruit. Jack kroop op handen en knieën bij me vandaan. Roger zette het looprek naast me neer en stak een hand uit om me overeind te hijsen. Het kostte hem meer inspanning dan hij verwacht had, maar met krijgshaftige volharding slaagde hij in zijn opzet. Ik steunde op het looprek en leunde mijn rug vermoeid tegen de muur. Niet alleen Ivan en Marjorie waren aangekomen, zag ik toen pas, maar ook Conrad en Dart.

Eén sprakeloos moment nam Marjorie de situatie in zich op. Ze zag de nog nasmeulende woede in de houding van Hannah, de brute kracht die Keith nog niet had aangesproken en de nukkige rancune van Jack, die uit twee neusgaten bloedde. Haar blik gleed over Roger en bleef uiteindelijk op mij rusten. Ze nam me op van hoofd tot voeten en weer terug.

'Schandelijk,' zei ze. 'Vechten als beesten. Jullie zouden beter moeten weten.'

'Hij hoort hier niet,' zei Keith schor, en hij voegde eraan toe, zonder enige schroom: 'Hij sloeg me. Hij begon.'

'Hij heeft mijn neus gebroken,' klaagde Jack.

'Ga me niet vertellen dat hij jullie met zijn drieën heeft aangevallen,' spotte Dart. 'Jullie vragen er trouwens wel om.'

'Houd jij je kop,' voegde Hannah hem korzelig toe.

Conrad gaf zijn mening. 'Hij moet *iets* gedaan hebben om dit te beginnen, dat is klip en klaar.' Hij werd de onderzoeksrechter, het kopstuk van het proces, de man met de beschuldigende vinger. Opgeblazen kikker.

'Nou, Mr. Morris, waarom precies hebt u mijn broer geslagen en zijn dochter en kleinzoon belaagd? Wat hebt u te zeggen?'

Tijd, dacht ik, voor de verdachte om zich te verdedigen. Ik slikte. Ik voelde me zwak. En boos genoeg om daar niet aan toe te geven, of om het niet te laten merken – dat plezier gunde ik geen van allen.

Toen ik erop vertrouwde dat mijn stem niet zou kraken of overslaan, zei ik op neutrale toon: 'Ik heb uw broer niet geslagen. Ik heb niets gedaan. Zij besprongen mij omdat ik ben wie ik ben.'

'Dat slaat nergens op,' zei Conrad. 'Mensen worden niet aangevallen alleen omdat ze zijn wie ze zijn.'

'Maak dat de joden maar eens duidelijk,' zei Dart.

Het choqueerde hen allemaal, maar niet erg.

'Ga naar buiten,' zei Marjorie Binsham, 'allemaal. *Ik* neem Mr. Morris voor mijn rekening. Hier.' Ze keek Roger aan. 'U ook, kolonel. Eruit.'

'Dat is niet veilig,' zei Conrad.

'Onzin!' onderbrak Marjorie hem. 'Ingerukt.'

Ze gehoorzaamden haar en gingen zonder elkaar aan te kijken af, letterlijk en figuurlijk.

'Deur dicht,' commandeerde ze, en Roger, die als laatste vertrok, trok hem achter zich dicht.

Zeker van zichzelf ging ze zitten, voor die dag gehuld in een getailleerde marineblauwe jas waar, alweer, een wit kraagje onder te voorschijn kwam. Het golvende witte haar, het fragiel ogende uiterlijk, de doordringende haviksogen, alles hetzelfde als voorheen.

Ze nam me kritisch op. 'Gisteren vloog je bijna de lucht in,' zei ze, 'vandaag word je bijna onder de voet gelopen. Niet bijster slim, of wel?'

'Nee.'

'En blijf niet tegen die muur aan leunen. Je bloedt.'

'Dat schilder ik later wel over.'

'Waar bloed je precies uit?'

Ik legde haar uit dat ik een veelvoud aan schaafwonden, snijwonden en hechtingen had. 'Een aantal daarvan,' zei ik, 'voelt alsof ze weer zijn opengebarsten.'

'O.'

Even leek ze besluiteloos, niet de krachtige tante die ik inmiddels kende. Toen zei ze: 'Als je wilt kunnen we onze overeenkomst opzeggen.'

'O?' Ik was verrast. 'Nee, wat mij betreft niet.'

'Ik had niet verwacht dat je gewond zou raken.'

Ik nam mijn toestand kort in overweging. Mijn verwondingen, al waren ze pijnlijk, deden er niet toe. Ik negeerde ze zo goed en zo kwaad als het ging. Concentreerde me op al het andere dat zich aandiende.

'Weet u,' vroeg ik, 'wie de explosieven heeft geplaatst?'

'Nee, dat weet ik niet.'

'Welke Strattons zouden er de kennis voor in huis kunnen hebben?'

'Geen van allen.'

'Forsyth ook niet?'

Ook in haar waren luiken die met een klap konden worden neergelaten.

'Wat Forsyth wel of niet moge zijn,' zei ze, 'een expert in het opblazen van gebouwen is hij niet.'

'Heeft hij een motief om er iemand anders voor in de arm te nemen?'

Na een korte stilte zei ze: 'Ik denk het niet.'

Mijn voorhoofd parelde. Automatisch bracht ik een hand naar mijn hoofd om het zweet af te vegen, maar ik begon meteen te zwaaien en greep snel het looprek weer beet, vechtend om mijn evenwicht te hervinden en niet om te vallen. Alles deed pijn, de wonden en de hechtingen van gisteren, de klappen en de trappen van vandaag. Ik bleef stil staan, zwaar ademend–weer een crisis achter de rug. Mijn hele gewicht leunde op mijn armen.

'Ga zitten,' beval Marjorie.

'Dat is misschien nog wel erger.'

Ze staarde. Ik glimlachte. 'Mijn kinderen vinden het grappig.'

'Nee toch.'

'Een beetje wel.'

'Ga je een aanklacht indienen tegen Keith wegens mishandeling?' vroeg ze langzaam. 'Of tegen Hannah?'

Ik schudde mijn hoofd.

'Waarom niet? Ze trapten je. Ik heb het gezien.'

'Zou u dat voor de rechter ook zeggen?'

Ze aarzelde. Ze had de politie als dreigement gebruikt om een eind te maken aan het gevecht, maar meer was het niet geweest: een dreigement.

Ik dacht aan het pact dat mijn moeder gesloten had met Lord Stratton, om te zwijgen over het gewelddadige gedrag van Keith. Ik had enorm geprofiteerd van die stilte. Mijn intuïtie zei me dat ik hetzelfde moest doen als mijn moeder.

'Ik zal het hem ooit nog wel een keer betaald zetten,' zei ik. 'Maar niet door u in het openbaar met uw eigen familie te brouilleren. Het zal een privé-aangelegenheid zijn, iets tussen hem en mij.'

Duidelijk opgelucht en heel formeel zei ze: 'Dan wens ik je daar bij voorbaat het beste mee.'

Buiten klonk het gejank van een enkele politiewagen, meer om te laten horen dat hij er was dan uit overwegingen van haast.

Maar goed, de politie was gearriveerd. Marjorie keek niet bepaald verrukt en ik voelde me doodop. Even later ging de deur weer open, deze keer om veel meer mensen binnen te laten dan waar de ruimte voor bestemd was.

Keith deed vruchteloze pogingen de sterke arm ervan te overtuigen dat ik zijn kleinzoon Jack lichamelijk letsel had toegebracht.

'Jack,' merkte Roger kalmpjes op, 'moet proberen niet op mensen in te trappen als ze op de grond liggen.'

'En jij,' beet Keith hem toe, 'jij kunt oprotten. Dat heb ik je al gezegd. Je bent ontslagen.'

'Maak je niet zo belachelijk,' snauwde Marjorie. 'Kolonel, u bent *niet* ontslagen. We hebben u nodig. Blijf alstublieft hier. Alleen bij meerderheid van stemmen in de raad van bestuur kunt u gevraagd worden te vertrekken, en zo'n meerderheid is er niet en zal er niet komen ook.'

'Een dezer dagen, Marjorie,' zei Keith, zijn stem hees en bevend van vernedering, 'zal ik met jou afrekenen.'

'Luister eens hier, Keith...' begon Conrad.

'En jij houd je bek,' zei Keith vol haat. 'Het was jij of die corrupte architect van je die de tribune te grazen heeft gehad.'

In de geschokte stilte die volgde, en waarin alle Strattons de mond wijd open lieten zakken, consulteerde een politieman met enig vertoon een notitieboekje vol aantekeningen en vroeg wie van de familie in een donkergroene, zes jaar oude Granada met roestig linker spatbord reed.

'Wat heeft dat er nu weer mee te maken?' vroeg Dart.

Zonder die vraag te beantwoorden herhaalde de politieman zijn eigen vraag.

'Vooruit, ik,' zei Dart. 'Nou en?'

'En bent u gistermorgen om tien voor halfnegen met die auto door de hoofdingang van de renbaan gereden, en hebt u Mr. Harold Quest daarbij gedwongen aan de kant te springen om een ernstig ongeluk te voorkomen, en maakte u een obsceen gebaar naar hem toen hij protest aantekende?'

Dart moest bijna lachen, maar bedacht zich op het laatste moment.

'Nee, dat was ik niet,' zei hij.

'Wat was u niet? Degene die door het hek naar binnen reed? Degene die Mr. Quest dwong opzij te springen? Degene die een obsceen gebaar maakte?'

'Ik was niet degene die gistermorgen om tien voor halfnegen door het hek naar binnen is gereden.'

'Maar u hebt gezegd dat het uw wagen was...'

'Ik heb niet gezegd dat ik er om tien voor halfnegen gistermorgen in zat. En ik reed er dus ook niet mee door de poort hier. Ik reed er helemaal nergens mee.'

Beleefd stelde de agent de onvermijdelijke vraag.

'Ik was in de badkamer, als u het echt wilt weten,' zei Dart. Wat hij daar op dat moment deed liet hij aan de collectieve verbeelding over.

Ik vroeg: 'Is Mr. Quest een grote man met een baard, een gebreide muts en een bord waarop staat: DE RECHTEN VAN HET PAARD GAAN VOOR?'

De politie gaf toe dat de man inderdaad aan een dergelijke omschrijving voldeed.

'Die vent!' riep Marjorie uit.

'Die hoort voor het vuurpeloton,' zei Conrad.

'Die gaat gewoon pal voor je auto staan,' liet Marjorie de politieman streng weten. 'Er komt nog een dag dat hij zijn doel bereikt.'

'En dat is, mevrouw?'

'Overreden worden natuurlijk. Bij de minste aanraking artistiek neervallen. Lijden voor de zaak. Met dat soort mensen moet je altijd enorm op je qui-vive zijn.'

'Weet u zeker dat Mr. Quest zelf om tien voor halfnegen gistermorgen bij de poort stond?' vroeg ik.

'Hij houdt vol van wel,' zei de politieman.

'Op Goede Vrijdag? Dat is een dag dat niemand iets te zoeken heeft op een renbaan.'

'Hij zei dat hij er was.'

Ik liet het erbij. Geen energie meer. Dart en zijn auto waren vaak genoeg de poort in- en uitgereden om door elke demonstrant tot in de details beschreven te kunnen worden, tot aan de oude sticker op de achterbumper aan toe, waarop stond: 'Als u dit kunt lezen: afstand houden.' Dart had baardmans geïrriteerd op de dag dat ik met hem was meegereden. Baardmans, Harold Quest, voelde zich gedwongen om herrie te trappen. Waar lag de waarheid?

'En u, Mr. Morris...' De bladzijden van het boekje werden omgeslagen, nieuwe aantekeningen werden geraadpleegd. 'We hadden gehoord dat u in het ziekenhuis zou worden vastgehouden maar toen we erheen gingen om met u te praten zeiden ze dat u zichzelf had ontslagen. Ze hadden u niet officieel vrijgelaten.'

'Wat een woordkeus!' zei ik.

'Wat?'

'Vastgehouden en vrijgelaten. Alsof het om een gevangenis gaat.'

'We konden u nergens vinden,' klaagde hij. 'Niemand scheen te weten waar u gebleven was.'

'Nou, nu ben ik hier.'

'En... eh... Mr. Jack Stratton beweert dat u hem vanmorgen op of rond tien voor negen hebt aangevallen en zijn neus gebroken.'

'Dat beweert Jack Stratton helemaal niet,' zei Marjorie zelfverzekerd. 'Jack, vertel op.'

De norse jongeman, die zijn gezicht stond te deppen met een zakdoek, hoorde de ergernis in haar stem en mompelde dat hij misschien wel tegen een deur aan was gelopen, of zo. Ondanks de protesten van Keith en Hannah streepte de politieman gelaten een paar zinnetjes in zijn opschrijfboekje door en zei dat zijn superieuren informatie van mij wilden hebben over waar die explosieve ladingen zaten 'voorafgaand aan de detonatie'. Waar, vroeg hij, was ik te bereiken?

'Wanneer?' vroeg ik.

'Vanmorgen, meneer.'

'Dan... hier, denk ik.'

Conrad keek op zijn horloge en deelde mee dat hij een 'demolitie-deskundige' en een inspecteur van de gemeente had verzocht een advies uit te brengen over hoe de oude tribune het best verwijderd kon worden om het terrein geschikt te maken voor herbebouwing.

Keith ontstak onmiddellijk weer in woede. 'Daar heb jij het recht niet toe. Het is net zo goed mijn renbaan als de jouwe, en ik wil hem verkopen, en als we aan een projectontwikkelaar verkopen ruimt *die* de tribunes op zonder dat dat ons een cent hoeft te kosten. We gaan *niet* herbouwen.'

Marjorie, met felle oogjes, zei dat ze eerst de mening van een expert moesten hebben over de vraag of de tribunes wel of niet konden worden gerestaureerd zoals ze geweest waren, en of de verzekering een ander plan wel zou willen vergoeden.

'Voeg de uitkering van de verzekering bij de winst uit verkoop, en we profiteren er allemaal van,' zei Keith obstinaat.

De agenten, ongeïnteresseerd, liepen terug naar hun wagen en pakten daar de mobilofoon erbij, waarschijnlijk om met hun superieuren te overleggen.

'*Kunnen* de tribunes weer gerestaureerd worden?' vroeg ik aan Roger. Ik betwijfelde het.

'Dat is nu nog niet te zeggen,' antwoordde hij voorzichtig.

'Natuurlijk kunnen ze dat.' Marjorie wist het zeker. 'Alles kan gerestaureerd worden. Waar een wil is is een weg.'

Weer net zo opgetrokken als voorheen, een getrouwe kopie, dat was waar zij op doelde. En dat leek me niet goed voor de toekomst van Stratton Park als renbaan.

De familie ruziede voort. Ze waren allemaal vroeg naar hier gekomen, leek het wel, om te voorkomen dat er unilaterale beslissingen konden worden genomen. Ze verlieten het kantoortje als één kissebissend kluwen, met elkaar verbonden door de angst wat de anderen misschien op eigen houtje konden doen. Roger keek ze wanhopig na.

'Hoe kun je nu zo een bedrijf runnen? En Oliver noch ik heeft één cent salaris gezien sinds Lord Stratton is overleden. Hij tekende onze looncheques altijd persoonlijk. De enige die sindsdien de bevoegdheid heeft ons te betalen is Mrs. Binsham. Ik legde het haar uit toen we afgelopen woensdag de ronde maakten, en ze zei dat ze het begreep, maar toen ik het haar gisteren opnieuw vroeg, nadat de tribunes waren opgeblazen, toen ze hier met al die anderen kwam aanzetten, zei ze dat ik haar op zo'n moment niet moest lastigvallen.' Hij zuchtte diep. 'Alles goed en wel, maar het is nu al meer dan twee maanden geleden dat wij ons laatste salaris hebben gehad.'

'Wie betaalt het overige personeel?' vroeg ik.

'Ik. Dat heeft Lord Stratton zo geregeld. Keith vindt het niet goed. Hij zegt dat het vragen is om fraude. Zoals de waard is vertrouwt hij zijn gasten. Hoe dan ook, de enige looncheques die ik niet kan tekenen zijn die van Oliver en die van mezelf.'

'Liggen ze al klaar?'

'Ja, daar zorgt mijn secretaresse voor.'

'Geef ze dan aan mij.'

'Aan jou?'

'Dan zal ik het oude mensje vragen ze te tekenen.'

Hij vroeg niet hoe ik dat voor elkaar dacht te krijgen, maar trok slechts een bureaula open, haalde er een envelop uit en stak die mij toe.

'Stop maar in mijn jasje,' zei ik.

Hij keek naar het looprek, schudde zijn hoofd om wat hij dacht en stopte de looncheques in mijn zak.

'Zijn de tribunes total loss?' vroeg ik.

'Je kunt beter zelf gaan kijken. Maar denk erom, niemand kan er dicht in de buurt komen. De politie heeft alles afgezet.'

Vanuit het raam van zijn kantoor was weinig schade zichtbaar. Je zag de zijmuur, het dak en je keek schuin op de staanplaatsen.

'Ik zou de gaten liever zien zonder Strattons erbij,' zei ik.

Roger grinnikte bijna. 'Ze zijn allemaal bang elkaar uit het oog te verliezen.'

'Dat dacht ik ook.'

'Ik neem aan dat je weet dat je bloedt.'

'Vlekken op de muur maakt, zoals Marjorie zei.' Ik knikte. 'Maar ik denk dat het nu wel gestopt is.'

'Maar...' Hij viel stil.

'Ik ga wel terug om de boel weer te laten oplappen,' beloofde ik. 'Al mag Joost weten wanneer. Ze laten je zo lang wachten.'

'Een van de renbaanartsen zou sneller zijn,' zei hij beschroomd. 'Ik zou het hem kunnen vragen, als je wilt. Hij is altijd heel behulpzaam.'

'Ja,' zei ik kort.

Roger pakte zijn telefoon en verzekerde de arts dat de wedstrijden voor maandag gewoon door zouden gaan zoals gepland. Zou hij intussen, bij wijze van gunst, een paar hechtingen willen aanbrengen? Meteen, bij voorkeur. Heel erg bedankt.

'Kom op, dan,' zei hij tegen mij toen hij de telefoon weer neerlegde. 'Kun je nog lopen?'

Dat kon ik en dat deed ik, maar het ging langzaam. De politie protesteerde tegen het feit dat ik opnieuw dreigde te verdwijnen. We zijn over ongeveer een uur wel weer terug, suste Roger. De Strattons waren nergens te zien, hoewel hun auto's er nog stonden. Roger richtte zijn jeep op de hoofdingang, en Mr. Harold Quest wierp zich nu eens een keer niet voor de motorkap.

De arts was degene die ook bij die valpartij bij de open greppel was komen opdraven, zakelijk en kalm. Toen hij zag wat er van hem verlangd werd, wilde hij het niet doen.

'Huisartsen doen dat soort dingen niet meer,' hield hij Roger voor. 'Ze verwijzen mensen naar ziekenhuizen. Hij hoort in een ziekenhuis. Dit pijnniveau is belachelijk.'

'Het komt en het gaat,' zei ik. 'En stel dat we in de Sahara waren?'

'Swindon is niet de Sahara.'

'Het hele leven is een woestijn.'

Hij mompelde iets en lapte me weer op met wat op plakband leek.

'Heb ik u niet eerder ontmoet?' vroeg hij verbaasd toen hij klaar was. Ik legde uit wanneer.

'De man met de kinderen!' Hij schudde meewarig het hoofd. 'Die hebben iets afgrijselijks zien gebeuren, vrees ik.'

Roger bedankte hem voor zijn diensten, en ik deed hetzelfde. De dokter vertelde Roger dat de renbaanautoriteiten een klacht van Rebecca Stratton hadden ontvangen over zijn competentie als arts, of liever gezegd het gebrek daaraan. Ze wilden een uitgebreid rapport zien over zijn aanbeveling haar niet te laten starten wegens een hersenschudding.

'Trut,' zei Roger oprecht.

De dokter wierp een ongemakkelijke blik in mijn richting.

'Hij is betrouwbaar,' verzekerde Roger hem. 'Zeg wat je wilt.'

'Hoe lang ken je hem?'

'Lang genoeg. En het waren Strattons die zijn wonden weer open hebben getrapt.'

Het moest wel een hel wezen, bedacht ik, om ook maar enigszins van de Strattons afhankelijk te zijn voor je broodwinning. Roger leefde echt op de rand van een vulkaan; en werkloos zijn betekende in zijn geval ook nog dakloos.

Hij reed ons voorzichtig terug naar de renbaan en onthield zich van commentaar op de hand die ik voor mijn gezicht geslagen hield en mijn voorovergebogen hoofd. Wat hem betrof was het mijn eigen zaak hoe ik met mijn problemen verkoos om te gaan. Ik ontwikkelde sterke gevoelens van vriendschap en dankbaarheid.

Baardmans stapte voor de jeep. Ik vroeg me af of zijn naam inderdaad Quest was, of dat hij dat verzonnen had. Geen tactische vraag om op dat moment aan hem voor te leggen. Hij bleef halsstarrig in de weg staan, waarop Roger tot mijn verbazing gewoon achteruitreed en de weg langs de omheining verder volgde.

'Het kwam net bij me op,' zei hij droog, 'dat als we achterom gaan, we niet alleen een aanvaring met die maniak voorkomen, maar dat we dan ook nog bij je bus langs kunnen gaan, zodat jij schone kleren kunt aantrekken.'

'Ik begin er anders snel doorheen te raken.'

Hij wierp een aarzelende blik op mijn postuur. 'Ik denk dat die van mij niet groot genoeg zijn.'

'Nee, maar het lukt wel.'

Ik kon nog kiezen tussen afgedragen werkkleding en een keurig pak. Ik koos voor de spijkerbroek en een geruit houthakkersoverhemd van flanel. Mijn bebloede garderobe van die ochtend dumpte ik in een wasmand die al vol doorweekte kleinere maten zat.

De jongens waren klaar met de bus en elkaar. De bus was er in elk geval een stuk schoner op geworden. En de jongens moesten inmiddels droog zijn, al waren ze nergens te bekennen. Ik daalde langzaam weer af. Roger liep geïnteresseerd en gereserveerd als altijd om de bus heen en keek opnieuw zijn ogen uit.

'Het is een touringbus geweest,' zei ik. 'Ik heb hem gekocht toen de eigenaar zijn gezellige oude wagenpark verving door meer eigentijdse voertuigen met overal glas.'

'Hoe... ik bedoel, hoe zit het met de latrines?'

Ik glimlachte om zijn militaire woordgebruik. 'Er waren enorme ruimten voor koffers onderin. Een aantal daarvan heb ik gebruikt voor water- en rioleringtanks. Op het platteland worden speciale tankauto's ingezet om afgelegen beerputten leeg te pompen, en dan heb je ook nog de scheepswerven. Het is makkelijk om aan zo'n pomp te komen als je weet wie je ernaar vragen moet.'

'Verbazingwekkend.' Hij klopte op het schone, koffiekleurige spuitwerk en gunde zichzelf nog een paar seconden, zag ik weer, alvorens terug te keren naar het onaangename hier en nu.

Hij zuchtte. 'Ik stel voor...'

Ik knikte.

We klommen weer in de jeep en reden terug naar de tribunes, waar ik, leunend op mijn looprek, voor het eerst een objectieve blik kon werpen op de puinhoop die een dag eerder was aangericht. We bleven wijselijk buiten de afzetting, al zat er geen beweging meer in de hele tribune.

Eerste gedachte: *ongelooflijk* dat Toby en ik daar levend uit waren gekomen.

Het gebouw leek wel opengereten, waarop de ingewanden hadden losgelaten en er als bij een geweldige aardverschuiving uit waren gestroomd. De weegkamer, de kleedkamers en het kantoor van Oliver Wells, dat vanuit het hoofdgebouw naar voren stak, was geplet onder het gewicht van de neerstortende verdiepingen erboven. De lange, weerbarstige staal- en betonmassa van de staanplaatsen had ervoor gezorgd dat de hele destructieve kracht één kant op was gedirigeerd: naar de zachtere delen van steen, hout en pleisterwerk, naar de eetzalen, bars en het trappenhuis.

Boven de massieve puinhoop gaapte een lege ruimte als een holle zuil die helemaal tot boven aan toe doorliep, als een uitroepteken. Een paar naakte steunbalken van de stewardskamer priemden als vingers de lucht in.

'Jezus Christus,' fluisterde ik langzaam.

'Wat denk je?' vroeg Roger na een poosje.

'In de eerste plaats,' zei ik, 'hoe willen jullie hier overmorgen in godsnaam wedstrijden houden?'

Gefrustreerd sloeg hij zijn ogen ten hemel. 'Het is het paasweekend. Morgen zijn er meer bruiloften dan op welke andere dag van het jaar ook. Maandag zijn er de paardenshows, de hondenshows, noem maar op, overal. Ik heb gister de hele middag geprobeerd om tenten te regelen. Maakt niet uit wat voor tent, gewoon *tenten*. Maar elke vierkante millimeter canvas is al vergeven. We sluiten deze tribune natuurlijk af, en we zullen dus alles en iedereen naar de Tattersalls moeten verhuizen, maar tot dusver heb ik alleen een paar Portakabins weten te reserveren als kleedkamers en het lijkt erop of we de weegschaal in de open lucht zullen moeten neerzetten, zoals vroeger bij de point-to-point rennen. En wat eten en de extra bars betreft...' Hij haalde machteloos zijn schouders op. 'We hebben de cateraars laten weten dat ze hun eigen regelingen moeten treffen, maar ze zeggen dat ze al tot het uiterste gegaan waren bij hun planning. God sta ons bij als het regent, dan zullen we met paraplu's moeten werken.'

'Waar was je van plan die tenten neer te zetten?' vroeg ik.

'Op de ledenparkeerplaats.' Hij klonk wanhopig. 'De rennen van Paasmaandag leveren ons altijd de grootste omzet op van het hele jaar. We kunnen ons niet veroorloven ze af te lasten. En Marjorie Binsham en Conrad staan er trouwens ook op. We hebben alle trainers op het hart gebonden dat ze hun paarden vooral niet moeten terugtrekken. Met de stallen is niets aan de hand. We kunnen nog steeds aan alle veiligheidsvoorschriften voldoen, zoals zes veiligheidsboxen, dat soort dingen. De zadelstallen zijn ook in orde. De voorbrengring is in orde.

En Oliver kan mijn kantoor gebruiken.'

Hij draaide zijn rug naar de trieste aanblik die de tribunes boden en we begonnen langzaam naar zijn jeep terug te lopen. Hij moest nog wat regelen met de elektriciteit, zei hij.

Zijn kantoor zat vol Strattons. Conrad zat achter Rogers bureau en praatte in Rogers telefoon: hij had de teugels overgenomen.

'Ja,' zei Conrad, 'ik weet dat u mijn manager al hebt laten weten dat al uw tenten zijn uitbesteed, maar u spreekt nu met Lord Stratton zelf, en ik zeg u: breek ergens anders een tent af, een geschikte tent, en zet die morgen hier op. Maakt me niet uit waar u hem vandaan haalt, regel het gewoon.'

Ik raakte Rogers arm aan voor hij kon protesteren en gebaarde dat we ons beter konden terugtrekken. Buiten het kantoortje, genegeerd door alle Strattons, stelde ik voor dat hij terug zou rijden naar de bus.

'Daar heb ik telefoon,' legde ik uit. 'Kun je ongestoord bellen.'

'Hoorde je wat Conrad zei?'

'Ja. Wat denk je, zal het hem lukken?'

'Als het hem lukt ben ik mijn baan kwijt.'

'Kom op, naar de bus.'

Roger reed en om mezelf nog een keer in en uit de bus klimmen te besparen, vertelde ik hem waar hij mijn draadloze telefoon kon vinden en vroeg hem het apparaat mee te nemen, samen met een boekje met telefoonnummers dat hij eronder zou aantreffen. Toen hij met de benodigdheden de treden weer afkwam, zocht ik een nummer op en draaide dat.

'Henry? Lee Morris. Hoe gaat het?'

'Noodgeval? Crisis? Dak ingestort?'

'Hoe raad je het?'

'Ja, maar Lee, die tent die jij altijd hebt is momenteel in gebruik als ponyschool. Kleine meisjes met zwarte helmpjes. Ze hebben hem voor een heel jaar.'

'En die grote die zoveel werk is om op te zetten?'

Een berustende zucht klonk door de telefoon. Henry, al heel lang een maat van me, handelde in alles wat je maar bedenken kon, en hij had ooit twee grote circustenten op de kop getikt van een circus dat op de fles was gegaan. Eén daarvan verhuurde hij af en toe aan mij om een bouwval tegen de elementen te beschermen.

Ik legde hem uit wat we nodig hadden en waarom, en ik legde Roger uit met wie hij ging praten, waarna ik rustig op mijn looprek ging staan leunen terwijl zij discussieerden over vierkante meters, budget en transport. Toen ze tot overeenstemming waren gekomen zei ik tegen Roger:

'Vraag of hij alle vlaggen meeneemt.'

Roger, die niet wist waar ik het over had, gaf de boodschap door en kreeg een antwoord dat hem in lachen deed uitbarsten. 'Prima,' zei hij, 'ik bel nog terug om het te bevestigen.'

We namen telefoon en adressenboekje mee in de jeep en reden terug naar het kantoortje. Conrad zat nog steeds in de telefoonhoorn te brullen en aan het ongeduld te oordelen dat zich inmiddels van de Strattons had meester gemaakt, bereikte hij geen enkel resultaat.

'Jouw beurt,' fluisterde ik Roger in het oor. 'Zeg dat *jij* een tent hebt geregeld.'

Hij was het duidelijk niet gewend om met andermans veren te pronken, maar hij begreep de noodzaak ervan. De Strattons waren in staat elke suggestie van mijn kant te torpederen, ook al was het in hun eigen nadeel.

Roger wandelde naar zijn bureau toen Conrad de hoorn woedend op de haak smeet.

'Ik... eh... ik heb een tent weten te reserveren,' zei hij.

'Dat werd tijd!' vond Conrad.

'Waar?' vroeg Keith geïrriteerd.

'Bij een man in Hertfordshire. Hij kan hem hier morgenvroeg brengen, en hij stuurt mensen mee om hem op te zetten.'

Conrad deed zijn uiterste best om niet te laten merken dat hij er blij mee was.

'Het enige is,' vervolgde Roger, 'dat hij die tent niet voor korte periodes verhuurt. We moeten hem minimaal drie maanden houden. Maar,' haastte hij zich erbij te zeggen, want de interrupties hingen al in de lucht, 'die voorwaarde zou weleens in ons voordeel kunnen werken, aangezien het veel langer zal duren voor wij weer over voldoende tribunes beschikken. We kunnen de tent houden zolang we willen. En deze tent heeft een houten vloer en verplaatsbare scheidingswandjes. Het klinkt allemaal veel beter dan een normale feesttent.'

'Te duur,' wierp Keith tegen.

'Minder,' zei Roger, 'dan voor elke koers nieuwe tenten opzetten.'

Marjorie Binsham staarde langs haar familieleden en Roger naar mij.

'Ideeën?' vroeg ze.

'Negeer die man,' probeerde Keith.

'Alle vier bestuursleden zijn aanwezig,' zei ik neutraal. 'Ik zou zeggen, steek de koppen bij elkaar en neem een beslissing.'

Een glimlachje, snel bedekt, trok aan de lippen van Marjorie, maar Dart grinnikte openlijk.

'Vertel ons de details maar,' beval Marjorie Roger, die zijn aantekeningen bekeek en vertelde om hoeveel ruimte het ging en wat het moest kosten, en opperde dat de verzekeringsuitkering vanwege de onbruikbaarheid van de tribunes dat toch zou moeten dekken.

'Wie heeft die verzekering geregeld?' vroeg Marjorie.

'Lord Stratton en ik, met de vaste verzekeringsagenten.'

'Heel goed,' zei Marjorie ter zake, 'dan stel ik voor dat de kolonel een contract afsluit voor die tent op de gestelde voorwaarden. En Ivan steunt mijn voorstel.'

'O?' Ivan leek wakker te schrikken. 'Tja.'

'Conrad?' daagde Marjorie hem vervolgens uit.

'Tja... nou, goed.'

'Voorstel aangenomen,' zei Marjorie.

'Ik ben tegen,' knarsetandde Keith.

'Is genoteerd,' zei Marjorie. 'Kolonel, regel het verder.'

Roger bladerde door mijn boekje en belde Henry.

'Heel goed, kolonel!' feliciteerde Marjorie hem warm toen alles geregeld was. 'Zonder u zou deze renbaan niet kunnen draaien.'

Conrad keek verslagen, Ivan verbijsterd en Keith alsof hij een moord wilde plegen.

Jack, Hannah en Dart, figuranten, onthielden zich van gesproken commentaar.

Aan de korte stilte die volgde kwam een eind met de aankomst van twee wagens. Uit één ervan stapten twee politiemensen met een explosievendeskundige, uit de andere kwamen de sloper van Conrad en een zwaar besnorde manifestatie van plaatselijke autoriteit.

De Strattons stroomden de buitenlucht in.

Roger haalde een hand over zijn gezicht en zei dat hij in Noord-Ierland niet zo onder druk had gestaan als op Stratton Park.

'Denk je dat we hier een Ierse bom hebben gehad?' vroeg ik.

Hij keek verbaasd maar schudde meteen het hoofd. 'De Ieren gaan er prat op. Tot nu toe heeft niemand iets opgeëist. En deze aanslag was niet op mensen gericht, vergeet dat niet. De Ierse bommen zijn bedoeld om slachtoffers te maken.'

'Wie was het dan?'

'Cruciale vraag. Ik weet het niet. En je hoeft het niet te zeggen... er kan nog meer komen.'

'Hoe zit het met de bewaking?'

'Ik heb al het personeel opgetrommeld. Ze lossen elkaar af en patrouilleren in tweetallen.' Hij tikte op de walkie-talkie aan zijn riem. 'Ze brengen voortdurend rapport uit aan mijn voorman. Als ze iets verdachts zien rapporteert hij dat aan mij.'

De politiemensen kwamen binnen en stelden zich voor als inspecteur en brigadier van de recherche. De jongeman die met hen was meegekomen, een intens ogend jongmens, werd vaag en anoniem geïntroduceerd als explosievendeskundige, iemand die bommen kon demonteren. Hij was degene die de meeste vragen stelde.

Ik beschreef waar het *det cord* gelopen had en hoe het eruit had gezien.

'U en uw zoontje wisten allebei meteen wat het was?'

'We hadden het allebei eerder gezien.'

'En hoe dicht bij elkaar zaten de ladingen in de muur?'

'Een meter van elkaar misschien. Op sommige plaatsen was het minder.'

'En hoever liep het door?'

'Helemaal het trappenhuis rond, tenminste op drie verdiepingen. Maar het kan meer geweest zijn.'

'We hebben begrepen dat u aannemer bent. Hoe lang denkt u dat het u persoonlijk gekost zou hebben om de gaten voor al die ladingen te boren?'

'Per gat? Sommige muren waren van steen, sommige van ander materiaal, meest B2-blokken, en ze waren allemaal gepleisterd en geschilderd. Dikke draagmuren meest, maar eigenlijk nogal zacht. Ik denk dat je er niet eens een klopboor bij nodig hebt. De gaten zullen zo'n tien, vijftien centimeter diep zijn geweest en misschien twee, drie centimeter in doorsnee – met een boor van de goeie doorsnee en een flink snoer zou ik er misschien twee in een minuut kunnen doen, als ik haast had.' Ik zweeg even. 'Ik denk dat het aanbrengen van de explosieven meer tijd moet hebben gekost. Ik heb me weleens laten vertellen dat je het allemaal heel voorzichtig moet samenpersen en naar binnen drukken, zonder vonken liefst, dus met iets van hout, een bezemsteel bijvoorbeeld.'

'Wie heeft u dat verteld?'

'Slopers.'

De inspecteur vroeg: 'Hoe weet u zo zeker dat die muren van steen en B2-blokken waren? Hoe weet u zo zeker dat ze gepleisterd en geschilderd waren?'

Ik dacht terug. 'Op de grond onder elke lading lag een klein hoopje stof, van het boren. Sommige hoopjes waren roze steengruis, andere waren grijs.'

'En u had de tijd om dat allemaal te constateren?'

'Ik herinner het me nu. Op dat moment was het voor mij gewoon het bewijs dat er flink wat explosieven in die muren zaten.'

'Hebt u ook gekeken waar het circuit begon of eindigde?' vroeg de expert.

Ik schudde mijn hoofd. 'Ik probeerde mijn zoontje te vinden.'

'En hebt u ook andere mensen in de buurt van de tribunes gezien?'

'Nee. Niemand.'

Ze verzochten mij en Roger mee te lopen naar de afzetting, zodat we aan de explosievendeskundige konden uitleggen waar het trappenhuis voor de explosie precies gestaan had. De man zou zich dan in een beschermingspak hijsen en getooid met een veiligheidshelm op onderzoek uitgaan.

'Jij liever dan ik,' merkte ik op.

Ze keken een beetje meewarig toe hoe ik met hen meesjokte. Toen we de puinzooi grondig op ons hadden laten inwerken keek de explosievendeskundige omhoog naar de stalen balken die de lucht in priemden en vandaar naar de aluminium buizen van mijn looprek. Hij zette een forse helm op en grimaste naar mij.

'Voor iemand met mijn beroep ben ik al op gevorderde leeftijd,' zei hij.

'Hoe gevorderd?'

'Achtentwintig.'

'Ik voel opeens niks meer,' zei ik.

Zijn glimlach werd breder. 'Er moet ook een beetje geluk bij komen.'

'Nou, geluk dan,' zei ik.

8

'Weet je wat?' vroeg Roger aan mij.

'Wat?'

We stonden een beetje apart van de politiemensen en tuurden nog steeds naar de puinhopen.

'Ik zou denken dat onze sloper meer explosieve waar voor zijn geld heeft gekregen dan hij van plan was.'

'Hoe bedoel je?'

'Nou, explosieven doen rare dingen,' zei hij. 'Ze zijn onvoorspelbaar. Ze waren niet mijn specialiteit in het leger, maar als soldaat leer je er natuurlijk wel iets over. Mensen hebben vaak de neiging te veel explosieven te gebruiken, gewoon om zeker te weten dat het effect heeft.' Hij glimlachte kort. 'Een collega van me moest een keer een brug opblazen. Eigenlijk hoefde er alleen maar een gat in, om hem buiten werking te stellen. Hij overschatte hoeveel explosieven daarvoor nodig waren en het hele gevaarte loste gewoon op in onzichtbaar stof dat door de rivier werd afgevoerd. Er was letterlijk niets van over. Iedereen vond dat hij briljant werk had geleverd, maar hij lachte er heimelijk om. *Ik* zou niet geweten hebben hoeveel ik nodig had om zoveel schade aan te richten hier op de tribune. En ik heb eens zitten denken, maar volgens mij kan het best zo zijn dat degene die dit op zijn geweten heeft alleen het trappenhuis buiten werking wilde stellen. Ik bedoel... al die explosieve ladingen, keurig in de muren verstouwd... als hij de hele tribune wilde opblazen, zou hij gewoon één grote bom hebben kunnen gebruiken, toch? Veel makkelijker. Met veel minder kans om betrapt te worden bij de voorbereidingen. Begrijp je wel?'

'Ja, ik begrijp wat je bedoelt.'

Hij keek me recht in de ogen. 'Luister,' zei hij opgelaten, 'ik weet dat het mijn zaken niet zijn, maar zou je niet beter even kunnen gaan liggen?'

'Als het moet doe ik dat wel.'

Hij knikte.

'Anders is het beter om ergens anders aan te denken,' zei ik.

Daar was hij tevreden mee. 'Zeg het dan maar als ik je terug moet brengen.'

'Ja. Bedankt.'

Opeens werden we omringd door Strattons. 'De architect van Conrad is er ook,' zei Dart in mijn oor. 'Let op, nou wordt het lachen!' Ik keek naar zijn kwajongensachtige grijns. 'Heeft Keith echt op je in staan *trappen*?' vroeg hij. 'Volgens Ivan heb ik op een paar seconden na een fraai schouwspel gemist.'

'Jammer voor jou. Waar is de architect?'

'Die man naast Conrad.'

'En dat is een chanteur?'

'Joost mag het weten. Vraag maar aan Keith.'

Hij wist net zo goed als ik dat ik Keith niks zou vragen.

'Ik denk dat Keith het verzonnen heeft,' zei Dart. 'Hij kan verschrikkelijk liegen. De waarheid komt eenvoudigweg zijn strot niet uit.'

'En Conrad? Liegt die ook?'

'Mijn vader?' Dart leek geen aanstoot te nemen aan de veronderstelling op zich. 'Mijn vader vertelt de waarheid uit principe. Of uit gebrek aan fantasie. Jij mag het zeggen.'

'De tweeling bij de tweesprong,' zei ik.

'Waar heb je het over?'

'Dat vertel ik je later wel.'

Marjorie zei op dwingende toon: 'Wij hebben *geen* architect nodig.'

'Wees nu reëel,' smeekte Conrad bijna. 'Kijk eens naar die radicale vernieling die hier gepleegd is. Het is een kans uit duizenden om nu iets van betekenis te bouwen.'

Iets van betekenis te bouwen. De woorden trilden na in mijn geheugen. Iets van betekenis bouwen was een van die geboden geweest die een docent op de bouwschool uitentreuren had staan herhalen.

Ik bekeek de architect van Conrad eens goed en groef zestien jaar terug in mijn geheugen. De man, drong langzaam tot me door, had net als ik gestudeerd aan de Architectural Association School of Architecture: hij was een ouderejaars geweest, een van de elite, een discipel van de toekomst. Ik herinnerde me zijn gezicht en zijn glanzende vooruitzichten, maar ik was zijn naam vergeten.

Roger verliet mijn zijde en stortte zich in het conflict Marjorie-Conrad, een hopeloze positie voor een manager. De architect van Conrad begroette hem met een koele hoofdknik: hij zag Roger als criticus, niet als bondgenoot.

Dart gebaarde naar de puinzooi en vroeg: 'Wat vind jij dat ze moeten doen?'

'Ik, persoonlijk?'

'Ja.'

'Het maakt ze niet uit wat ik denk.'

'Maar ik ben nieuwsgierig.'

'Volgens mij zouden ze erachter moeten zien te komen wie het gedaan heeft, en waarom.'

'Maar dat doet de politie wel.'

'Bedoel je dat de familie het eigenlijk niet wil weten?'

'Kun jij door steen kijken?' vroeg Dart geschrokken.

'Waarom willen ze het niet weten? Ik zou het geen veilig idee vinden.'

'Marjorie doet alles om familiekwesties binnenskamers te houden,' zei Dart. 'Ze is erger dan grootvader, en die had er zijn vermogen voor over om de familienaam van smetten vrij te houden.'

Keith zal ze wel het nodige gekost hebben ook, dacht ik, vanaf mijn moeder; en weer ging de vraag door mijn hoofd wat Forsyth gedaan kon hebben om ze zoveel angst te bezorgen.

Dart keek op zijn horloge. 'Tien over halftwaalf,' zei hij. 'Ik ben het hier zat. Wat zeg je van de Mayflower?'

Ik dacht even na en zei ja tegen de Mayflower, waarop ik me met hem terugtrok in zijn groene, zes jaar oude Granada met roestig linker spatbord. Harold Quest leek zich niet te bemoeien met mensen die het park verlieten. Ongehinderd staken we over naar de imitatie van het jaar onzes Heren 1620, waar Dart een halve pint accepteerde en ik vijftien sandwiches erbij bestelde met kaas, tomaat, ham en sla, plus een bak ijs.

'Zo uitgehongerd ben je toch niet?' riep Dart uit.

'Ik heb vijf magen te vullen.'

'Grote God. Dat was ik vergeten.'

We dronken ons bier terwijl we op de sandwiches wachtten, waarna hij me vrolijk via de achteruitgang van Stratton Park naar de bus reed.

Naast de vooringang van de bus, in een apart compartimentje, had ik jaren geleden zo'n bel geïnstalleerd die je in westerns op de proviandwagen ziet. Dart keek geamuseerd toe hoe ik de bel naar buiten trok en hem verwoed begon te luiden.

De cowboys kwamen aanrennen uit de prairie, uitgehongerd, dorstig en rechtschapen, en gingen in een kring op dozen en boomstammetjes zitten voor hun openluchtlunch. Ik bleef op mijn looprek staan leunen. De jongens leken er inmiddels aan gewend en sloegen er nauwelijks acht op.

Ze hadden een fort gebouwd, zeiden ze. In het fort zat de cavalerie (Christopher en Toby) en buiten waren de Indianen (de rest). De Indianen waren (uiteraard) de goeien, die het fort hoopten in te nemen om de bleekgezichten te kunnen scalperen. Daar was een overrompelingstactiek voor nodig, zei Opperhoofd Edward. Alan Rode Veder was zijn trouwe spion.

Dart, die ook een sandwich meeat, zei dat hij de vlammende oorlogskleuren van Neil (de lippenstift van Mrs. Gardner) een toonbeeld van politieke correctheid vond.

Geen van hen wist wat hij bedoelde. Ik zag Neil de woorden in zijn oren knopen en ze bij zichzelf herhalen om er later op terug te komen.

Als een ware sprinkhanenplaag aten ze alle sandwiches uit de Mayflower tot de laatste kruimel op. De tijd leek me er rijp voor, dus ik zei: 'Leg Dart het raadsel van de pelgrim maar eens voor. Dat vindt hij vast interessant.'

Christopher stak braaf van wal. 'Een pelgrim kwam bij een tweesprong. De ene weg was veilig, de andere leidde naar de dood. Bij elk stond een man op wacht.'

'Een tweeling,' lichtte Edward toe.

Christopher knikte en vervolgde: 'De ene tweelingbroer sprak altijd de waarheid en de andere loog altijd.'

Dart draaide zich om en staarde me aan.

'Het is een heel *oud* raadsel,' verontschuldigde Edward zich.

'De pelgrim mocht maar één vraag stellen,' zei Toby. 'Eentje maar. En om zijn leven te redden moest hij erachter zien te komen welke weg hem in veiligheid bracht. Dus wat vroeg hij?'

'Hij vroeg welke weg veilig was,' zei Dart redelijk.

'Aan welk van de twee vroeg hij dat?' vroeg Christopher.

'Degene die de waarheid sprak.'

'Maar hoe wist hij welke dat was? Ze zagen er precies hetzelfde uit. Het was een tweeling.'

'Conrad en Keith zijn ook niet identiek,' zei Dart.

De kinderen begrepen hem niet en bleven aandringen. Toby vroeg het nog een keer: 'Wat voor vraag stelde de pelgrim?'

'Geen flauw idee.'

'*Denk na*,' beval Edward.

Dart draaide zich opnieuw naar mij om. 'Help!' zei hij.

'*Dat* zei de pelgrim niet,' constateerde Neil met veel plezier.

'Weten jullie het allemaal?'

Vijf hoofden knikten. 'Papa heeft het ons verteld.'

'Dan kan papa het beter ook aan *mij* vertellen.'

Het was echter Christopher die het uitlegde. 'De pelgrim mocht maar één vraag stellen, dus hij liep op een van de tweelingbroers af en vroeg: "Als ik je broer vraag welke weg veilig is, welke wijst hij mij dan aan?"'

Christopher deed er verder het zwijgen toe. Dart leek perplex te staan. 'Is dat alles?' wilde hij weten.

'Dat is alles. Dus wat deed de pelgrim?'

'Nou... eh... ik geef het op. Wat deed hij?'

Ze wilden het hem niet zeggen.

'Jullie zijn een stelletje *duivels*,' zei Dart.

'Een van de tweelingbroers was een duivel,' zei Edward, 'de andere was een engel.'

'Dat verzin je maar,' zei Toby op beschuldigende toon.

'Nou en? Het maakt het interessanter.'

Ze waren het raadsel opeens allemaal beu. Ze stonden op en smeerden hem, terug naar hun fantasiespelletje.

'Jezus!' riep Dart uit. 'Dat is niet eerlijk.'

Ik lachte in mijn keel.

'Wat deed die pelgrim?'

'Denk dan na.'

'Jij bent net zo erg als je kinderen.'

Dart en ik stapten in zijn auto. Hij legde het looprek op de achterbank en zei: 'Keith heeft je wel echt te grazen gehad, of niet?'

'Nee, het was die explosie. Ik kreeg het dak op mijn rug.'

'Ja, dat heb ik gehoord.'

'Vanaf de schouderbladen naar beneden. Het had erger gekund.'

'O, zeker.' Hij startte de wagen en reed langs de binnenweg. 'En wat deed die pelgrim nou?'

Ik glimlachte. 'Hij nam de andere weg dan de weg die zogenaamd als veilig werd aangewezen. Beide tweelingbroers zouden namelijk naar de weg gewezen hebben die naar de dood leidde.'

Hij dacht heel kort na. 'Hoe dan?'

'Als de pelgrim de waarheidsgetrouwe helft gevraagd had welke weg zijn broer hem zou wijzen, zou de waarheidsgetrouwe broer, in de wetenschap dat zijn broer altijd loog, de weg naar de dood aanwijzen.'

'Wacht even, dat volg ik niet.'

Ik legde het nog een keer uit. 'En,' zei ik, 'als de pelgrim toevallig aan de liegende broer vroeg welke weg zijn broer hem zou wijzen, zou de liegende broer, al wist hij dat zijn broer altijd de waarheid sprak, toch liegen over wat zijn broer zou zeggen. Dus de liegende tweelingbroer zou ook de weg naar de dood aanwijzen.'

Dart verviel in stilzwijgen. Toen hij weer sprak vroeg hij: 'Begrijpen jouw jongens het?'

'Ja. Ze hebben het nagespeeld.'

'Maken ze nooit ruzie?'

'Natuurlijk wel. Maar ze zijn al zo vaak verhuisd dat ze maar weinig vriendjes hebben. Ze vertrouwen op elkaar.' Ik zuchtte. 'Maar ze zullen binnenkort wel uit elkaar gaan groeien. Christopher is al te oud voor de helft van de spelletjes die ze normaal doen.'

'Jammer.'

'Het leven gaat door.'

Dart remde voorzichtig af op de geïmproviseerde parkeerplaats buiten het kantoortje van Roger.

'Ben je hier gistermorgen nou nog geweest in je auto?' vroeg ik onverschillig. 'Zoals die Harold Quest beweert?'

'Nee.' Dart leek er niet door beledigd. 'Sterker nog, ik zat *inderdaad* in de badkamer van acht uur tot halfnegen, en lach niet, ik vertel dit aan niemand anders, maar ik heb een nieuwe schedelvibrator die geacht wordt haaruitval tegen te gaan.'

'Slangeolie,' zei ik.

'Ik zei lach niet, smiecht.'

'Ik lach niet.'

'Je aangezichtsspieren *trekken*.'

'Maar ik geloof inderdaad dat jij hier gistermorgen om tien voor halfnegen niet bent aangekomen met je ouwe brik vol *det cord* en kneedbommen.'

'Mag ik je hartelijk danken?'

'De vraag is: kan iemand je auto geleend hebben zonder dat jij het wist? En zou je het heel erg vinden als de explosievendeskundige of de politie deze auto onderzocht op sporen van nitraten?'

Hij keek ontzet. 'Dat kun je niet menen!'

'Luister,' zei ik, 'iemand heeft gisteren explosieven geplaatst in dat trappenhuis. Het is waarschijnlijk niet meer dan eerlijk om vast te stellen dat het in de muren is geplugd nadat de nachtwaker vertrokken was, en dat was om zeven uur. Het was toen al licht. Er was verder niemand omdat het Goede Vrijdag was. Alleen Harold Quest stond bij de poort met zijn kameraden, en ik weet niet in hoeverre die te vertrouwen is.'

'De liegende tweelingbroer,' zei Dart.

'Misschien.'

Ik probeerde me de laconieke Dart voor te stellen, met zijn uitdijende postuur en zijn uitdunnende haar, zijn ironische houding en zijn ijdelheid: maakte hij zich waar dan ook zo druk om dat hij er een tribune voor zou kunnen opblazen? Onmogelijk. Maar zijn auto uitlenen was iets anders. Voor een niet nader aangeduid doel zou hij dat best hebben kunnen doen. Maar als hij van tevoren wist dat zijn auto gebruikt zou worden bij het uitvoeren van een misdaad? Ik hoopte van niet. Toch had hij mij dat kluisje in de studeerkamer van zijn vader zonder gewetenswroeging laten openbreken. Hij had me er zelf mee naar toe getroond en me alle gelegenheid gegeven, hoe illegaal het ook was. En hij had ook niet met zijn ogen geknipperd toen ik het liet afweten.

Een gebrekkig ontwikkeld gevoel voor wat goed is en wat kwaad, of een diep geworteld gevoel van vervreemding dat hij gewoon was voor de buitenwereld verborgen te houden?

Ik mocht Dart; hij maakte een mens vrolijk. Van de Strattons was hij degene die je het meest normaal kon noemen. Of misschien moest je zeggen: onder de brandnetels het dichtst bij de roos.

'Waar is je zuster Rebecca vandaag?' vroeg ik neutraal. 'Ik had gedacht dat ik die hier wel snorrend van genoegen zou aantreffen.'

'Ze doet mee aan wedstrijden op Towcester,' zei hij kort. 'Ik heb in de krant gekeken. Ze is ongetwijfeld verrukt dat de tribune zijn beste tijd gehad heeft, maar ik heb haar sinds woensdag niet meer gesproken. Ze heeft geloof ik met vader gesproken. Ze rijdt hier maandag een van zijn paarden. En ze heeft een aardige kans om ermee te winnen, dus zij zou de wedstrijden van maandag nooit met explosieve geintjes in de waagschaal stellen, als je dat mocht denken.'

'Waar woont ze?' vroeg ik.

'Lambourn. Een kilometer of vijftien hier vandaan.'

'Paardenland.'

'Paarden zijn haar lust en haar leven, alles. Ze is helemaal gek.'

Bouwen was *mijn* lust en mijn leven. Ik vond bevrediging in het stapelen van steen op steen: in het tot leven brengen van dode dingen. Ik begreep die allesbeheersende passies. Er is niet veel in de wereld, ten goede of ten kwade, dat zonder zo'n passie tot stand komt.

De rest van de Strattons kwam vanaf de renbaankant van de tribunes aanlopen, met de architect van Conrad. De rechercheurs en de bomexpert leken voorzichtig de rand van de puinhoop te doorzoeken, de besnorde plaatselijke autoriteit stond zich op het hoofd te krabben.

Roger kwam op de auto van Dart aan lopen en vroeg waar we geweest waren.

'De kinderen voederen,' zei ik.

'O! Nou, de eerwaarde Marjorie wil je afbreken. Eh...' In de aanwezigheid van Dart vervolgde hij iets tactvoller: 'Mrs. Binsham wil je spreken. Ze is op mijn kantoor.'

Ik stapte stijf uit en ploeterde die kant op. Roger kwam met me meelopen.

'Laat je niet opvreten,' zei hij.

'Nee. Maak je geen zorgen. Weet jij toevallig hoe die architect heet?'

'Wat?'

'Die architect van Conrad.'

'Dat is Wilson Yarrow. Conrad noemt hem Yarrow.'

'Bedankt.'

Ik bleef abrupt staan.

'Wat is er?' vroeg Roger. 'Wordt het erger?'

'Nee.' Ik keek hem vaag aan, wat hem zichtbaar alarmeerde. 'Heb je ooit tegen een van de Strattons verteld dat ik architect ben?'

'Alleen Dart weet het,' zei hij, nog steeds perplex. 'Je hebt het hem zelf verteld, weet je nog? Waarom? Waarom maakt dat wat uit?'

'Vertel het ze niet,' zei ik. Ik spurtte zo snel als mijn benen het toelieten terug naar Dart, die uit zijn auto was gestapt en ons tegemoet kwam.

'Wat is er aan de hand?' vroeg hij.

'Niks bijzonders. Luister... heb jij je ooit tegenover iemand van je familie laten ontvallen dat ik architect ben?'

Hij fronste zijn voorhoofd en dacht na. Roger kwam bij ons staan. Hij begreep er geen snars van. 'Wat maakt het uit?' vroeg hij.

'Ja,' echode Dart, 'wat maakt het uit?'

'Ik wil niet dat Conrad het weet.'

'Maar Lee,' protesteerde Roger, 'waarom toch niet?'

'Die man die hij hierheen heeft gehaald, Wilson Yarrow, die is op dezelfde school geweest als ik. Hij heeft iets...' Ik zweeg. Ik wist het verder ook niet en dacht diep na.

'Wat is er met die man?' vroeg Roger.

'Dat is het probleem, dat kan ik me niet herinneren. Maar ik kan er makkelijk achter komen. Ik zou het alleen liever uitvissen zonder dat hij ervan weet.'

'Bedoel je te zeggen,' vroeg Dart, 'dat hij de tribune heeft opgeblazen om die bouwopdracht voor nieuwe tribunes in de wacht te slepen?'

'Mijn God,' zei Roger. 'Jij draaft ook aardig door.'

'Keith denkt het. Dat heeft hij gezegd.'

'Volgens mij weten ze alleen dat je huizen bouwt,' zei Roger bedachtzaam, 'en om eerlijk te zijn, zo zie je er op dit moment uit ook.'

Ik liet mijn blik over mijn wijde ruitjesoverhemd en verbleekte slobberbroek gaan en moest toegeven dat het zo was: een prettig gevoel.

'Maar kent hij *jou* niet?' vroeg Roger. 'Als jullie op dezelfde school hebben gezeten.'

'Nee. Ik kwam minstens drie lichtingen na hem en ik was geen opvallende figuur. Hij was een van de flitsende sterren. Heel ander firmament. Ik geloof niet dat we elkaar ooit gesproken hebben. Dat soort mensen is veel te druk met zijn eigen zaakjes om namen en gezichten te onthouden van jongerejaars. En het is langer dan een week geleden. Het is alweer zeventien jaar terug dat ik daarnaar toe ging.'

Wanneer twee architecten elkaar ontmoetten was de openingszet meestal: 'Waar bent u opgeleid?' En het antwoord gaf je al een indruk.

Als je architectuur had gestudeerd in Cambridge, bijvoorbeeld, had je waarschijnlijk een behoedzame, behoudende inslag; in Bath leerde je anatomie boven schoonheid stellen; aan het Mackintosh in Glasgow werd je een fanatieke Schot. Mensen die zo'n opleiding hadden genoten wisten hoe hun medestudenten waren beïnvloed. En vreemden pikte je eruit door de ervaringen die je al of niet deelde.

De Architectural Association, alma mater van zowel Yarrow als mij, leverde in het algemeen innovatieve ultra-modernisten af, die naar de toekomst keken en mensen in knap uit glas opgetrokken bouwwerken wilden stoppen. De geest van Le Corbusier heerste, ook al stond het hoofdgebouw van de opleiding aan Bedford Square in Londen, gehuisvest in een Georgian, prachtig geproportioneerd herenhuis dat stevig vloekte met de leer die binnen zijn muren werd verkondigd.

De ramen van de bibliotheek, altijd helder verlicht, schenen in de nachtelijke schaduw van het plein en vierden zo voortdurend de kennis die daarbinnen werd overgedragen, en als zelfingenomen studenten weleens een zekere arrogantie vertoonden, werd dat misschien verexcuseerd door de voortreffelijke en uiterst grondige opleiding die zij genoten.

De Association stond grotendeels buiten het staatssysteem, wat betekende dat er weinig werd gestudeerd met beurzen, wat weer betekende dat er voornamelijk betalende studenten rondliepen. In de loop der jaren was de populatie langzaam veranderd: vroeger had je er een overvloed aan artistieke Engelsen gehad, maar die werden steeds meer vervangen door het kroost van welvarende Grieken, Nigerianen, Amerikanen, Iranezen en Hongkong-Chinezen, en ik had het idee dat ik veel geleerd had van die mix. Wat wel vaststond was dat ik er vrienden had gevonden in onverwachte hoek.

Het uitputtend praktische en soms metafysische onderwijs had mij afgeleverd met een aan Le Corbusier ontleende technologische kennis en verder overwegend humanistische tendenzen, en ik zou op de opleiding die mij gemaakt had dan ook nooit aan jongere lichtingen ten voorbeeld worden gesteld: het restaureren van oude ruïnes was niet de aangewezen manier om roem te verwerven.

'Heb je ook letters achter je naam?' vroeg Dart nieuwsgierig.

'Wat?' Ik aarzelde. 'Ja, die heb ik. A A Dipl, om precies te zijn: Architectural Association Diploma. De buitenwereld zegt het misschien niet veel, maar voor andere architecten, en ook Yarrow, zegt het genoeg.'

'Het klinkt als een diploma van de Anonieme Alcoholisten,' zei Dart.

Roger lachte.

'Houd die grap alsjeblieft voor je,' smeekte ik, en Dart zei dat hij dat misschien wel zou doen.

Mark, de chauffeur van Marjorie, kwam bij ons staan en constateerde op afkeurende toon dat ik Mrs. Binsham liet wachten. Ze zat in het kantoortje met haar voeten op de grond te tikken.

'Zeg maar dat ik er zo aan kom,' zei ik, en Mark vertrok met mijn boodschap.

'Die man verdient het Victoria Cross,' grinnikte Dart, 'voor zoveel moed.' Ik vertrok in het kielzog van de chauffeur. 'En jij ook,' riep Dart me na.

Marjorie, recht van rug, was inderdaad boos, maar, zo bleek, niet op Mark of mij. De chauffeur was weer weggestuurd voor een wandelingetje. Wat mij betrof, ik mocht gaan zitten.

'Ik blijf eigenlijk net zo lief staan.'

'O, ja, dat was ik vergeten.' Ze liet een inspecterende blik over mijn kleding gaan, alsof ze niet wist in welke categorie ik thuishoorde met mijn veranderlijke voorkomen.

'Jij bent toch aannemer van beroep?' begon ze.

'Ja.'

'Nou, je hebt inmiddels zeker wel een aardig idee van de schade aan de tribunes. Wat denk je ervan, als aannemer?'

'Wat een restauratie betreft?'

'Zeker.'

'Ik begrijp dat dat het is waar u uw zinnen op gezet heeft,' zei ik, 'maar eerlijk gezegd geloof ik dat het fout zou zijn.'

Ze was obstinaat. 'Maar zou het kunnen?'

'Het geheel kan weleens heel onveilig blijken te zijn,' zei ik. 'Het is een oud bouwwerk, al is het goed gebouwd, dat moet ik u nageven. Maar er kunnen breuken zijn die zich nog niet gemanifesteerd hebben, en er treden ongetwijfeld overal nog weer nieuwe spanningen op. Als het puin eenmaal geruimd is, is het goed mogelijk dat nog een groter deel instort. Het zou allemaal gestut moeten worden. Het spijt me echt, maar mijn advies zou zijn: afbreken en vanaf de fundamenten heropbouwen.'

'Dat is niet wat ik wil horen.'

'Dat weet ik.'

'Maar zou het zo gedaan kunnen worden dat ze weer net zo worden als vroeger?'

'Zeker wel. Alle oorspronkelijke ontwerpen en tekeningen zijn hier, in dit kantoor.' Ik zweeg. 'Maar het zou een verloren kans zijn.'

'Ga me niet vertellen dat je opeens aan de kant van Conrad staat!'

'Ik sta aan niemands kant. Ik zeg alleen maar eerlijk dat de oude tribunes enorm verbeterd zouden kunnen worden, dat ze alle moderne comfort kunnen bieden, als u nieuwe plannen liet maken.'

'Die architect die Conrad ons door de strot duwt bevalt me niet. De helft van wat hij zegt begrijp ik niet, en de man is *neerbuigend*, geloof het of niet.'

Ik geloofde het. 'Hij zal er wel achter komen dat hij een fout maakt,' zei ik glimlachend. 'En mochten jullie uiteindelijk toch besluiten de tribunes aan te passen, dan kunnen jullie misschien een advertentie plaatsen in een blad voor architecten met het verzoek om voorstellen en tekeningen in te sturen. Dan hebben jullie tenminste de keus. Dan zitten jullie niet in een slikken-of-stikken situatie zoals nu met Wilson Yarrow, die volgens de kolonel geen snars van paardenrennen weet. Je kiest tenslotte ook geen stoel uit zonder er eerst op te zitten. De tribunes moeten comfortabel zijn en ze moeten er goed uitzien.'

Ze knikte bedachtzaam. 'Je zou gaan spitten in de achtergrond van die Yarrow. Heb je dat al gedaan?'

'Er wordt aan gewerkt.'

'En de schulden van Keith?'

'Idem dito.'

Ze maakte een blazend geluid van ongeloof, 'Hmf', wat niet onbegrijpelijk was. 'Ik neem aan,' voegde ze eraan toe in een poging eerlijk te blijven, 'dat het niet meevalt om op de been te blijven.'

Ik haalde mijn schouders op. 'Het is het paasweekend, dat is ook lastig.' Ik dacht even na. 'Waar woont Keith?'

'Boven zijn stand.'

Ik lachte. Marjorie glimlachte stijfjes om haar eigen geestigheid.

'Hij woont in het Dower House op het landgoed,' zei ze. 'Dat is ooit gebouwd voor de weduwe van de eerste baron en aangezien ze niet gespeend was van praalzucht is het groot. Keith doet of het zijn eigendom is, maar dat is niet zo, hij huurt het. Na de dood van mijn broer staat het uiteraard op naam van Conrad.'

'En...' vroeg ik aarzelend, 'waar verdient Keith zijn brood mee?'

Marjorie keurde de vraag op zich af maar na enig nadenken gaf ze toch antwoord: zij was tenslotte degene geweest die me in gang gezet had.

'Zijn moeder heeft hem goed verzorgd achtergelaten. Hij was een heel mooi jongetje en een knappe jongeman, en zij dweepte met hem. Vergaf hem alles. Conrad en Ivan waren altijd onhandig en lelijk en maakten haar nooit aan het lachen. Ze is een jaar of tien geleden geloof ik overleden. Keith kreeg een hele hoop geld en volgens mij is hij dat allemaal al weer kwijt.'

Ik dacht even na en vroeg: 'Wie is eigenlijk de vader van Jack?'

'Dat zijn jouw zaken niet.'

'Niet relevant?'

'Zeker niet.'

'Wedt Keith ook op paarden? Of op iets anders? Kaarten? Backgammon?'

'Misschien kom jij daarachter,' zei ze. 'Mij vertelt hij uiteraard nooit iets.'

Ik kon maar één manier bedenken om enig zicht te krijgen op de bezigheden van Keith, en zelfs die was problematisch. Ik zou een auto moeten lenen en erin rijden, om te beginnen, terwijl lopen me al moeilijk genoeg viel. Wacht een dag of twee, drie, dacht ik. Zeg dinsdag.

'Wat doet Keith met zijn tijd?' vroeg ik.

'Hij zegt dat hij een baantje in de City heeft. Misschien heeft hij dat ooit gehad, maar ik weet zeker dat hij er nu over liegt. Natuurlijk liegt hij. Hij is bovendien al vijfenzestig. De pensioengerechtigde leeftijd, heb ik me laten vertellen.' Ze gniffelde zo'n beetje. 'Als je verplichtingen hebt, zei mijn broer altijd, ga je *nooit* met pensioen.'

Met pensioen gaan was niet altijd je eigen keus, maar waarom zou ik er met haar over gaan twisten? Niet iedereen was een baron met eerwaarde familieleden en een vaderlijke inborst. Niet iedereen had geld genoeg om het raderwerk geolied te houden en stormen te bezweren. Mijn niet-grootvader, bedacht ik, moest een aardige man zijn geweest, wat zijn fouten ook waren; en mijn moeder had hem gemogen, en Dart eveneens.

'En hoe zit het met Ivan?' vroeg ik.

'Ivan?' Haar wenkbrauwen gingen de lucht in. 'Hoe bedoel je?'

'Die heeft een tuincentrum?'

Ze knikte. 'Mijn broer heeft hem twintig hectare van het landgoed nagelaten. Dat was jaren geleden, toen Ivan jong was. Hij heeft groene vingers.' Ze zweeg even en vervolgde toen: 'Je hoeft geen hersenen te hebben om blijmoedig en onschadelijk door het leven te gaan.'

'Je moet geluk hebben.'

Ze nam me op en knikte.

Aangezien ze geen vragen meer leek te hebben vroeg ik haar of ze de looncheques voor Roger en Oliver wilde tekenen.

'Wat? Ja, dat had ik al gezegd. Zeg tegen de kolonel dat hij me er nog maar eens aan moet herinneren.'

'Ik heb ze hier,' zei ik, terwijl ik de envelop uit een zak van mijn nog altijd over de stoel gedrapeerde jasje trok. 'Hebt u een pen?'

Gelaten rommelde ze in haar grote handtas op zoek naar een pen. Ze haalde de looncheques uit de envelop en schreef heel precies en zonder omhaal haar naam op de lijntjes.

'Om u de moeite in de toekomst te besparen,' zei ik beschroomd, 'zou de raad van bestuur Conrad of Ivan of Dart volmacht kunnen geven om looncheques te tekenen. Daar hoeven alleen hun handtekeningen voor geregistreerd te worden bij de bank. Er zullen in de nabije toekomst heel wat papieren ondertekend moeten worden, niet alleen looncheques. De kolonel moet volmachten hebben om de zaak draaiend te kunnen houden.'

'Je schijnt er nogal wat vanaf te weten!'

'Ik ken mijn zaakjes. Ik heb een eigen bedrijf.'

'Uitstekend,' zei ze met gefronst voorhoofd. 'Alle drie. Is dat voldoende?'

'Zeg maar twee van de vier bestuursleden. Dan hebben jullie zekerheid en hoeft de kolonel niet steeds zijn eerlijkheid in twijfel te laten trekken door Keith of Rebecca.'

Ze wist niet of ze boos moest worden of lachen. 'Je hebt er geloof ik weinig tijd voor nodig gehad om de ziel van de Strattons bloot te leggen.'

Zonder waarschuwing en voor ik antwoord kon geven vloog de deur open en kwamen Keith en Hannah binnen. Ze negeerden mijn aanwezigheid en beklaagden zich luidkeels bij Marjorie dat Conrad al met zijn architect stond te praten alsof de nieuwe plannen lang en breed waren goedgekeurd.

'Hij heeft alles al bekokstoofd,' mopperde Keith. 'Ik ben absoluut tegen dat belachelijke project en u moet het tegenhouden.'

'Houd het zelf tegen,' antwoordde zijn tante bits. 'Jij maakt een hoop herrie, Keith, maar je krijgt nooit iets voor elkaar. Het ene moment wil je mij uit de weg ruimen, en het volgende kom je me vragen voor jou in het strijdperk te treden. En nu jij en Hannah hier beiden zijn, kunnen jullie meteen Mr. Morris je excuus aanbieden voor jullie gedrag van vanmorgen.'

De blikken die Keith en Hannah me vanuit samengeknepen oogleden toewierpen deden in boosaardigheid niet voor elkaar onder. In hun ogen, begreep ik, was wat ze eigenlijk voor mij in gedachten hadden gehad verijdeld door de toevallige binnenkomst van Marjorie en Ivan. Ik was er nog steeds, ik stond nog op mijn benen, voor hen symboliseerde ik nog steeds het feit dat zij waren afgedankt. Dat hun haat irrationeel was maakte geen verschil. Irrationele haat, waar ook ter wereld, deed altijd onzuiver bloed vloeien – al was het alleen Frankrijk dat zo'n bloedbad in zijn patriottische oorlogskreet aanmoedigde: de Marseillaise verheerlijkte nog altijd de sentimenten van 1792.

Het onzuivere bloed in die tijd was Oostenrijks geweest. Nu, zo'n tweehonderd jaar later floreerde bloeddorst overal op aard'. En je kon de bloeddorst bijna ruiken in het kantoor van de manager van Stratton Park. Mijn aanwezigheid daar had al reacties opgeroepen die Keith en Hannah niet in hadden kunnen houden, en ik vertrouwde er in de verste verte niet op dat het einde wat dat betreft in zicht was.

Alleen Marjorie stond op dat moment tussen mij en een voortzetting van wat ze eerder die ochtend van plan waren geweest. Enigszins wrang bedacht ik dat élke grote en normaal gesproken krachtige persoon die tijdelijk verzwakt was aanspraak zou moeten kunnen maken op de diensten van een solide lijfwacht van in de tachtig.

Marjorie wachtte maar heel even op het excuus dat nooit zou komen, en ik zou ook heel goed zonder kunnen als zij maar duidelijk inzagen dat geen familiefortuin groot genoeg was om een aanklacht wegens moord af te kopen.

Wegens halfbroedermoord. Of wegens moord op de zoon van je exvrouw. Wegens wat voor moord dan ook.

Strattons volgden Strattons alsof het componenten waren van één organische massa: Conrad, Jack, Ivan en ook Dart, die zich uitstekend leek te amuseren, kwamen binnen, aangevuld door de vreemde substantie van Yarrow, en Roger, die probeerde zich onopvallend te gedragen. En weer waren er te veel mensen voor die kleine ruimte.

Wilson Yarrow kende mij niet. Ik wierp slechts kort een blik op hem, maar zelfs daartoe verlaagde hij zich niet. Zijn aandacht ging vooral uit naar Conrad, wiens argwaan was gewekt door het feit dat Keith achter een gesloten deur in gesprek was geweest met Marjorie.

Wilson Yarrow was fysiek opmerkelijk, niet zozeer door zijn gelaatstrekken, alswel door zijn houding. Zijn roodachtig bruine haar, lange smalgeschouderde lichaam en vierkante zware kaak maakten geen onuitwisbare indruk, maar zoals hij zijn hoofd hield, in de nek, zodat hij langs zijn neus naar beneden kon kijken, was onvergetelijk.

Neerbuigend, had Marjorie hem genoemd. Overtuigd van zijn eigen superioriteit, bedacht ik, en zonder de bescheidenheid om het te verhullen.

Conrad viel met de deur in huis. 'Wilson Yarrow is van mening dat we meteen met puinruimen moeten beginnen, zodat we snel kunnen gaan bouwen, en ik heb met dat voorstel ingestemd.'

'Mijn beste Conrad,' zei Marjorie op die toon die alles en iedereen tot stilstand kon brengen, 'jij mag zo'n beslissing niet eens *nemen*. Jouw vader had het recht dergelijke beslissingen te nemen omdat hij eigenaar van de renbaan was. Nu is de renbaan van ons allemaal, en vóór er iets gedaan wordt moet een meerderheid van onze raad van bestuur daarmee instemmen.'

Conrad keek beledigd en Wilson Yarrow ongeduldig: voor hem was het oude dametje duidelijk een factor van geen enkel belang.

'Het is zonneklaar,' vervolgde Marjorie kristalhelder, 'dat er een nieuwe tribune moet komen.'

'Nee,' onderbrak Keith haar. 'We gaan verkopen!'

Marjorie besteedde geen aandacht aan hem. 'Ik ben ervan overtuigd dat Mr. Yarrow een zeer competent architect is, maar voor zoiets belangrijks als een nieuwe hoofdtribune stel ik voor dat we een advertentie plaatsen in een blad dat door architecten gelezen wordt, waarin we iedere geïnteresseerde uitnodigen plannen en voorstellen aan ons op te sturen, zodat we verschillende mogelijkheden kunnen bestuderen alvorens een keuze te maken.'

De consternatie van Conrad werd alleen overtroffen door die van Yarrow.

'Maar Marjorie...' begon Conrad.

'Dat lijkt mij toch de normale gang van zaken, of niet?' vroeg ze met haar onschuldige kijkers wijd open. 'Ik bedoel, je koopt nog niet eens een stoel zonder een aantal te proberen op zitcomfort en uiterlijk en bruikbaarheid. Of wel?'

Ze keek me heel even uitdrukkingsloos aan. Bravo, zei ik bij mezelf. Bravo.

'Als lid van de raad van bestuur,' zei Marjorie, 'stel ik voor dat we een aantal voorstellen voor de bouw van nieuwe tribunes op een rijtje gaan zetten. Uiteraard verwelkomen wij de inzending van Mr. Yarrow als een der voorstellen.'

Doodse stilte.

'Jij gaat akkoord, Ivan?' opperde Marjorie brutaalweg.

'O! Ja. Verstandig. Heel verstandig.'

'Conrad?'

'Luister eens hier, Marjorie...'

'Gebruik je verstand, Conrad,' drong ze aan.

Conrad wrong zich in bochten. Yarrow keek woest.

'Ik ga akkoord, Marjorie,' zei Keith onverwacht. 'Mijn stem heb je.'

Ze keek verrast, maar hoewel ze net zo goed als ik moet hebben begrepen dat het Keith er alleen maar om te doen was de bouw van nieuwe tribunes zoveel mogelijk te dwarsbomen, aanvaardde ze, pragmatisch als ze was, zijn bijval.

'Voorstel aangenomen,' zei ze zonder triomf. 'Kolonel, zou u een geschikt tijdschrift kunnen vinden voor zo'n advertentie?'

Roger zei dat hij dat wel degelijk kon, en dat hij het zou regelen.

'Uitstekend.' Marjorie keek naar de gefrustreerde man die de fout had gemaakt haar neerbuigend tegemoet te treden. 'Wanneer u uw plannen gereed hebt, Mr. Yarrow, zouden we die graag in overweging nemen.'

'Lord Stratton heeft mijn plannen,' zei hij met opeengeklemde kaken.

'Werkelijk?' Conrad begon zich nog ongemakkelijker te voelen nu haar blik opnieuw op hem rustte. 'In dat geval, Conrad, willen we die allemaal graag zien, of niet?'

Strattons knikten in verschillende gradaties van enthousiasme.

'Ik heb ze thuis liggen,' meldde Conrad zuinig. 'Ik denk dat ik ze wel een keer kan komen langsbrengen.'

Marjorie knikte. 'Vanmiddag, zullen we dat afspreken? Vier uur.' Ze keek op haar horloge. 'Nee maar! We zijn vreselijk laat voor de lunch. Zo'n drukke morgen ook.' Ze kwam overeind op haar kleine voetjes. 'Kolonel, aangezien onze privé-eetzaal onder de tribune wel niet te gebruiken zal zijn, kunt u misschien iets anders geschikts voor ons regelen voor maandag? Ik denk dat de meesten van ons wel van de partij zullen zijn.'

Opnieuw zei Roger, vaag, dat hij erop toe zou zien.

Marjorie knikte minzaam en verliet het kantoor als een *grande dame*. Buiten gaf ze zich over aan de zorgen van Mark en werd weggereden.

De anderen volgden haar min of meer sprakeloos, Conrad zij aan zij met een kwade Yarrow. Roger en ik bleven op het strijdtoneel achter.

'Die oude dragonder!' zei Roger vol bewondering.

Ik overhandigde hem zijn looncheques. Hij keek naar de handtekening.

'Hoe heb je dat voor elkaar gekregen?' vroeg hij.

9

Roger was die middag druk bezig met de elektricien van de renbaan, wiens personeel de tribune afsloot en de stroomtoevoer naar overal elders herstelde. Circuits die niet uit zichzelf waren doorgeslagen schenen, heel verstandig, door Roger te zijn afgesloten. 'Brand,' legde hij uit, 'is het laatste waar we op zitten te wachten.'

Een dikke kabel in een isolerende buis werd door een graafmachine ondergronds naar de ledenparkeerplaats gelegd, voor de verlichting, stroom en koelkasten in de grote tent. 'Op een renbaan moet je nooit de champagne vergeten,' zei Roger. Hij meende het.

De mensen die het puin onderzochten hadden zich vermenigvuldigd en steigers en snijmachines meegenomen. Op een gegeven moment trokken ze een schutting van twee meter hoogte op waar eerst de afzetting van de politie was geweest. 'We kunnen sporen van onschatbare waarde kwijtraken aan souvenirjagers,' vertelde één man me. 'Als we het publiek van maandag alleen lieten, zouden ze een school piranha's nog versteld doen staan.'

Aan een andere bommenzoeker legde ik de vraag voor of hij met een uitkijk gewerkt zou hebben als hij meer dan dertig gaten in de muren van het trappenhuis had moeten boren.

'Jezus, ja.' Hij dacht even na. 'Al is het natuurlijk wel zo dat als iemand boort, je meestal niet kan zeggen waar het geluid vandaan komt. Boren is misleidend. Je denkt dat het bij de buren is, maar het is honderd meter verderop; of andersom. Als iemand het boren gehoord heeft, bedoel ik maar, dan zou die ten eerste niet weten waar er geboord werd, en ten tweede zou hij er niks achter zoeken, niet in zo'n groot complex.'

Alleen Roger, dacht ik, zou geweten hebben dat het niet klopte; en Roger was thuis geweest, driekwart kilometer buiten gehoorsafstand.

Ik gebruikte mijn telefoon, die nog steeds in de jeep van Roger lag, om vrienden en personeel uit mijn studententijd op te snorren en naar Yarrow te informeren, maar bijna overal ving ik bot. Ik kreeg één vrouw te pakken, die zei dat ze haar man mijn nummer zou geven, maar het speet haar, het kon nog wel even duren want hij was druk bezig met een project in St.-Petersburg. Verder kreeg ik nog een heel jong meisje aan de lijn dat me vertelde dat papa niet meer thuis woonde. Dit soort dingen, bedacht ik met spottend zelfmedelijden, zou een beetje privé-detective niet gebeurd zijn.

In zijn kantoor stelden Roger en ik plannen op voor de plaatsing van de grote tent en de twee Portakabins die hem waren toegezegd. De jockeys moesten zich in één ervan verkleden, in de andere kwam de weegschaal te staan. Beide tenten plaatsten we bij de voorbrengring, op een paar passen van het kantoor van Roger. We besloten dat als zijn mensen de schutting tussen de paddock en de ledenparkeerplaats zouden weghalen, het publiek ongehinderd toegang tot de grote tent zou hebben. Het betekende wel dat de paarden om de grote tent heen geleid moesten worden teneinde op de renbaan te kunnen komen, maar dat kon allemaal geregeld worden, beloofde Roger.

'Rebecca!' riep hij op een gegeven moment uit. Verbijsterd sloeg hij zich voor het hoofd. 'De vrouwelijke jockeys! Waar moeten die heen?'

'Hoeveel zijn er?'

'Twee of drie. Zes maximaal.'

Ik belde Henry, kreeg een antwoordapparaat en liet een boodschap achter waarin ik hem smeekte om kleinere tentjes, maakte niet uit hoe ze eruitzagen. 'En stuur nog iets leuks mee,' voegde ik eraan toe. 'Stuur het kasteel van Doornroosje. We moeten de mensen opvrolijken.'

'Dit is een renbaan, geen kermis,' zei Roger enigszins afkeurend toen ik had opgehangen.

'Dit is ook het paasweekend,' hielp ik hem herinneren. 'Maandag is de dag waarop het vertrouwen hersteld moet worden, maandag is de dag waarop niet aan bommen gedacht moet worden, waarop mensen zich veilig moeten voelen, waarop iedereen zich moet vermaken. Maandag moeten de mensen die hier komen vergeten wat voor afschuwelijks er achter die twee meter hoge schutting is gebeurd.' Ik zweeg even. 'En vannacht en morgennacht moet het hele terrein verlicht zijn, en er moeten zoveel mogelijk patrouilles rondlopen bij de stallen en de Tattersalls en de bookmakersstalletjes.'

'Wat moet dat wel niet kosten!' zei hij.

'Maak maandag tot een succes, en Marjorie betaalt de nachtwachten.'

'Jij bent aanstekelijk, weet je dat?' Hij glimlachte bijna luchthartig naar me en wilde zich juist weer naar zijn elektricien haasten toen de telefoon ging.

'Hallo,' zei Roger, gevolgd door: 'Ja, Mrs. Binsham', en: 'Meteen, natuurlijk', waarna hij de hoorn op de haak legde.

Hij vertelde me het nieuws. 'Ze zegt dat Conrad en Yarrow bij haar zijn. Ze hebben haar zijn plannen laten zien, en zij wil een kopie laten maken op mijn kopieerapparaat.'

'En daar stemde Conrad mee in?' vroeg ik verrast.

'Het schijnt zo, zolang wij de kopie in de kluis bewaren.'

'Ze is echt verbazingwekkend,' zei ik.

'Ze heeft Conrad in een soort houdgreep. Ik heb het eerder gezien. Als zij druk uitoefent, bindt hij in.'

'Ze chanteren elkaar!'

Hij knikte. 'Hun doofpot zit stampvol.'

'Dat is ook wat Dart min of meer zegt.'

Roger wees naar de deur van de kamer van zijn secretaresse. 'Daar staat het kopieerapparaat en daar is ook de kluis. Conrad en Yarrow komen er zo aan.'

'In dat geval zal ik maar verdwijnen,' zei ik. 'Ik wacht wel in je jeep.'

'En als ze weg zijn, terug naar je bus?'

'Als je het niet erg vindt.'

'Het werd tijd,' zei hij kort, en hield de deur voor me open, zodat ik naar buiten kon hinken.

Ik ging op de voorbank van de jeep hangen, een beetje onderuit om niet op te vallen, en zag Conrad en Wilson Yarrow arriveren met een grote map, en even later weer opstappen. Hun hele houding straalde ergernis uit.

Toen ze vertrokken waren nam Roger de kopieën mee naar de jeep en bekeken we ze samen.

Hij zei dat de tekeningen op drie grote vellen hadden gestaan, met blauwe lijnen op zachtgrijs papier, maar vanwege het formaat van het kopieerapparaat waren de kopieën een stuk kleiner, en de lijntjes zwart op wit. Eén set kopieën schetste een plattegrond van de begane grond. Een tweede set liet opstandtekeningen zien van alle vier de kanten. De derde zag eruit als een doolhof van dunne, draderige lijntjes die een driedimensionaal gezichtspunt vormden, maar hol, zonder substantie.

'Wat is *dat*?' vroeg Roger. Hij keek ernaar met opgetrokken wenkbrauwen. 'Zoiets heb ik nog nooit gezien.'

'Dat is een axonometrische tekening.'

'Een wat?'

'Een axonometrische projectie is een methode om een gebouw in drie dimensies te laten zien die makkelijker is dan maar wat aanrommelen met echt perspectief. Je roteert het ontwerp van het gebouw naar welke hoek je maar wilt en projecteert de verticalen... Nou ja,' verontschuldigde ik me, 'je vroeg het zelf.'

Roger kon beter uit de voeten met de opstandtekeningen. 'Het is gewoon één grote homp glas,' protesteerde hij.

'Zo erg is het niet. Incompleet, maar niet slecht.'

'Lee!'

'Het spijt me,' zei ik. 'Hoe dan ook, ik zou dit niet neerzetten op Stratton Park, en waarschijnlijk nergens in Engeland. Het schreeuwt om tropische weersomstandigheden, enorme air-conditioning en leden uit de miljonairsstand. En die gaan geheid klagen over het comfort.'

'Dat is beter,' zei hij, opgelucht.

Ik keek naar de linker bovenhoek van elke set kopieën. In alle drie stond heel eenvoudig: 'Clubtribune', 'Wilson Yarrow, AA Dipl.' Het werk van één man. Geen firma, geen partners.

'De beste renbaantribunes ooit gebouwd,' zei ik, 'staan in Arlington Park, bij Chicago.'

'Ik dacht dat jij niet veel naar paardenrennen ging,' zei Roger.

'Ik ben er ook niet geweest. Ik heb foto's van de ontwerpen gezien.'

Hij lachte. 'Kunnen wij ons zulke tribunes veroorloven?'

'Je zou hun ideeën kunnen aanpassen.'

'Droom lekker,' zei hij, terwijl hij de kopieën weer op elkaar stapelde. 'Wacht even, dan leg ik deze in de kluis.' Hij liep naar zijn kantoortje en kwam terug om mij de driekwart kilometer naar zijn huis te rijden, waar het stil en leeg was: geen kinderen, geen vrouw.

We vonden ze met zijn allen in de bus. De jongens hadden Mrs. Gardner uitgenodigd voor de thee (met tonijnsandwiches, chips en chocoladewafeltjes). Ze gingen helemaal op in de voetbalverslagen op de televisie.

Toen de eregaste en haar echtgenoot verdwenen waren, gaf Christopher haar het hoogst denkbare compliment: 'Ze begrijpt zelfs de buitenspelregel!'

De voetbalverslagen gingen door. Ik claimde mijn eigen bed, waar ik een kijker of twee vanaf joeg, en ging op mijn buik liggen om de festiviteiten gade te slaan. Toen het eindelijk echt was afgelopen (elke goal die die middag viel werd eindeloos herhaald en uitgeknepen), bereidde Christopher het avondeten: spaghetti uit blik op geroosterd brood. De jongens kozen vervolgens een video uit het handjevol dat ik gehuurd had voor onze reis en nestelden zich weer voor het beeldscherm. Ik bleef liggen: het was een behoorlijk lange dag geweest. Ergens halverwege de film viel ik in slaap.

Om een uur of drie in de ochtend werd ik wakker, nog steeds met mijn gezicht naar beneden en in de kleren.

Het was donker en stil om mij heen, de jongens lagen te slapen in hun kooien. Ik ontdekte dat ze een deken over me heen hadden gelegd in plaats van me wakker te maken.

Op het tafeltje bij mijn hoofd stond een glas water.

Ik keek ernaar met dankbare verbazing en een brok in de keel.

De avond tevoren, toen ik daar een glas had neergezet, had Toby, die zich sinds de explosie meteen vreselijke zorgen maakte bij alles wat anders liep dan anders, gevraagd waar dat voor was.

'In het ziekenhuis,' legde ik uit, 'heb ik pillen gekregen voor als ik midden in de nacht wakker word en de wonden doen pijn.'

'O. Waar zijn de pillen?'

'Onder mijn kussen.'

Ze hadden geknikt. Ik had niet veel geslapen en de pillen genomen, en daar hadden ze de volgende morgen opmerkingen over gemaakt.

Dus vannacht stond het glas water andermaal paraat, daar neergezet door mijn zoons. Ik nam de pillen, nam een slok water en legde me weer neer in het donker, met vreselijke pijn, maar wonderlijk gelukkig.

De volgende ochtend was het heerlijk weer. De jongens zetten alle ramen open om de bus te luchten en ik gaf ze de paascadeautjes die Amanda in het kastje onder mijn bed had gestopt. Elke jongen kreeg een chocolade paasei, een leesboek en een klein computerspelletje, en ze kregen haar allemaal even aan de lijn om haar te bedanken.

'Ze wil jou spreken, papa,' zei Alan. Hij gaf me de hoorn. 'Hoi,' zei ik, en: 'Vrolijk Pasen', en: 'Hoe is het met Jamie?'

'Prima. Geef je de jongens wel goed te eten, Lee? Broodjes en spaghetti uit blik is niet genoeg. Ik heb het aan Christopher gevraagd... die zei dat je gisteren geen fruit hebt gekocht.'

'Ze hebben vanochtend ontbeten met bananen en cornflakes.'

'Fruit en verse groente,' zei ze.

'Oké.'

'En kun je iets langer wegblijven? Zeg tot woensdag of donderdag?'

'Als jij dat wilt.'

'Ja. En je brengt hun kleren naar de wasserette, hè?'

'Zeker.'

'Heb je al een mooie ruïne gevonden?'

'Ik blijf op de uitkijk.'

'We leven van onze spaarcenten,' zei ze.

'Ja, ik weet het. De jongens hebben nieuwe schoenen nodig.'

'Die kun je wel kopen.'

'Goed.'

Het gesprek beperkte zich, zoals gewoonlijk, grotendeels tot de ver-

zorging van de kinderen. Ik deed een poging er iets meer van te maken.
'Hoe was het feestje bij je zuster?'

'Hoezo?' Ze klonk heel even bijna op haar hoede. Toen zei ze: 'Leuk, gezellig. Je moest de groeten hebben.'

'Dank je.'

'Pas goed op de jongens, Lee.'

'Ja,' zei ik, en: 'Vrolijk Pasen', en: 'Dag, Amanda.'

'Ze vroeg of we haar morgenavond weer belden,' zei Christopher.

'Ze geeft om jullie. Ze wil dat we nog een dag of twee op ruïnejacht gaan.'

Verrassend genoeg had geen van de jongens daar bezwaar tegen. Uiteraard gingen ze helemaal op in hun bliepende en flikkerende spelletjes.

Er klonk gebons op de deur, die meteen werd opengetrokken door Roger, die buiten bleef staan en alleen zijn hoofd naar binnen stak.

'Je maat Henry is er,' meldde hij, 'compleet met een kraan op een oplegger en zes grote vrachtwagens voor de feesttent, en hij laadt niks uit eer hij jou gesproken heeft.'

'De feesttent!' riep Christopher. 'Is het dezelfde als die we over de pub heen hadden, voor je ons huis bouwde?'

'Dat is 'm, ja.'

De jongens sloten onmiddellijk alle ramen en traden snel en hoopvol aan op de oprijlaan. Roger gebaarde berustend naar zijn jeep, waarop ze allemaal achterin klauterden, duwend en trekkend voor een zo goed mogelijk plekje.

'Zitten of uitstappen,' blafte Roger alsof hij een stel recruten voor zich had. Ze gingen meteen zitten.

'Geef mij Marjorie, dan krijg jij de jongens,' stelde ik voor.

'Akkoord.' Alsof er ik weet niet wat op het spel stond scheurde hij naar zijn kantoortje, waar hij pal voor de deur een prachtige stop maakte. Mijn nageslacht kreeg te horen dat enig teken van ongehoorzaamheid onmiddellijk bestraft zou worden met een onmiddellijke verbanning naar de bus voor de rest van de dag. De recruten, zwaar onder de indruk, knoopten de waarschuwing in de oren en stoven vervolgens de bus uit om Henry te begroeten, joelend alsof ze een schoolgebouw verlieten.

Henry, groot en bebaard, gaf me altijd het gevoel dat ik aan de kleine kant was. Zonder enige moeite tilde hij Neil op en plantte hem op zijn schouders, glunderend naar mij en mijn looprek.

'Bijna plat gedrukt?' vroeg hij.

'Ja. Een beetje onvoorzichtig.'

Met een grote hand gebaarde hij naar zijn zwaar beladen wagens, die de parkeerplaats vulden.

'Ik heb het hele zwikje meegenomen,' zei hij heel tevreden.

'Ja, maar luister eens...' begon Roger.

Henry nam hem vriendelijk op. 'Vertrouw nou maar op Lee,' zei hij. 'Hij weet wat de mensen wensen. Hij kan toveren, die vent. Laat hem en mij de boel hier op poten zetten voor morgen, en over zes weken, wanneer Engeland opnieuw vrij heeft en er hier gekoerst wordt—ik heb het nagekeken, dus ik weet het—puilen die parkeerplaatsen uit. Mond-tot-mondreclame, weet u wel? Nou, wou u een volle bak hebben hier of niet?'

'Eh... ja.'

'Goed.'

Roger richtte zich wanhopig tot mij. 'Marjorie...'

'Die zal het geweldig vinden. Zij wil dat de renbaan floreert, dat is voor haar het allerbelangrijkste.'

'Zeker weten?'

'Honderd procent. Dat wil niet zeggen dat ze niet een seconde of vijf geschokt zal zijn.'

'Laten we hopen dat ze er langer voor nodig heeft om aan een hartaanval te bezwijken.'

'Zijn de elektrische kabels gelegd?' vroeg Henry hem.

'Precies waar u om gevraagd had,' zei Roger.

'Mooi. Waar zijn de plattegronden?'

'In mijn kantoor.'

Het grootste deel van de dag dirigeerde Roger zijn personeel alle kanten op, waar ze maar van dienst konden zijn. Zelf stond hij regelmatig vol bewondering langs de zijlijn te kijken hoe Henry en zijn mensen een revolutionaire kijk op tribunecomfort uit de grond stampten.

Eerst bouwden ze met de kraan vier torens die, vertelde Henry aan Roger, voor trapeze-artiesten sterk genoeg waren om hun spectaculaire sprongen van te wagen. Vervolgens hesen ze daar met dikke kabels en zware lieren tonnen sterk wit canvas overheen. De uiteindelijke hoogte en ruimte konden uitstekend tippen aan die van de oude tribunes, en het zag er nog veel fraaier en feestelijker uit ook.

Henry en ik bespraken de stromen waarin het publiek zich zou verplaatsen, het gedrag van de gemiddelde bezoeker, en de voorzieningen voor als het mocht gaan regenen. We bespraken de essentialia, rekenden af met knelpunten, maakten plezier tot onze prioriteit, gaven de eigenaars wat hen toekwam en reserveerden mooie ruimten voor de Strattons, voor de stewards, voor de trainers. In de hele tent planden we houten vloeren en er kwam één centraal pad met ruimten aan weerszijden, van elkaar gescheiden door stevige wandjes en allemaal overdekt met perzikkleurig, dun, geplooid, zijdeachtig materiaal. 'Dat koop ik in per kilometer,' verzekerde Henry een ongelovige Roger. 'Lee vertelde dat zonlicht dat door canvas en dit perzikkleurtje wordt gefilterd oude gezichten wat mooier maakt dan geel, en het zijn vooral de oudjes die betalen. Vroeger gebruikte ik geel, maar dat doe ik niet meer. Lee zegt dat goed licht belangrijker is dan eten.'

'En wat Lee zegt is het evangelie?'

'Hebt u ooit iemand een verwaarloosde en leeggelopen pub in een menselijke bijenkorf zien veranderen? Hij heeft het hem twee keer gelapt waar ik bij stond en daarvoor ook al verschillende keren, heb ik me laten vertellen. Hij weet wat mensen *aantrekt*, begrijpt u? Ze weten niet precies *wat* het is dat ze aantrekt, ze voelen zich gewoon aangetrokken. Maar Lee weet het wel, daar kunt u vergif op innemen.'

'Wat is het dan dat mensen aantrekt?' vroeg Roger nieuwsgierig aan mij.

'Dat is een lang verhaal,' zei ik.

'Maar hoe *weet* je het?'

'Ik heb jarenlang aan honderden, letterlijk honderden mensen gevraagd waarom ze de oude huizen gekocht hadden waar ze in woonden. Wat had de doorslag gegeven, hoe irrationeel ook, waarom hadden ze juist dat huis gekozen en geen ander? Soms zeiden ze dit of dat traliewerk, soms was het een verborgen wenteltrap, soms een oude open haard, of een molenwiel, of split levels en een gaanderij. Ik vroeg ze ook steeds wat ze *niet* aanstond, wat ze graag anders wilden zien. Zo leerde ik langzaam maar zeker hoe je bouwvallen zo kunt opknappen dat mensen er direct in willen.'

'Zoals jouw eigen huis,' zei Roger.

'Zoiets ja.'

'En de pubs?'

'Dat zal ik je nog weleens laten zien. Maar met pubs is het niet alleen een kwestie van verbouwen. Daar gaat het ook om goed eten, mooie prijzen, snelle service en een warm welkom. Het is van essentieel belang dat je de gezichten van je klanten leert kennen en dat je ze begroet als vrienden.'

'Maar jij verhuist altijd weer door?'

'Als de zaak een keer draait, ja.' Ik knikte. 'Ik ben bouwer, geen restaurateur.'

Voor de mannen van Henry, voor een deel zelf circusmensen en eraan gewend een leeg terrein in één nacht tot een feestterrein om te toveren, waren de vierentwintig uur totdat de hekken opengingen een luxe. Ze sjorden aan kabels, ze zwaaiden met hamers en ze zweetten als otters. En Henry betrok een vat bier van de Mayflower voor zijn 'goeie jongens'.

Henry had niet alleen de grote feesttent meegenomen maar ook een lading ijzeren pijpen en planken die, in elkaar geschroefd, ooit de basis hadden gevormd van de schuin oplopende tribunes rond de circusring.

'Ik dacht dat je die ook wel kon gebruiken,' zei hij.

'Tribunes!' Ik hapte naar adem. 'Dekselse vent.'

Henry glunderde.

Roger kon zijn ogen niet geloven. Zijn eigen personeel zette, op aanwijzingen van de circusjongens van Henry, de tribunes niet op in de tent, maar langs de hekken van de renbaan zelf, in de open lucht, met de rug naar de tent en het gezicht naar waar het allemaal om begonnen was. Tussen de onderste bankjes en de hekken liep nog een strook gras om het toestromende publiek op te vangen.

'Als we meer tijd hadden zou het natuurlijk nog veel mooier worden,' zei Henry, 'maar nu kunnen een aantal klanten de rennen tenminste van hier bekijken en hoeven ze zich niet allemaal te verdringen op de plaatsen van de Tattersalls.'

'Ik ben bang dat we hier een vergunning voor moeten hebben,' zei Roger zwakjes. 'En het moet natuurlijk bekeken worden op veiligheid en weet ik wat allemaal nog meer.'

Henry trok een paar papieren en zwaaide ermee. 'Allemaal vergunningen,' zei hij. 'Ik ben aannemer en ik ben bevoegd. Dit is een noodgebouw. Haal er maar bij wie u wilt. Haal ze direct dinsdag maar hierheen. Alles wat ik doe is veilig en legaal. Ik zal het u laten zien.'

Grinnikend wenkte hij met een grote hand en liet een van de wagens verder uitladen. Er kwam een waar leger aan brandblusapparaten te voorschijn.

'Zo beter?' vroeg hij aan Roger.

'Ik ben sprakeloos.'

Op een gegeven moment trok Henry me aan mijn mouw. 'Wie zijn die gekken die hier de ingang blokkeren? Het scheelde goddomme niet veel of we reden er een van de sokken toen we dat vat bier hadden gehaald. Hij liep gewoon zo voor de wagen. Stapelmesjokke.'

Ik legde hem uit wie Mr. Harold Quest en zijn volgelingen waren en wat ze wilden: een verbod op steeplechases. 'Waren ze er nog niet toen je hier aankwam?' vroeg ik.

'Nee. Willen jullie niet van die lui af?'

'Je bedoelt of jij je jongens erop los mag laten?'

'Ja. Tenzij jij een betere manier weet.'

'Wat dacht je van overredingskracht?'

'Laat me niet lachen.'

'Als je één wesp doodslaat komen er vijftig naar de begrafenis.'

Hij knikte. 'Daar zit wat in.' Hij wreef over zijn baard. 'Wat doen we dan?'

'Ermee leren leven.'

'Dat is belachelijk.'

'Je zou ze erop kunnen wijzen dat een verbod op steeplechases de dood van honderden paarden zou betekenen, omdat die dan overbodig zouden zijn. Dus niet één paard dat verongelukt, maar allemáál binnen één jaar. Vertel Harold Quest maar dat hij in feite een massamoord op paarden voorstaat, dat als het aan hem lag het paard een bedreigde diersoort werd.'

'Akkoord.' Hij keek alsof hij het zo zou doen.

'Maar,' zei ik, 'naar alle waarschijnlijkheid kunnen die paarden hem geen hol schelen. Naar alle waarschijnlijkheid zoekt hij alleen maar een manier om te voorkomen dat andere mensen zich vermaken. Dat is *zijn* manier om zich te vermaken, dat is zijn hoofddoel. Hij loopt al dagen te proberen om zachtjes te worden aangereden. Misschien lukt het hem morgen wel om gearresteerd te worden. Als hem dat lukt is hij in de zevende hemel.'

'Alle fanatiekelingen zijn gek,' zei Henry.

'Ook de twaalf apostelen en de vrouwen die voor vrouwenkiesrecht opkwamen?'

'Wil je een biertje?' zei hij. 'Met *jou* ga ik niet in discussie.'

'Wat we eigenlijk zouden moeten hebben is een tegendemonstratie,' opperde ik. 'Mensen die zich bij Harold Quest voegen met kreten als: WERK MEE AAN DE WERKLOOSHEID, ZET STALKNECHTEN OP STRAAT, ALLE STEEPLECHASE-PAARDEN NAAR DE LIJMFABRIEK, SMEDERIJEN DICHT.

'Hoefsmeden,' zei Henry.

'Wat?'

'Hoefsmeden. In gewone smederijen worden tegenwoordig alleen nog maar gietijzeren hekken gemaakt.'

'Laten we een pilsje gaan drinken,' zei ik.

Het bier werd echter nog even op de lange baan geschoven door de aankomst van twee auto's, bestuurd door kokende chauffeurs die maar net een botsing met Harold Quest hadden weten te voorkomen.

Achter de bumper van de voorste zaten de restanten van een spandoek waarop gestaan had: VERBOD OP WREEDHEID. Als zo vaak bij dergelijke confrontaties had een cliché op een spandoek een tegenovergestelde reactie uitgelokt.

Het laagje beschaafde minzaamheid dat de chauffeur, Oliver Wells, normaliter bedekte was verdwenen, en er was een duisterder, zwaardere autoriteit te voorschijn gekomen. Wat ik zag, bedacht ik, was het equivalent van de kracht van zuigers in een soepel draaiende motor. Meer power dan je zo aan de buitenkant zou zeggen. Een verbod op wreedheid leek bij deze Wells geen overbodige luxe.

Zijn lange neus en zeiloren beefden van woede. Hij wierp een korte blik op mijn persoon en vroeg op hoge toon: 'Waar is Roger?'

'In zijn kantoor,' zei ik.

Oliver liep met grote passen naar de deur, zich schijnbaar niet bewust van de bedrijvigheid om hem heen. De tweede auto, een scharlakenrode Ferrari, kwam met piepende remmen naast zijn auto tot stilstand. Alsof ze er door een schietstoel uit werd geslingerd kwam een woedende Rebecca te voorschijn.

Het schoot door mijn hoofd dat zij de eerste Stratton van die dag was, oneindig minder welkom dan het op zijn haar gefixeerde broertje.

Ook Rebecca, gehuld in een goed gesneden beige broek en felrode sweater, was witheet, woedender dan ooit.

'Ik vermoord die smerige debiel nog eens,' liet ze de wereld weten. 'Hij vraagt erom overreden te worden en hij kan het krijgen, ik zweer het, als hij me nog één keer "eendje" durft te noemen.'

Met moeite slikte ik een ongepast lachje in. Henry, niet door mijn remmingen gehinderd, nam de stekelige representant van het feminisme die voor hem was opgedoemd op en bulderde van het lachen.

Ze kneep haar ogen halfdicht en wierp Henry een blik toe die zijn einde had betekend als blikken konden doden.

'Waar is Oliver?' Haar stem, net als haar manieren, getuigde van een ongebreidelde arrogantie. 'De man die hier net kwam aanrijden?'

'In dat kantoor,' zei Henry, wijzend; en ik durf te zweren dat het woord 'eendje' maar net bleef haken aan de omheining van zijn tanden.

Hij bekeek haar panterachtige loopje terwijl ze bij ons wegliep en trok bij wijze van komisch commentaar zijn wenkbrauwen op: een regelrechte uitnodiging voor een mes tussen de schouderbladen als ze zich toevallig zou hebben omgedraaid.

'Ze is mooi en ze is moedig,' zei ik. 'De rest is jammer.'

'Wie is dat?'

'De eerwaarde Rebecca Stratton, steeplechase-jockey.'

Henry liet zijn wenkbrauwen weer zakken en haalde zijn schouders op. Genoeg over haar.

'Bier,' kondigde hij aan.

En opnieuw was het een auto die daar een stokje voor stak; een kleine zwarte Porsche deze keer, die als een schaduw over het weggetje langs de renbaan was komen aanrijden en die nu onopvallend tot stilstand kwam, half verscholen achter een van de trucks van Henry. Er stapte niemand uit. De getinte raampjes voorkwamen identificatie van de chauffeur.

Henry fronste naar de nieuwkomer. 'Wie houdt zich daar schuil tussen mijn wagens?'

'Geen idee,' zei ik. 'Ga maar kijken.'

Hij ging erop af, keek even en kwam weer terug.

'Hij is mager, jong en lijkt wel op Eendje. Hij blijft zitten met de deuren op slot en wilde niet met me praten.' Henry keek vuil. 'Hij maakte een gebaar dat ik alleen van Italiaanse vrachtwagenchauffeurs ken. Klinkt het bekend?'

'Het zou Forsyth Stratton kunnen zijn. Een neef van Eendje. Die lijkt nogal op haar.'

Henry haalde zijn schouders op, zijn belangstelling verflauwde. 'Wat moet er gebeuren met de lege flessen?'

'Daar zorgen de cateraars wel voor.'

'Bier.'

'Bier.'

Eindelijk konden we weer wat eelt op de ellebogen kweken. We bespraken de dingen die nog niet gedaan waren. Zijn mannen zouden tot middernacht of later doorwerken, beloofde hij. Ze zouden slapen in de cabines van hun wagens, wat ze wel vaker deden, en morgen in alle vroegte de rest doen. Om halftien waren zijn vrachtwagens verdwenen, allemaal op de kleinste na, zijn servicewagen, waarin hij alle gereedschap en materiaal vervoerde voor onderhoud en spoedreparaties.

'Ik blijf voor de wedstrijden,' zei hij. 'Die wil ik nu niet meer missen.'

Roger kwam bij ons staan. De spanning was van zijn gezicht af te lezen.

'Ik heb Oliver nog nooit zo chagrijnig gezien,' meldde hij. 'En wat Rebecca betreft...'

Rebecca zat hem op de hielen, maar ze struinde ons voorbij en probeerde een opening te vinden in de schutting die de vernielde tribunes aan het oog onttrok. Toen dat niet lukte schoot ze Roger aan en zei:

'Laat me door die schutting. Ik wil zien hoeveel schade er is aangericht.'

'Ik ga niet over die schutting,' zei Roger ingehouden. 'Misschien moet je bij de politie wezen.'

'Waar hangt die uit?'

'Aan de andere kant van de schutting.'

Ze kneep haar ogen halfdicht. 'Nou, haal dan een ladder.'

Toen Roger niet snel genoeg aanstalten maakte om haar te gehoorzamen, draaide ze zich om naar een toevallig passerende werkman. 'Haal eens een ladder voor mij,' zei ze kortaf. Ze zei geen 'alsjeblieft', en er kon ook geen 'dank je wel' af toen hij er nog met een kwam aanzetten ook. Ze droeg hem alleen maar op waar hij de ladder moest neerzetten, en toen hij achteruitstapte om haar erop te laten klimmen knikte ze slechts, nauwelijks merkbaar en nog minder gracieus.

Zelfverzekerd en vlug als water besteeg ze de ladder en bleef een hele tijd staan kijken naar wat de schutting te verbergen had.

Henry en Roger knepen ertussenuit als sluwe soldaten en lieten mij alleen om mijn voordeel te doen met de messcherpe meningen van Rebecca. Ze kwam met dezelfde atletische gratie de trap weer af, wierp een geringschattende blik op mijn nog steeds nuttige looprek en droeg me op de renbaan onmiddellijk te verlaten, aangezien ik niet het recht had er te zijn. Ik had twee dagen eerder, op vrijdagochtend, ook niet het recht gehad op de tribune rond te lopen en als ik er soms over dacht de Strattons een proces aan te doen om smartegeld los te krijgen, zouden de Strattons mij voor de rechter slepen wegens huisvredebreuk.

'Oké,' zei ik.

Ze knipperde met de ogen. 'Oké wat?'

'Heb je met Keith gesproken?'

'Dat gaat jou niks aan, en ik draag je op om te vertrekken.'

'Wat mij wel aangaat is of deze renbaan draait,' zei ik, zonder me te verroeren. 'Ik bezit er acht honderdste van. Jij bezit, na verificatie, drie honderdste. Dus wie heeft er meer recht om hier te zijn?'

Ze kneep haar felle ogen weer half dicht, vermeed verder de vraag wie hier meer belangen had liggen en probeerde meteen door te stoten naar wat werkelijk van belang was. 'Hoe bedoel je, na verificatie? Die aandelen zijn van mij, volgens het testament.'

'Volgens de Engelse wet,' zei ik, en ik kon het weten want ik was executeur-testamentair van mijn moeder geweest, 'bezit niemand feitelijk wat hem is nagelaten, vóór het testament aantoonbaar echt is gebleken, vóór de verschuldigde belastingen zijn betaald en vóór een certificaat van verificatie is afgegeven.'

'Ik geloof er niks van.'

'Dat verandert niks aan de feiten.'

'Bedoel jij te zeggen,' vroeg ze op hoge toon, 'dat mijn vader en Keith en Ivan niet het recht hebben om bestuurslid te zijn? Dat al hun stomme beslissingen van nul en generlei waarde zijn?'

Ik smoorde haar hoop in de kiem. 'Nee, dat betekent het niet. Bestuursleden hoeven geen aandeelhouders te zijn. Marjorie had iedereen kunnen voordragen die ze wilde, of ze zich daarvan bewust was of niet.'

'Jij weet te veel,' voegde Rebecca me haatdragend toe.

'Ben je tevreden,' vroeg ik, 'nu de tribune in puin ligt?'

'Ja,' zei ze uitdagend, 'dat ben ik zeker.'

'En wat zou je nu graag zien dat er gebeurde?'

'Nieuwe tribunes, natuurlijk. Modern. Glazen front. Alles moet nieuw. En die klootzak van een Oliver en kolonel Piet Lut moeten opsodemieteren.'

'En dan wou jij de zaak hier zelf runnen?' vroeg ik zonder het te menen, maar ze ging er verbeten op in.

'Ik zou niet weten waarom niet! Grootvader runde de zaak ook op eigen houtje. Wat we nu nodig hebben is verandering. Nieuwe ideeën. Maar wel onder leiding van een Stratton.' Haar geestdrift laaide op, het leek wel of ze me te vuur en te zwaard wilde bekeren. 'Er is verder niemand in de familie die het verschil weet tussen een paard en een paard en een paard. Vader móet Stratton Hays wel aan zijn erfgenaam nalaten, maar de renbaan is geen onvervreemdbaar erfgoed. Hij kan zijn renbaanaandelen aan *mij* nalaten.'

'Hij is pas vijfenzestig,' mompelde ik, me stilzwijgend afvragend wat voor prikkelend effect dit gesprek gehad zou hebben op Marjorie en Dart, om maar te zwijgen van Roger en Oliver, en Keith.

'Ik kan wachten. Ik wil nog minstens twee seizoenen rijden. Het wordt tijd dat een vrouw in de top vijf komt te staan, en dat ben ik dit jaar van plan, tenzij ik val of een onbenul van een baanarts me een schorsing probeert op te leggen. En daarna ga ik de boel hier runnen.'

Ik luisterde. Ze barstte van zelfvertrouwen en ik wist niet of ze zichzelf voor de gek hield of dat ze het inderdaad in huis had.

'De raad van bestuur zou je moeten benoemen,' zei ik prozaïsch.

Ze verscherpte haar blik. 'Dat zou moeten, ja,' zei ze langzaam. 'En ik heb twee jaar om ervoor te zorgen dat ze doen wat ze zouden moeten doen.' Ze zweeg. 'Wie het tegen die tijd ook zijn mogen.'

Abrupt besloot ze dat ze genoeg van haar kostbare tijd aan mij had verdaan. Ze paradeerde terug naar haar rode sportauto, hongerige blikken om zich heen werpend op het terrein waar ze nog eens de scepter hoopte te zwaaien. Marjorie zou daar uiteraard een stokje voor steken, maar die had ook niet het eeuwige leven. En dat was precies wat Rebecca dacht.

Henry en Roger kwamen met hangende pootjes terug toen de knalpijp van Rebecca richting uitgang raasde.

'Wat zei ze allemaal?' vroeg Roger nieuwsgierig. 'Ze leek bijna menselijk.'

'Volgens mij wil ze hier de leiding op zich nemen, net als haar grootvader.'

'Flauwekul!' Hij begon een lach die uitdraaide op een frons. 'Dat zal de familie niet toestaan.'

'Nee, dat denk ik ook niet.' Dit jaar niet, dacht ik, en volgend jaar ook niet. Maar daarna?

Roger schudde de ondraaglijke gedachte van zich af. 'Zeg het maar niet tegen Oliver,' zei hij. 'Die zou haar eerst wurgen.'

Een politieman en de achtentwintigjarige bomexpert kwamen door een deel van de schutting dat als een deurtje kon worden opengezwaaid. Erachter werd door anderen nog rustig doorgezeefd.

Roger en ik liepen op hen af en keken nieuwsgierig naar wat ze in hun handen hadden.

'Overblijfselen van een wekker,' zei de expert vrolijk, een tandwiel ophoudend. 'Je treft bijna altijd wel iets aan van een tijdmechanisme en met een dergelijk explosief is er van verdamping geen sprake.'

'Wat voor soort?' vroeg ik.

'PE4. Geen Semtex. Geen kunstmest en dieselolie. Geen doe-het-zelf terrorisme. Ik zou zeggen dat we hier met het leger te maken hebben, geen IRA.'

'Het leger houdt alle detonators onder streng toezicht, zowel administratief als fysiek,' zei kolonel Roger stijfjes. 'En PE4 is volmaakt onschuldig zonder detonator.'

De expert knikte. 'Je kunt het kneden als marsepein, maar ik zou er geen tik op geven met een hamer. Maar detonators achter slot en grendel? Laat me niet lachen. Mijn leven zou een stuk makkelijker zijn als dat zo was. Er zijn in het leger gevallen bekend van *tanks* die gewoon kwijt zijn geraakt. Wat is een beetje knalkwik tussen vrienden?'

'Iedereen is heel voorzichtig met detonators,' hield Roger vol.

'O, zeker.' De expert grijnsde als een wolf. 'Een beetje veteraan weet een heel mitrailleursnest voor je neus weg te kapen. En u weet wat ze zeggen: je kunt alles uit de brand helpen.'

Aan de uitdrukking op Rogers gezicht te zien was die zegswijze hem maar al te bekend.

'Toen een zeker depot ter grootte van vijf voetbalvelden een paar jaar geleden in vlammen opging,' verhelderde de expert voor mij met een satanisch genoegen, 'werden zo veel spullen als vermist opgegeven dat je er minstens twee van die depots mee had kunnen vullen. Het leger produceerde tonnen aan zeer constructieve documenten waarmee haarfijn kon worden aangetoond dat allerlei zaken in de week vóór het vuur naar dat depot waren gestuurd. Dingen die eerder al zoek waren geraakt, en waarvoor misschien ooit verantwoording moest worden afgelegd, werden allemaal opgegeven als "verzonden naar het depot". Dingen werden opgegeven als "verzonden naar het depot" die pas na de brand met koffers vol de kazernes verlieten, op weg naar heel andere bestemmingen. Een goeie brand is een geschenk uit de hemel, of niet, kolonel?'

Roger bleef formeel. 'Verwacht niet van mij dat ik het ga beamen.'

'Natuurlijk niet, kolonel. Maar gaat u mij dan ook niet vertellen dat het onmogelijk is dat een doos vol detonators ergens, op een gegeven moment, niet wordt meegeteld.' Hij schudde zijn hoofd. 'Ik ben het met u eens dat alleen een gek of een deskundige ermee aan de gang zou gaan, maar een woordje hier, een woordje daar en er is een markt voor alles onder de zon.'

10

Het werk ging door.

Elektrische kabels kronkelden overal en werden langzaam maar zeker opgenomen en onzichtbaar gemaakt door alle canvas. De verlichting werd sterker en wekte de indruk dat de hele ambiance niet meer zonder kon. Witte, geruisloos draaiende ventilatoren hingen vlak onder luchtgaten, om af te rekenen met geurtjes en gebruikte lucht. Henry begreep donders goed hoe je een tent moest indelen en hoe het publiek zich gedroeg, al hadden de gasten die over het algemeen hevig zaten te zweten in zondoorstoofde tenten daar zelf geen weet van, en ook voor mij stond klimaatbeheersing hoog op het lijstje van elementaire levensbehoeften. Het publiek zou vrij kunnen ademhalen zonder te weten hoe of wat.

De negentiende-eeuwse opwaartse tocht binnenshuis die veroorzaakt werd door schoorstenen had een hausse gecreëerd in de produktie van voetenbankjes, stoelen met oren en kamerschermen; de twintigste-eeuwse windtunnels waren straathoeken in de stad waar het altijd leek te stormen.

Luchtdruk, luchtbeweging, luchttemperatuur; stofverwijdering, huismijtreductie, ontvochting: dat alles was niet simpelweg slappe verwennerij binnenshuis, maar had alles te maken met positieve, allergieloze gezondheid en de strijd tegen rot, roest, zwammen en schimmels. Het nieuwe leven van ten dode opgeschreven gebouwen begon, voor mijn ongetwijfeld obsessionele gevoel, pas met de regeling van schone droge lucht die ongehinderd kon circuleren.

We voedden iedereen vanuit de Mayflower-keuken. Mijn zoontjes haalden en brachten, traden op als kelner, verzamelden gewillig alle rommel en gedroegen zich in het algemeen zoals ze normaal nooit deden, tenzij ze daar op straffe van ik weet niet wat toe gedwongen werden.

Roger en ik raadpleegden de kaarten van de waterhuishouding van Stratton Park en zijn mannen legden een leiding naar de catering-afdelingen in de zijtenten, waarvandaan weer een klein leidinkje naar de kleedkamer voor de vrouwelijke jockeys liep, speciaal voor Rebecca. Koud water natuurlijk, maar het was misschien beter dan niets. Aanhoudend telefoneren leverde uiteindelijk de belofte op van één toiletwagen, en Ivan werd door Roger moedig aangesproken op het feit dat hij een tuincentrum had: kon hij geen vrachtwagen planten en boompjes in grote potten leveren?

'Hij zegt dat morgen een topdag wordt,' zei Roger, terwijl hij de hoorn op de haak legde. 'Hij zegt dat de renbaan moet betalen voor wat hij stuurt.'

'Charmant.'

We bespraken nog een paar regelingen waarna Roger opeens opstapte, druk als hij was. Ik bleef alleen achter. Het afgelopen uur was het lopen me iets makkelijker gaan vallen, maar aan de andere kant voelde ik een algehele vermoeidheid in en rond de schouders en ik was blij dat ik even voorzichtig op het bureau kon plaatsnemen, op één bil om de ergste pijn voor te zijn, maar toch comfortabel genoeg om armen en benen even te laten rusten. Ik dacht aan de kaart die ik thuis in mijn werkplaats had hangen, van Amanda gekregen in gelukkiger tijden, waarop stond: 'Als alles goed gaat heb je kennelijk iets over het hoofd gezien', en vroeg me vruchteloos af wat niet bij Roger en Henry en mij was opgekomen en wat morgen rampzalig zou blijken te zijn.

De deur ging abrupt open en Forsyth Stratton kwam met grote passen binnenzetten. Geen van de Strattons scheen in staat te zijn een kamer kalm te betreden.

'Wat doe jij hier?' wilde hij weten.

'Nadenken,' zei ik. Over het feit dat ik niet blij was hem te zien, vooral niet als hij er dezelfde ideeën op na mocht houden als Hannah en Keith. Hij bleek me echter, en enigszins tot mijn opluchting, voornamelijk verbaal te lijf te willen gaan.

'Jij hebt niet het recht hier de touwtjes in handen te nemen,' zei hij woedend.

'De kolonel heeft de touwtjes in handen,' antwoordde ik minzaam.

'De kolonel raadpleegt jou vóór hij iets doet.' Zijn donkere ogen glinsterden net als die van Rebecca, en ik vroeg me vluchtig af of één van beiden of allebei misschien contactlenzen droegen. 'En die klerekast wiens personeel tenten opzet, die vraagt de kolonel om beslissingen, en vervolgens komen ze samen naar *jou* toe en vragen het alsnog aan *jou*, als hij de kolonel al niet meteen voorbijloopt en het *rechtstreeks* aan jou vraagt. Jij bent veel jonger dan zij, maar wat *jij* zegt gebeurt. Ik heb hier uren zitten kijken en me opvreten, dus ga me niet vertellen dat ik niet weet waar ik het over heb. Niemand van ons wil jou hier hebben... wat denk je goddomme wel dat je bent?'

'Ik ben aannemer,' zei ik droog.

'Aannemers moeten zich niet met onze renbaan bemoeien.'

'Aandeelhouder dan. Deeleigenaar.'

'Het mocht wat! Ik ben een *Stratton*.'

'Jammer voor jou,' zei ik kort.

Hij leek nog nooit zo beledigd te zijn. Zijn stem steeg een paar octaven en met een rancuneus trekje rond zijn mond schreeuwde hij zowat: 'Die godvergeten moeder van jou had geen recht op die aandelen. Keith had haar een flink pak op haar sodemieter moeten geven. En Jack zegt dat dat precies is wat jij gisteren van Keith hebt gekregen alleen niet genoeg en jij hebt me godverdomme wel lef om je neus in onze zaken te blijven steken en als je soms denkt dat je ons geld uit de zak kunt kloppen ben je mooi aan het verkeerde adres.'

Wat hij eruit kraamde was niet alleen onsamenhangend, het was ook kwetsend, en wat mij betrof had ik nu wel genoeg beledigingen van de Strattons aangehoord. Ik was zo geïrriteerd dat ik wreder uithaalde dan ik ooit tevoren had gedaan. Met de uitdrukkelijke bedoeling om te kwetsen voegde ik hem toe: *'Jij* hebt geen greintje autoriteit in je eigen familie. Ze negeren je. Ze kijken niet eens naar je. Wat heb je uitgespookt?'

Zijn handen werden in een flits geheven en tot vuisten gebald. Hij zette met z'n kaken op elkaar geklemd een stap naar voren. Ik ging recht overeind staan, in de hoop dat ik er niet zo slap zou uitzien als ik me voelde, en ondanks de dreiging die van hem uitging daagde ik hem overmoedig uit. 'Het zal ze wel een fortuin gekost hebben om jou buiten de gevangenismuren te houden.'

'Hou je bek, hou je bek,' riep hij. 'Ik ga me beklagen bij tante Marjorie.' Een van zijn vuisten suisde onder mijn kin langs.

'Doe maar,' zei ik. Ik slaagde er niet in me te beheersen en zelfs in mijn eigen oren klonk wat ik zei kwetsend en hard. 'Jij bent een onnozele hals, Forsyth, en ongetwijfeld ook een boef, en Marjorie veracht je zo al genoeg, dus ik zou bij haar maar niet de zielepiet gaan uithangen als ik jou was. Of denk je soms dat zij je loopneus wel voor je zal afvegen? Je zou eens moeten kijken wat voor lelijkerd je bent als je kwaad bent, dan zou je heel hard weglopen en je schuil houden.'

Die laatste kinderachtige sneer leek hem nog het meest te raken. Hij was duidelijk gecharmeerd van zijn eigen uiterlijk. Het van haat verwrongen gezicht ontspande zich enigszins, de lippen verloren hun strakheid en bedekten de tanden en zijn vaalgele huid werd roder.

'Jij... *lul.*' Hij beefde van alle vernederingen die hij zich in verleden en heden had moeten laten welgevallen. Zijn vuisten ontspanden zich en zakten naar weerszijden van zijn lichaam. Als een zielig hoopje ellende stond hij opeens voor me, veel geschreeuw en weinig inhoud.

Ik schaamde me direct. Geweldig hoor, dacht ik, een beetje uitvallen tegen de slapste Stratton van het hele stel. Waar waren mijn dappere woorden gisteren geweest, toen ik oog in oog had gestaan met Keith?

'Je kunt mij beter als bondgenoot hebben dan als vijand,' zei ik, al weer wat afgekoeld. 'Waarom probeer je dat niet eens?'

Hij leek niet alleen verslagen, maar ook verward. Rijp voor een paar vragen, als ik geluk had.

'Was het Keith,' vroeg ik, 'die gezegd heeft dat ik zou proberen de familie geld uit de zak te kloppen?'

'Natuurlijk.' Hij knikte zwakjes. 'Waarom zou je anders hierheen komen?'

Ik zei niet: 'Omdat mijn opleiding betaald is met geld van jouw grootvader.' Ik zei niet: 'Misschien om mijn moeder te wreken.' Ik zei: 'Zei hij dat vóór of nadat de tribunes de lucht in vlogen?'

'Wat?'

Ik herhaalde de vraag niet. Hij keek even nukkig voor zich uit en gaf uiteindelijk toch maar antwoord. 'Erna, denk ik.'

'Wanneer precies.'

'Vrijdag. Eergisteren. 's Middags. Een heleboel van ons kwamen hierheen toen we hoorden van de ontploffing. Ze hadden jou naar het ziekenhuis gebracht. Keith zei dat je die paar schaafwondjes wel flink zou overdrijven. Dat zat er dik in, zei hij.'

'En jij geloofde dat natuurlijk?'

'Uiteraard.'

'Jullie allemaal?'

Hij haalde zijn schouders op. 'Conrad zei dat we erop moesten rekenen dat jij moest worden afgekocht en Keith zei dat ze zich dat niet konden veroorloven, niet na...' Zijn stem stokte opeens en zijn verwarring nam toe.

'Niet na wat?' vroeg ik.

Hij schudde erbarmelijk met zijn hoofd.

Ik kon er wel naar raden. 'Niet na wat het hen gekost had om *jou* uit de problemen te houden?'

'Ik luister niet,' zei hij, en als een kind bedekte hij zijn oren met zijn handen. 'Hou je kop.'

Hij was twintig en nog wat, dacht ik. Niet bepaald intelligent, zonder werk en kennelijk onbemind. En vooral: een Stratton. Mensen afkopen was standaardgedrag binnen de familie, maar te zien aan de manier hoe de anderen zich tegen Forsyth gedragen hadden op de aandeelhoudersvergadering van woensdag, had hij hen te veel gekost.

Of er eerder sprake was geweest van enige genegenheid voor Forsyth wist ik niet, maar woensdag was er in elk geval alleen nog maar sprake geweest van wrok.

Er werd binnen de familie gretig gebruik gemaakt van pressie en dwang, dat was duidelijk, al was niet precies duidelijk waar en hoe die dwang werd toegepast. Wat Forsyth had misdaan was vermoedelijk niet half zo belangrijk voor ze als wat het ze gekost had aan de ene kant, en de macht die dat over hem opleverde aan de andere kant. Als de dreiging met een onthulling nog steeds werkte bij hem, zou hij nu wel doen, vermoedde ik, wat de familie hem opdroeg.

Roger had gezegd dat Marjorie Conrad in een soort houdgreep hield; dat hij altijd inbond wanneer zij dat van hem eiste.

Ik zelf had erin toegestemd, zonder me te realiseren wat er de betekenis van kon zijn, te proberen te achterhalen hoeveel schulden Keith had en bij wie, en ook om uit te vinden wat voor pressie er werd uitgeoefend op Conrad door de architect die graag de nieuwe tribunes wilde bouwen en die Wilson Yarrow bleek te heten, over wie ik iets wist maar over wie ik meer vergeten was.

Werd ik, vroeg ik mij af, door Marjorie gebruikt om feiten voor haar boven water te krijgen, met als voornaamste doel haar nog meer macht, nog meer invloed binnen de familie te verschaffen? Had ze bedacht dat ik haar wel zou helpen als ze slim gebruik maakte van het feit dat ook ik belang had bij de renbaan? Was zij zo schrander, en was ik zo dom? Waarschijnlijk wel.

Toch geloofde ik nog steeds dat ze graag wilde dat de renbaan floreerde, ook al gebruikte ze mij als instrument om haar beleid van 'geen veranderingen' door te drukken.

Marjorie zou de tribunes niet de lucht in hebben geblazen, als ze dat al gekund zou hebben. Als ze, dankzij mij of op welke manier ook, erachter kwam wie het wel gedaan had, of wie het geregeld had, en als dat iemand van de hunnen mocht blijken te zijn, hoefde ze niet noodzakelijkerwijs, bedacht ik nu, de politie of rechterlijke macht in te schakelen. Nee, er zou vermoedelijk geen proces komen tegen de boosdoener, geen veroordeling, geen enkele justitiële straf. De familie Stratton, en Marjorie bovenal, zou gewoon nog een geheim in de familiedoofpot stoppen, en er niet voor terugdeinzen het zonodig te gebruiken voor interne chantage.

'Toen jij op school zat,' vroeg ik aan Forsyth, 'heb je toen ook meegedaan aan de militaire training?'

Hij staarde me aan. 'Nee, natuurlijk niet.'

'Waarom "natuurlijk"?'

'Alleen gekken willen rondmarcheren in een uniform en zich nog laten uitfoeteren ook,' zei hij ongeduldig.

'Veldmaarschalken beginnen ook zo.'

'Op macht beluste idioten,' sneerde hij.

Ik had genoeg van die jongen. Het leek niet waarschijnlijk dat hij ooit zelf met *det cord* of andere explosieven in de weer was geweest: jongens die op school aan de militaire training hadden meegedaan zouden dat eventueel nog gedaan kunnen hebben. Forsyth leek zelfs niet eens te begrijpen waar ik met mijn vraag heen wilde.

Christopher, Toby en Edward kwamen met zijn drieën het kantoortje binnen, dicht bij elkaar als om kracht te ontlenen aan het collectief. Ze keken alle drie bezorgd.

'Wat is er aan de hand?' vroeg ik.

'Niks, papa.' Christopher ontspande enigszins, zijn blik op Forsyth gericht. 'De kolonel heeft ons gevraagd of we je wilden halen om te zeggen waar de kranen moeten komen.'

'*Zie* je wel?' vroeg Forsyth verbitterd.

Nog steeds gebruik makend van het looprek liep ik langs Forsyth heen naar buiten, met mijn jongens. Ik hoorde Forsyth achter me aan komen, maar verwachtte van zijn kant geen problemen meer, een verwachting die gelukkig uitkwam, want voor mij doemden al problemen genoeg op: een hele bubs Strattons kwam tot mijn ergernis net de grote tent uit, zo te zien vast van plan mij halverwege te onderscheppen. Mijn drie zoons bleven staan, te jong en te onervaren voor dit soort aanvaringen.

Ik ging één stap voor hen staan. De Strattons vormden een halve cirkel om mij heen: Conrad links, dan een vrouw die ik niet kende, dan Dart, Ivan, Jack met een geschaafde en gezwollen kop, daarnaast Hannah en Keith. Keith, rechts van mij, stond net buiten mijn gezichtsveld, voor mij een onbevredigende stand van zaken. Ik deed een halve stap naar achteren zodat ik kon zien of hij onwelkome bewegingen maakte, een stap die de Strattons echter leken uit te leggen als terugkrabbelen. Ze zetten allemaal een stap naar voren en kwamen iets dichter om me heen staan, met Keith opnieuw buiten mijn gezichtsveld, tenzij ik mijn hoofd zijn kant op draaide.

Christopher, Toby en Edward aarzelden en weken achter me uiteen. Ik kon hun angst en ontzetting bijna voelen. Schuchter liepen ze om mij, en toen om de Strattons heen, waarna ze zich omdraaiden en wegrenden, de grote tribunetent in. Ik kon ze geen ongelijk geven: ik was zelf ook het liefste weggerend.

'Geen Marjorie?' vroeg ik spottend aan Dart. Waar, had ik evengoed kunnen vragen, was mijn lijfwacht als ik haar nodig had?

'We zijn naar de kerk geweest,' zei Dart onverwacht. 'Marjorie, vader, moeder en ik. Paaszondag, hè?' Hij grijnsde onverschillig. 'Marjorie heeft ons daarna op een lunch onthaald. Ze wilde niet met ons mee hiernaar toe. Waarom heeft ze niet gezegd.'

Niemand nam de moeite ons aan elkaar voor te stellen, maar ik veronderstelde dat de vrouw tussen Conrad en Dart de moeder van Dart was, Lady Stratton, Victoria. Ze was mager, koel, keurig en zag eruit of ze liever elders was geweest, maakte niet uit waar. Ze nam me op met de onverholen minachting van de ware Stratton, en ik vroeg me vluchtig af of Dolly, de vrouw van Ivan, en Imogen, het vierde slachtoffer van Keith, even naadloos in de familie pasten.

Forsyth kwam links naast me staan, bij Conrad, die niet de geringste aandacht aan hem besteedde.

Verderop verscheen Roger even in de ingang van de grote tent. Hij zag de Stratton-formatie en ging weer naar binnen.

Ik keek de halve cirkel van afkeurende gezichten en harde ogen langs en besloot dat de aanval de beste verdediging was.

'Wie van jullie,' vroeg ik botweg, 'heeft de tribunes opgeblazen?'

'Doe niet zo belachelijk,' zei Conrad.

Tegen Conrad praten betekende dat ik Keith te veel rug moest laten zien, maar ik mocht dan een kriebel in de nek voelen van achterdocht, ik deed het toch, want het was Conrad, leek mij, die Keith misschien nog van onbezonnen acties kon afhouden.

'Eén van jullie heeft het gedaan,' zei ik tegen hem, 'of anders geregeld. Die aanslag was het werk van een Stratton, geen terreur van buiten. Het was een sigaar uit eigen doos, zou je kunnen zeggen.'

'Onzin.'

'De werkelijke reden dat jullie van me af willen is angst dat ik erachter zal komen wie het gedaan heeft. Jullie zijn bang omdat ik gezien heb hoe de explosieve ladingen eruitzagen voor ze tot ontploffing werden gebracht.'

'Nee!' De kracht waarmee Conrad het ontkende was een bekentenis, niet meer en niet minder.

'En angst dat als ik ontdek wie het gedaan heeft, ik om zwijggeld ga vragen.'

Geen van hen sprak een woord.

'Wat jullie je eigenlijk niet meer kunnen veroorloven,' ging ik voort, 'na de avonturen van Forsyth.'

Ze keken woedend naar Forsyth.

'Ik heb het hem niet verteld,' smeekte hij wanhopig. 'Ik heb hem *niets* verteld. Hij heeft het geraden.' En in een opwelling van gezondere razernij voegde hij eraan toe: 'Hij heeft het geraden omdat jullie altijd zo *kloterig* tegen me doen, dus dat is net goed.'

'Houd je kop, Forsyth,' zei Hannah vals.

'Wat vindt u van de nieuwe tribune?' vroeg ik aan Conrad.

Een halve seconde keek Conrad instinctief oprecht vergenoegd, maar Keith tetterde in mijn rechteroor: 'Hij zal ons er niet van weerhouden de grond te verkopen.'

Conrad wierp hem een blik van afkeer toe en hield hem voor dat zonder die tenten de toeschouwers massaal zouden wegblijven, dat het hele bedrijf op de fles zou gaan en dat ze zouden blijven zitten met torenhoge schulden die een flink gat zouden slaan in de som die ze misschien voor de grond konden krijgen.

Keith schuimbekte. Dart glimlachte stiekem. Ivan meende: 'De tenten zijn van *essentieel* belang. We boffen dat we ze hebben.'

Allen knikten instemmend, behalve Keith. Keith gromde in zijn keel, veel te dicht bij mijn schouder. Ik voelde wat hij van plan was.

'Laat uw broer me niet aanraken,' zei ik fel tegen Conrad.

'Wat?'

'Als hij,' zei ik, 'of iemand anders van jullie me ook maar met een vinger durft aan te raken, gaat die grote tent tegen de vlakte.'

Conrad staarde me aan.

Ik leunde op het looprek. 'Uw broer weet dat hij me nog aankan,' zei ik. 'Ik zeg u dat als hij of Hannah of Jack het idee heeft dat ze kunnen doorgaan met waar ze gisteren van weerhouden zijn, dat jullie hier morgen een leeg terrein zullen aantreffen.' Ik knikte naar het canvas.

'Doe niet zo stom,' sneerde Hannah.

'Dat kun jij niet,' zei Conrad. 'Daar heb jij geen zeggenschap over.'

'Wedden van wel?'

Henry kwam net de tent uit, samen met al mijn jongens. Voor de ingang bleven ze staan kijken en de ontwikkelingen afwachten. Conrad volgde mijn blik en keek me toen bedachtzaam aan.

'Henry,' vertelde ik hem, 'die beer van een vent, heeft deze tent hierheen gebracht om jullie uit de brand te helpen omdat *ik* hem dat gevraagd heb. Hij is een vriend van me.'

'De kolonel heeft die tent gevonden,' wierp Conrad tegen.

'En ik heb hem verteld waar hij zoeken moest. Als ik nog één dreigement ontvang, laat staan nog één verwonding oploop door jullie toedoen, pakt Henry alles weer in.'

Conrad was niet gek: hij wist dat wat ik zei de waarheid was. Bovendien was hij realistisch genoeg om zich te laten overtuigen door een dreigement waarvan hij wist dat het kon worden uitgevoerd. Hij draaide zich om, doorbrak de angstaanjagende halve cirkel en nam zijn vrouw en Dart mee. Dart keek over zijn schouder en ontblootte zijn tanden naar mij. Boven op zijn hoofd zag ik roze door het dunnende dons heen schemeren, iets wat hij vast niet zou willen weten.

Ik draaide me om naar Keith, die daar nog steeds stond met opgetrokken schouders, het hoofd naar voren, de kaak in de spits: een toonbeeld van instabiele agressie.

Ik had niets te zeggen. Ik stond daar alleen maar, ik daagde hem niet uit, ik probeerde alleen maar duidelijk te maken dat ik helemaal niets verwachtte: geen vechtpartij, geen aftocht, geen afgang voor hem of voor mij.

Forsyth, die nu achter me stond, zei gemeen: 'Kom op, Keith, geef hem ervan langs. Waar wacht je op? Trap hem tegen de grond, het kan nu.'

Zijn hatelijke oproep had het tegenovergestelde effect: Keith zei, bijna automatisch: 'Houd je stomme kop, Forsyth', en beefde net zo van frustratie als van razernij. Het gevaar loste op in een meer algemeen gevoel van haat jegens alles en iedereen.

Op dat moment dook mijn zoon Alan aan mijn zijde op. Hij pakte het looprek vast en keek scherpzinnig naar Keith. Even later kwam ook Neil erbij staan, aan mijn andere zijde. En ook hij keek naar Keith, met grote ogen, bijna perplex. Keith mocht dan jarenlang iedereen in zijn omgeving geïntimideerd hebben, hij leek zelf enigszins geïntimideerd nu hij een paar kinderen tegenover zich vond.

'Kom op, papa,' zei Alan, trekkend aan mijn looprek, 'Henry moet je hebben.'

'Goed,' zei ik ferm, en ik begon door te lopen. Hannah en Jack stonden recht voor me. Onzeker weken ze uiteen en lieten me door: aan kwade wil ontbrak het hun niet, maar ik zag niet meer die onbeheerste, ziedende woede van de vorige ochtend.

De andere drie jongens kwamen er nu ook aan en liepen met me mee terug, zodat ik eindelijk bij Henry aankwam als omringd door een jonge, menselijke haag.

'Dus je hebt ze eindelijk van je afgeschud,' zei hij.

'Jouw postuur gaf de doorslag.'

Hij lachte.

'En ik heb ze meteen verteld dat jij de tent weer zou inpakken als ze hun poten verder niet thuishielden, en dat kunnen ze zich niet veroorloven.'

'Lekkere jongen ben jij, of niet?' vroeg hij.

155

'Hun spelletjes staan me niet aan.'

Hij knikte. 'De kolonel heeft me er iets over verteld. Waarom doe je eigenlijk al die moeite voor ze?'

'Koppigheid.'

Christopher keek me ongelukkig aan. 'We hebben je in de steek gelaten, papa.'

'We gingen hulp halen,' verzekerde Edward mij, en hij geloofde het zelf.

Toby fluisterde, net zo goed naar zichzelf als naar mij: 'We waren bang. We zijn gewoon... weggerend.'

'Jullie gingen het kantoortje in om mij op te halen,' zei ik, 'en dat was dapper.'

'Maar daarna...' zei Toby.

'In de echte wereld,' zei ik op milde toon, 'is niemand dag in dag uit altijd een held. Dat verwacht ook niemand. Dat kan gewoon niet.'

'Maar papa...'

'Ik was blij dat jullie de kolonel gingen halen, dus vergeet het nou maar.'

Christopher en Edward waren zo verstandig mij te geloven, maar Toby bleef twijfelen. Er gebeurden te veel dingen, deze paasvakantie, die hij nooit zou vergeten.

Roger en Oliver Wells kwamen gezellig babbelend de grote tent uit lopen. De vuurbal van Olivers drift was die ochtend geblust door een rondleiding langs de verschillende faciliteiten die gestalte begonnen te krijgen. Wie maakte zich nog druk om Harold Quest, zei hij uiteindelijk. Henry leverde fantastisch werk: alles zou goed komen. Hij en Roger hadden tot in de details gepland hoe ze het best de renprogramma's konden uitdelen, en de toegangsspeldjes voor de Clubklanten. Op aandringen van Oliver was een apart podiumpje in elkaar geschroefd voor de stewards, vlak achter de finishpaal aan de binnenkant van de renbaan. Nu ze hun arendsnest boven op de tribune niet meer hadden, zei hij, was het beslist noodzakelijk dat ze een ander plekje kregen waar ze ongehinderd elke wedren konden volgen. Roger had een schilder opgeduikeld die zijn televisie wel een middagje alleen wilde laten om een reeks borden te schilderen: ALLEEN VOOR STEWARDS, CLUBRUIMTE, EETZAAL–PRIVÉ, KLEEDKAMER VROUWELIJKE JOCKEYS en LEDEN-BAR.

Roger en Oliver liepen naar de jeep van Roger, startten de motor en vertrokken met een niet nader genoemde bestemming. Ze hadden echter nog maar nauwelijks twintig meter gereden of ze stopten, keerden en kwamen weer terug. Naast mij en de jongens bleven ze staan.

Roger stak zijn hoofd naar buiten, gevolgd door een hand waarin hij mijn draagbare telefoon hield.

'Deze ging,' zei hij. 'Ik heb opgenomen. Ene Carteret wil je spreken. Ben je thuis?'

'Carteret! Fantastisch!'

Roger overhandigde me het toestel en reed met een wijde boog weer weg.

'Carteret?' zei ik in de hoorn. 'Ben jij dat? Zit je in Rusland?'

'Nee, verdomme,' zei een vertrouwde stem in mijn oor. 'Ik zit hier in Londen. Volgens mijn vrouw was het dringend. Na jaren zonder bericht, zelfs geen kerstkaart, is ineens alles dringend! Wat is er aan de hand?'

'Eh... wat er aan de hand is is dat ik wel wat hulp kan gebruiken van je geheugen.'

'Waar heb je het over?' Hij klonk gehaast en stond zo te horen niet te juichen.

'Herinner je je Bedford Square nog?'

'Hoe zou ik dat moeten vergeten?'

'Ik ben met een vreemde situatie in aanraking gekomen, en ik vroeg me af... herinner jij je misschien toevallig een student genaamd Wilson Yarrow?'

'Wie?'

'Wilson Yarrow.'

Na een stilte zei Carteret onzeker: 'Zat die niet een jaar of drie boven ons?'

'Precies.'

'Er klopte iets niet met die vent.'

'Nee. Weet je nog wat, precies?'

'Jezus, daar is het veel te lang voor geleden.'

Ik zuchtte. Ik had gehoopt dat Carteret, die meer dan eens bewezen had over een prima geheugen te beschikken, de antwoorden zo uit zijn mouw zou schudden.

'Is dat alles?' vroeg Carteret. 'Luister, het spijt me, oude vriend, maar het is hier een gekkenhuis.'

Zonder veel hoop vroeg ik: 'Heb je al die dagboeken nog die je tijdens je studie hebt bijgehouden?'

'Ik denk het, ja, die zullen nog wel ergens liggen.'

'Zou je die nog eens willen inkijken om te zien of je ook iets over Wilson Yarrow hebt opgeschreven?'

'Lee, heb je *enig* idee wat je van me vraagt?'

'Ik heb hem weer gezien,' zei ik, 'gisteren. Ik *weet* dat er iets met hem is wat ik me zou moeten herinneren. Echt, het zou belangrijk kunnen zijn. Ik moet weten of ik... misschien... een aantal mensen die ik ken moet *waarschuwen*.'

Een paar momenten van stilte eindigden met: 'Ik ben vanmorgen teruggekomen uit St.-Petersburg. Ik heb het nummer dat je mijn vrouw gegeven had verscheidene keren zonder succes gedraaid. Ik had het bijna opgegeven. Morgen ga ik met vrouw en kinderen voor zes dagen naar Euro Disney. Daarna wil ik die dagboeken wel bekijken. Maar als je meer haast hebt, bedenk ik mij, zou je hier vanavond ook langs kunnen komen om ze zelf even snel door te kijken. Is dat iets? Je *zit* toch in Londen, neem ik aan?'

'Nee. Bij Swindon, om precies te zijn.'

'Jammer dan.'

Ik dacht kort na en vroeg: 'Maar als ik nu eens de trein naar Paddington nam? Ben jij thuis?'

'Zeker. De hele avond. Uitpakken en weer inpakken. Kom je? Het lijkt me leuk je weer eens te zien, na al die tijd.' Hij klonk warmer, alsof hij het opeens meende.

'Ja. Prachtig. Lijkt mij ook leuk.'

'Goed dan.' Hij legde uit hoe ik met de bus van Paddington Station naar zijn huis kon komen en hing op. Henry en de kinderen staarden me ongelovig aan.

'Hoor ik dat goed?' vroeg Henry. 'Jij moet je met minstens één hand aan een looprek vastklampen en nu wil je met de andere een trein naar Londen halen?'

'Misschien,' opperde ik, 'kan Roger me een stok lenen.'

'En wij dan, papa?' vroeg Toby.

Ik keek Henry aan, die gelaten knikte. 'Ik zal wel zorgen dat ze zich geen moeilijkheden op de hals halen.'

'Ik ben terug vóór hun bedtijd, met een beetje geluk.'

Ik belde het station van Swindon en vroeg hoe laat de treinen gingen. Als ik heel hard rende scheen ik over vijf minuten nog een trein te kunnen halen. Anders... ja het was mogelijk naar Londen te gaan en vóór bedtijd weer in Swindon te zijn, zelfs met de zondagsdienst die ze vandaag draaiden. Net. Met geluk.

Roger kwam net weer aanrijden en bood me geen één maar twee wandelstokken aan, plus, na enig aandringen van mijn kant, een kopie van Yarrows bouwtekeningen ('Ze zetten me tegen de *muur*'), plus een lift naar het station, hoewel hij voor we vertrokken zei dat hij betwijfelde of ik wel goed snik was.

'Wil je weten of Wilson Yarrow te vertrouwen is?' vroeg ik.

'Ik zou blij wezen als ik zeker wist van niet.'

'Nou dan.'

'Ja, maar...'

'Ik ben aan de beterende hand,' deelde ik mee.

'Goed, dan zeg ik niks meer.'

Ik kocht een kaartje met mijn creditcard, wankelde de trein in, nam een taxi vanaf Paddington en arriveerde probleemloos bij Carteret, die vlak bij Shepherd's Bush woonde. (Rijtjeshuis met erkers voor deftige maar ietwat verarmde Edwardians.)

Hij deed zelf open en we namen elkaar op. De jaren dat we geen contact hadden gehad gleden weg. Hij was nog steeds klein, rond, bebrild en zwartharig, een eigenaardige genetische mix van Kelt en Thai, al was hij geboren en getogen in Engeland. We hadden toen we elkaar nog maar net kenden in het eerste studiejaar tijdelijk een kamer gedeeld, en gedurende de hele studie hadden we elkaar waar nodig geholpen.

'Je bent niks veranderd,' zei ik.

'Jij ook niet.' Hij mat mijn lengte en keek naar mijn krullen en bruine ogen. Zijn opgetrokken wenkbrauwen golden niet mijn werkplunje, maar de stokken waar ik op leunde.

'Niks ernstigs,' zei ik. 'Ik zal het je wel uitleggen.'

'Hoe is het met Amanda?' vroeg hij, terwijl hij me binnenliet. 'Zijn jullie nog getrouwd?'

'Ja zeker.'

'Ik had nooit gedacht dat het stand zou houden,' zei hij eerlijk. 'En hoe is het met de jongens? Drie waren het er toch?'

'We hebben er nu zes.'

'Zes! Jij hebt nooit van half werk gehouden.'

Ik ontmoette zijn vrouw, die druk bezig was, en zijn twee kinderen, die een en al opwinding waren omdat ze naar Mickey Mouse gingen. In zijn rommelige woonkamer, waar duidelijk in geleefd werd, lichtte ik hem in over het heden en de mogelijke toekomst van Stratton Park. Ik had een hoop uit te leggen.

We dronken bier. Hij zei dat hem niks anders te binnen was geschoten over Wilson Yarrow, behalve dat hij een van de elite was geweest, een van die geweldenaren die getipt waren voor onsterfelijkheid.

'En toen... wat gebeurde er?' vroeg hij. 'Er waren geruchten, iets wat in de doofpot werd gestopt, maar wij hadden er verder niks mee te maken, persoonlijk niet, en we werkten zelf altijd zo hard. Ik herinner me alleen zijn naam nog. Als hij Tom Johnson had geheten of zoiets, was ik die ook vergeten.'

Ik knikte. Ik had hetzelfde gedacht. Ik vroeg of ik zijn dagboeken mocht inzien.

'Ik heb ze voor je gevonden,' zei hij. 'Ze zaten in een doos op zolder. Denk je werkelijk dat ik ook maar iets over Wilson Yarrow zou hebben geschreven?'

'Ik hoop van wel. Je schreef over een heleboel dingen.'

Hij glimlachte. 'Eigenlijk was het gewoon tijdverspilling. Ik dacht altijd dat mijn leven voorbij zou glijden en dat ik het allemaal zou vergeten als ik het niet opschreef.'

'Daar had je waarschijnlijk gelijk in.'

Hij schudde zijn hoofd. 'Je herinnert je de belangrijke dingen toch wel, de mooie dingen en alle verschrikkelijke dingen. En de rest doet er niet toe.'

'Mijn dagboeken werken anders wel zo,' zei ik. 'Ik kijk de ouwe in en dan herinner ik me weer wat ik wanneer deed.'

'Ben je doorgegaan met het restaureren van bouwvallen?'

'Ja.'

'Dat zou ik niet kunnen.'

'Ik zou niet op een bureau kunnen werken. Ik heb het geprobeerd.'

We glimlachten quasi-zielig naar elkaar, oude, onwaarschijnlijke vrienden, verschillend in alle opzichten, behalve wat onze kennis aanging.

'Ik heb een envelop meegenomen,' zei ik. De hele reis had ik het grote bruine ding ietwat onhandig tegen me aan gedrukt gehouden: ik had mijn handen nodig voor de wandelstokken. 'Als ik nu die dagboeken doorsnuffel, kun jij kijken hoe Wilson Yarrow denkt dat je tribunes moet bouwen. Ik ben benieuwd wat je ervan vindt.'

'Goed.'

Een aardig plan, maar onuitvoerbaar. Met ontsteltenis keek ik toe terwijl hij de dagboeken te voorschijn haalde en ze op een stapel op de salontafel legde. Er waren misschien wel twintig grote en extra brede spiraalschriften, letterlijk duizenden pagina's gevuld met zijn nette, maar petieterige handschrift; daar zat dagen werk in, en beslist geen half uur.

'Ik had me niet gerealiseerd,' zei ik slapjes, 'ik wist niet...'

'Ik zei toch dat je niet wist wat je van me verlangde.'

'Zou je... ik bedoel, zou je ze *alsjeblieft* aan me willen uitlenen?'

'Om mee te nemen, bedoel je?'

'Je krijgt ze weer terug.'

'Zweer je het?' vroeg hij twijfelend.

'Op mijn diploma.'

Zijn gezicht klaarde op. 'Vooruit dan.' Hij opende de bruine envelop en bekeek de inhoud. Toen hij de axonometrische tekening onder ogen kreeg trok hij zijn wenkbrauwen op. 'Dat is opschepperij!' zei hij.

'Ja. Nergens voor nodig.'

Carteret bestudeerde de opstandtekeningen en de plattegronden. Hij maakte geen aanmerkingen op de hoeveelheid glas: moeilijk bouwen met glas werd je bij de Architectural Association met de paplepel ingegoten. Ons was geleerd glas als avant-garde te beschouwen, als het terugdringen van design-grenzen. Toen ik een keer mompelde dat bouwen met glas ouwe koek was omdat Joseph Paxton al in 1851 Crystal Palace in elkaar had geflanst, werd ik uitgemaakt voor beeldenstormer en scheelde het niet veel of ik was meedogenloos van school getrapt wegens afvalligheid. Hoe dan ook, glas was voor Carteret acceptabel in futuristische stijlen die ik knap vond om het knap zijn, maar verder sierlijk noch functioneel. Met glas werken omdat je dat nu eenmaal was ingeprent kwam mij zinloos voor: afgezien van glas als bron van daglicht, ging het verder toch vooral om wat je erdoor zien kon, niet om het glas zelf.

'Waar is de rest?' vroeg Carteret.

'Dit is alles wat Yarrow de Strattons heeft laten zien.'

'Hoe denkt hij al die mensen vijf verdiepingen omhoog te krijgen?'

Ik glimlachte. 'Met de trap vermoed ik, zoals in de oude tribune die de lucht is in gevlogen...'

'Geen liften. Geen roltrappen.' Hij keek op. 'Geen cliënt zou zoiets slikken, anno nu.'

'Het lijkt erop,' zei ik, 'of Conrad Stratton zichzelf en de renbaan verplicht heeft te nemen wat Yarrow produceert.'

'Je bedoelt dat hij een contract heeft getekend?'

'Ik weet het niet. Als dat zo is, is dat niet bindend, omdat hij er de bevoegdheid niet toe had.'

Hij fronste zijn wenkbrauwen. 'Maar een puinhoop is het wel.'

'Niet als Wilson Yarrow zichzelf op de een of andere manier mocht diskwalificeren.'

'Letterlijk? Je bedoelt dat hij geroyeerd zou kunnen worden?'

'Nou ja, ik weet het niet, maar misschien is het geen zuivere koffie met hem.'

'Nou, dan wens ik je veel geluk met de dagboeken. Ik herinner me niks in die richting.'

'Maar... er was wel iets?'

'Ja.'

Ik keek op mijn horloge. 'Heb je een nummer dat ik kan bellen voor een taxi?'

'Zeker wel. In de keuken. Ik zal wel even voor je bellen.' Hij liep de kamer uit en kwam even later terug met een grote tas, op de voet gevolgd door zijn vrouw, die in de deuropening bleef staan.

'Neem hier de dagboeken maar in mee,' zei hij. Hij begon ze zelf al in de tas over te doen. 'En mijn vrouw zegt dat ik je naar Paddington moet brengen. Ze zegt dat je pijn hebt.'

Onthutst keek ik zijn vrouw aan en wreef met een hand over mijn gezicht. Ik wist niet hoe ik reageren moest.

'Ze is verpleegkundige,' zei Carteret. 'Ze dacht dat je jicht had tot ik over dat dak vertelde. Ze zegt dat je jezelf dwingt in beweging te blijven maar dat je eigenlijk zou moeten rusten.'

'Geen tijd.'

Hij knikte vrolijk. 'Ik mag dan een brandende koorts hebben maar ik kan voor dinsdag geen griepje inpassen, zoiets?'

'Zoiets, ja.'

'Nou, goed, maar ik breng je naar Paddington.'

'Daar ben ik jullie dankbaar voor.'

Hij knikte, tevreden dat ik het meende.

'Hoe dan ook,' zei ik, 'ik dacht dat de huidige medische theorie luidde: opstaan en doorlopen.'

Zijn vrouw glimlachte lief naar me en ging verder met waar ze mee bezig was. Carteret zelf droeg de tas vol dagboeken naar zijn auto. Bij Paddington aangekomen reed hij achterom, naar de taxistandplaatsen, om zo dicht mogelijk bij het perron te kunnen parkeren.

'Stratton Park gaat adverteren, ze willen voorstellen voor nieuwe tribunes hebben,' meldde ik onderweg. 'Als jij op je werk eens voorstelde ook mee te dingen?'

'Ik heb geen verstand van tribunes.'

'Ik wel,' zei ik. 'Ik zou je kunnen vertellen wat er allemaal moet komen.'

'Waarom doe je het zelf niet?'

Ik schudde mijn hoofd. 'Ik doe hele andere dingen.'

'Ik zal kijken wat ze ervan vinden,' zegde hij toe.

'Zeg maar dat ze moeten schrijven dat ze geïnteresseerd zijn en informeren naar hoeveel mensen die tribune moet kunnen herbergen. Je kunt moeilijk een tribune ontwerpen als je geen idee hebt hoeveel mensen erop moeten kunnen. Yarrow moet dat ook van iemand gehoord hebben, omdat hij dat wel zo ongeveer goed had.'

'Ik vrees dat wij weinig meer kunnen dan een poging wagen,' zei Carteret. 'Er zitten in Groot-Brittannië momenteel vijftienduizend architecten zonder werk. Mensen denken dat ze geen architect *nodig* hebben. Ze hebben geen zin het honorarium te betalen, en vervolgens gaan ze klagen als ze een muur omverlopen en de slaapkamers de kelder in donderen.'

'Het leven is hard,' zei ik droog.

'Nog altijd even cynisch, hoor ik.'

Hij droeg de dagboeken naar de trein en legde ze op een bank. Ik ging naast de tas zitten. 'Ik bel je als ik terug ben uit Disneyland,' zei hij. 'Waar ben je volgende week?'

Ik gaf hem mijn nummer thuis. 'Misschien dat Amanda opneemt, maar dan kan ze de boodschap aannemen.'

'We moeten er niet weer tien jaar overheen laten gaan,' vond hij. 'Oké?'

Al schommelend naar Swindon verdiepte ik me in de dagboeken en kwam bijna om in nostalgie. Wat waren we jong geweest! Zo kinderlijk nog, zo vol vertrouwen! Zo ernstig, en zeker van onze zaak.

Er werd flink zout in mijn wonde gestrooid.

Carteret had dit geschreven:

'Lee en Amanda zijn vandaag in de kerk getrouwd, met de hele rimram erop en eraan, zoals zij wilde. Ze zijn allebei negentien. Volgens mij is hij niet goed wijs maar ik moet toegeven dat ze heel tevreden met zichzelf leken. Zij is snoezig. Laat Lee maar schuiven. Haar vader, een te gekke vent, betaalde voor alles. Haar zusje Shelly was bruidsmeisje, een beetje puisterig. Lee zijn moeder was er ook. Madeline. Wat een stuk. Ik viel ongelooflijk op haar. Ze vindt me te jong. Na afloop gingen we naar het huis van Amanda, voor champagne en taart etc. Zo'n veertig mensen. Amanda's neven en nichten, vriendinnetjes, ouwe ooms, en zo verder. Ik moest met het bruidsmeisje toosten. Wie zou ook weer getuige zijn? Lee zegt dat ze van de wind gaan leven. In elk geval lopen ze al met hun hoofd in de wolken. Ze vertrokken voor drie dagen naar Parijs om te oefenen in het meneer en mevrouw zijn. Cadeautje van de ouders van Amanda.'

Mijn God, dacht ik, ik herinnerde me die trouwdag tot in de kleinste details. Ik was ervan overtuigd geweest dat we voorgoed gelukkig zouden zijn. Trieste, trieste illusie.

Op de volgende bladzij had Carteret geschreven:

'Gisteravond feest van Lee en Amanda. De meesten van ons jaar waren er. Een knalfuif. Wel even wat anders dan die bruiloft vorige week!! Ze lijken nog steeds verrukt. Bier en pizza deze keer. Lee betaalde. Ik ging om zes uur naar bed en versliep me voor het college van Hammond. Ik mis Lee hier thuis. Had ik niet bij stilgestaan. Kan maar beter naar vervanging uitkijken ook, want ik kan de huur alleen niet opbrengen, hoe vervelend het ook is.'

Ik keek naar de lichtjes die voorbijflitsten in het donkere landschap en vroeg me af wat Amanda op dat moment deed. Zat ze rustig thuis met Jamie? Of zou ze zich in een nieuw avontuur gestort hebben? Mijn overpeinzingen gingen als vanzelf die kant op. Had ze een nieuwe man ontmoet op het feestje van haar zuster? Was ze wel naar dat feestje *geweest*? Waarom wilde ze dat ik nog twee dagen wegbleef met de jongens?

Ik vroeg me af hoe ik zou reageren als ze eindelijk, na al die jaren, serieus verliefd was geworden op iemand anders.

Hoe broos ons huwelijk ook was, ik wilde niets liever dan dat het standhield. Misschien omdat ik zelf niet overspoeld was door een onweerstaanbare hartstocht voor een ander, zag ik nog steeds alleen maar de voordelen van het bij elkaar blijven, hoe onbevredigend onze relatie ook zijn mocht; de belangrijkste reden was misschien nog wel: stabiliteit voor zes levens in de knop. Mijn hele wezen deinsde terug voor de gedachte van een scheiding met alles wat daarbij hoorde: niet alleen de verdeling van onze bezittingen, maar vooral het verlies van de jongens, en onzekerheid, ongelukkigheid, eenzaamheid, verbittering. Dat soort pijn zou me verlammen als geen fysieke pijn bij machte was.

Laat Amanda een minnaar hebben, dacht ik: laat haar opfleuren, laat haar reisjes maken, zelfs een kind dragen dat niet van mij is; maar lieve Heer, laat haar blijven.

Ik zou het wel horen, dacht ik, als we donderdag naar huis gingen. Dan zou ik het zien. Dan zou ik het weten. Voor mij hoefde het geen donderdag te worden.

Het kostte me enige inspanning me de rest van de reis met de dagboeken van Carteret bezig te houden. Wat Wilson Yarrow aanging: die had net zo goed naar een andere school kunnen gaan. Ik vond niets over hem.

Het was na tienen toen ik de taxi via de achteringang de renbaan op liet rijden, om me bij de bus af te zetten.

De jongens waren er allemaal, ze zaten slaperig naar een video te kijken, Neil was zelfs al ingedut. Christopher ging opgelucht naar buiten om, zoals hij beloofd had, de Gardners te vertellen dat ik veilig en wel weer terug was. Zelf ging ik liggen, dankbaar, met het intense gevoel dat *dit* thuis was, deze bus, deze kinderen. Nooit spijt krijgen van die onwijze trouwpartij, want dit was ervan gekomen. En dit bij elkaar houden was het enige dat van belang was.

Een vredige slaap overmande ons allen, maar die nacht sloeg het vuur toe.

II

Samen met de jongens inspecteerde ik de rokende resten van de hindernis bij de open greppel. Zwart, verschroeid tot hoopjes as en stompjes, strekte hij zich in de breedte over de baan uit, gezond geurend naar brandend tuinafval: tien meter lang, één meter breed.

Roger was er ook. Hij leek zich niet druk te maken. Drie mensen van zijn personeel hadden de vlammen al gedoofd. Nu zaten ze te wachten met schoppen en een wagen tot de sintels voldoende waren afgekoeld om de boel op te ruimen.

'Harold Quest?' vroeg ik aan Roger.

Hij trok gelaten zijn schouders op. 'Wel zijn pakkie an, lijkt mij, maar hij heeft geen handtekening achtergelaten. Ik zou toch op zijn minst een spandoek hebben verwacht met: STOP DE WREEDHEID.'

'Ga je deze hindernis nou schrappen?'

'Niks hoor. Als we die troep hier hebben opgeruimd bouwen we hem gewoon weer op. Geen probleem. Het is alleen vervelend, maar zeker niet rampzalig.'

'Niemand heeft gezien wie hem in brand heeft gestoken?'

'Ik ben bang van niet. De nachtwaker zag de vlammen vanaf de tribunes toen het net licht begon te worden. Hij belde me wakker en toen ben ik hier meteen naar toe gereden, maar er was niemand. Het zou mooi geweest zijn als ik iemand met een leeg blik benzine had betrapt, maar vergeet het maar. Het is grondig gedaan, zoals je ziet. Niet met een peuk. De hindernis moet meteen over de volle breedte in brand hebben gestaan en er staat weinig wind, dus er moet benzine gebruikt zijn.'

'Of aanmaakblokjes,' zei Christopher.

Roger keek geïnteresseerd. 'Ja. Daar had ik niet aan gedacht.'

'Papa wil niet hebben dat we fikkie stoken met benzine,' legde mijn zoon uit. 'Hij zegt dat we dan makkelijk zelf in brand kunnen vliegen.'

'Aanmaakblokjes,' zei Roger bedachtzaam.

Alle jongens knikten.

'Een hele hoop takjes,' zei Neil.

'Berkehout,' vulde Edward aan.

Toby huiverde. 'Ik vind er niks aan hier.'

Roger en ik bedachten opeens dat het hier was geweest dat Toby die man had gezien die de ogen uit het hoofd werden getrapt. 'Kom op jongens,' zei Roger kordaat, 'in de jeep', en terwijl ze met zijn allen naar binnen drongen voegde hij er tegen mij aan toe: 'Je bent hier helemaal heen *gelopen*!'

'Zo ver is het ook weer niet,' zei ik, 'en het gaat steeds makkelijker.' Ik had maar één stok meegenomen. Ik voelde me nog stijf en stram, maar beslist sterker.

'Goed,' zei Roger. 'Nou, stap maar in. Die Henry is geniaal!'

Hij reed ons over het inmiddels bekende weggetje langs de baan, parkeerde voor zijn kantoortje en straalde werkelijk bij de aanblik die het terrein naast de renbaan bood.

Het lekkere weer was gebleven, al was het ietsje koeler dan de voorgaande dagen. De lucht was een gewassen bleekblauw met een paar vegen bewolking die langzaam dunner werden en oplosten. De ochtendzon scheen onbekommerd op rijen heldere vlaggetjes die zacht fladderden aan de lijnen, die vanaf het dak van de grote tent naar de grond afhingen en met elkaar voor een overvloed aan kleur en fleur zorgden. De enorme tent leek wel onder een ereboog te staan. Dit was Engeland op zijn best: fris en vrolijk, licht en luchtig.

Ik haalde diep adem. 'Jonge jonge.'

'Daar heb je je vlaggen,' zei Roger. 'Henry zei dat hij ze allemaal had meegenomen. Toen zijn jongens die weelde aan vlaggen nog geen uur geleden ontvouwden, en die enorme witte tent opeens leek te gaan bloeien... nou, toen moest je wel een heel cynische mensenhater zijn wilde je geen brok in de keel krijgen.'

'Kolonel, u bent sentimenteel!'

'Hoor hem!'

'Ik ben een keiharde zakenman,' zei ik, slechts half naar waarheid. 'Die vlaggen doen mensen sneller naar de geldbuidel grijpen. Vraag me niet hoe dat psychologisch zit, het is gewoon zo.'

'Het perfecte antwoord om eventuele cynici mee om de oren te slaan. Vind je het erg als ik het ook gebruik?'

'Ga gerust je gang.'

De enorme vrachtwagens van Henry waren verdwenen. Zijn servicewagen, zei Roger, stond nu achter de grote tent, uit zicht. En Henry zelf liep ergens rond.

Twee Portakabins stonden nu, keurig rug aan rug, waar tot voor kort het wagenpark van Henry had gestaan. In één ervan werden zadels en manden binnengedragen vanuit busjes die eromheen stonden: dat werd de kleedkamer voor de mannelijke ruiters. Door de geopende deur van de andere zag je een officiële weegmachine, geleend van een attente renbaan in de Midlands.

Een rij busjes van cateringbedrijven stond opgesteld bij de kleinere tenten die langs de grote tent waren opgezet. Bezige handen droegen tafels en schragen en klapstoeltjes door de speciaal aangelegde doorgangen naar wat spoedig compleet uitgeruste bars en restaurants zouden zijn.

'Het werkt allemaal,' zei Roger vol bewondering. 'Het is echt ongelooflijk.'

'Het is geweldig.'

'En de stallen zijn natuurlijk gewoon oké. Er arriveren al paarden, net als anders. De kantine voor chauffeurs en stalknechten is open en er is warm eten. De pers is er. De veiligheidsmensen van de stallen zeggen dat iedereen voor de verandering nu eens in een echte feeststemming is. Het lijkt de Blitz wel. Als er maar een ramp gebeurt, dan komen wij Engelsen vanzelf in de stemming.'

We klommen uit de jeep en gingen de grote tent zelf binnen. Elk 'vertrek' had nu een eigen, Moors ogend plafond van geplisseerde, perzikkleurige 'zijde' boven witte wanden met een solide voorkomen, al waren het soms niet meer dan grote lappen wit canvas, strak gespannen tussen vier palen. Overal lag bruine vloerbedekking op de grond, of liever gezegd: vastgelijmd op houten pallets die naadloos tegen elkaar lagen. Het resultaat was stevig en het liep lekker. Overal brandden lampen, maar discreet. De ventilatoren hoog boven in de tent draaiden geruisloos hun rondjes en verversten de lucht. Bij de ingang van elk vertrek hing een bordje waarop stond wat er binnen te vinden was. Het zag er allemaal goed georganiseerd uit, ruim opgezet en rustgevend. Een wedergeboorte; fantastisch.

'Wat zijn we vergeten?' vroeg ik.

'Jij weet hoe je een mens moet geruststellen.'

'Mag ik je iets vragen?'

'Natuurlijk.'

'Weet je nog, een week of zo geleden, dat jij te horen kreeg hoe de aandelen precies onder de Strattons verdeeld zouden worden, wat ze je eerder niet wilden vertellen?'

Hij wierp me een snelle blik toe, een heel klein beetje uit het veld geslagen leek het wel.

'Ja,' zei hij langzaam. 'Dat is jou weer opgevallen.'

'Was het Forsyth die het jou vertelde?'

'Wat maakt het uit?'

'Was hij het?' vroeg ik.

'Als je het echt wil weten, ja. Hoe kom je daar zo bij?'

'Hij koestert een enorme wrok vanwege de manier waarop de anderen hem behandelen, wat hem in hun ogen weer onbetrouwbaar maakt. Hij weet dat hij het helemaal aan zichzelf te danken heeft. Zij denken dat ze hem onder de duim hebben, maar ze kunnen ook te hard drukken.'

'Zoals een kneedbom.'

'Precies. Al te knellende familiebanden.'

Roger knikte. 'Hij vertelde het in een opwelling van haat tegen zijn familie, en meteen daarna zei hij dat hij er maar naar raadde. Hij is niet een van de slimsten.'

'En heel ongelukkig.'

'Ik mag hem niet, ik vertrouw hem niet en, nee, ik weet echt niet wat hij heeft uitgevreten. Als de Strattons iets in de doofpot stoppen, krijg je het er niet zo één twee drie weer uit.'

We verlieten de grote tent. Vlak voor de ingang waren een auto en een busje geparkeerd. Op het groene busje stond in witte letters: STRATTON TUINCENTRUM. Uit de auto stapte Ivan.

Hij zette de handen in de heupen, legde het hoofd in de nek, en staarde totaal verrast naar de zonnige weelde aan vlaggetjes. Ik vergat het kleine jongetje in hem en wachtte op het eerste teken van afkeuring.

Hij keek Roger aan, een glimlach in de ogen.

'Kolonel,' zei hij, 'wat *leuk*.' Hij liet zijn blik eerst naar mijn wandelstok gaan en toen naar mijn gezicht. 'Zou je het erg vinden,' vroeg hij onhandig, 'als ik me bedacht?'

'In welk opzicht?'

'Volgens mij vergist Keith zich toch in jou,' zei hij. Hij draaide zich gegeneerd van me af en instrueerde zijn chauffeur om uit te stappen en de achterdeuren van het busje open te doen. 'Ik heb het er gisteravond over gehad met Dolly—dat is mijn vrouw,' vervolgde hij, 'en volgens ons klopte het niet. Als jij van plan was de familie te chanteren, waarom zou je ons dan helpen met die tent? En bovendien, weet je, ben jij geloof ik helemaal niet zo'n beroerde vent, en Hannah is haar hele leven al geobsedeerd door haar moeder—*jouw* moeder. Dus we besloten dat ik eigenlijk, nou ja, weet je wel, dat ik eigenlijk maar mijn *excuses* moest aanbieden, als de gelegenheid zich voordeed.'

'Dank u,' zei ik.

Zijn gezicht helderde op, hij had de boodschap overgebracht. Zijn mannen trokken de achterdeuren van het busje open en onthulden een opeengepakte orgie van kleuren, een waar leger aan bloeiende planten.

'Voortreffelijk!' zei Roger, oprecht verrukt.

'Zie je,' legde Ivan vergenoegd uit, 'toen ik deze grote feesttent gisteren zag, begreep ik waarom je me om planten had gevraagd, en vanmorgen ben ik zelf naar het centrum gegaan en heb tegen de manager gezegd dat hij niet alleen groene planten moest inladen, maar *bloemen*. Veel bloemen. Het was het minste wat ik doen kon, weet je wel.'

'Ze zijn schitterend,' verzekerde ik hem.

Hij glunderde, een zwaar gebouwde man van in de vijftig, niet slim, niet charismatisch, bijgeschaafd in zekere zin, maar in wezen ongecompliceerd. Hij had als vijand niet veel voorgesteld en zou als vriend ook wel niet veel voorstellen, maar elke geneutraliseerde Stratton kon wat mij betrof een zegen worden genoemd.

Onder de goedgeluimde leiding van Ivan droegen mijn kinderen enthousiast alle bloemen naar hun plaats. Ik vermoedde dat ze wel nergens te vinden zouden zijn als de bloemen weer ingeladen moesten worden, maar toen gaf Ivan hun elk een pond voor hun assistentie en was alles weer mogelijk.

'Dat *hoeft* niet, hoor,' hield Christopher hem ernstig voor, terwijl hij het muntstuk in zijn zak stopte, 'maar heel erg bedankt.'

'Forsyth,' liet Ivan me weemoedig weten, 'was ook zo'n leuk klein ventje.'

Ik zag Toby wankelen onder het gewicht van een enorme pot hyacinten. Ik zou er bijna alles voor over hebben, bedacht ik, om mijn eigen probleemzoon te laten opgroeien tot een evenwichtige persoonlijkheid, maar het moest uit hem zelf komen, van binnen uit. Hij zou zijn eigen keuzes maken, net als Forsyth had gedaan, net als iedereen deed.

Toen de planten op hun plaats stonden reden Ivan en zijn busje weer weg en vroeg Roger of ik zin had mee te gaan kijken bij de wederopbouw van de platgebrande hindernis. Ik keek naar Neil, die toevallig net mijn hand vasthield. Roger riep berustend: 'Jongens!' Het was weer exercitietijd. De jongens kwamen prompt aanrennen en klommen in de jeep.

Toby weigerde uit te stappen toen hij hoorde waar we heen gingen, maar even later stonden de anderen en ik zelf naar het nieuwste van het nieuwste op prefab-gebied te kijken.

'Vroeger kostte het dagen om een nieuwe hindernis in elkaar te zetten,' zei Roger. 'Toen zetten we nog palen in de grond als frame en vulden dat met bundel na bundel berketakjes, waarna we de ruige bovenkant in de gewenste vorm snoeiden. Nu bouwen we ergens anders die hindernissen in stukken op, brengen die stukken waar we ze hebben willen en poten ze daar in de grond. We kunnen nu heel snel een hele hindernis of een deel ervan vervangen. Die brand vandaag was vanochtend vroeg en er wordt pas over deze hindernis gesprongen om halfdrie. Fluitje van een cent!'

Zijn mensen, die de sintels al hadden opgeruimd, waren nu bezig het eerste nieuwe stuk hindernis op zijn plaats te zetten.

'Al onze hindernissen worden tegenwoordig zo gebouwd,' zei Roger. 'Ze zijn prima om overheen te springen, en niet zo hard en onbuigzaam als de oude hindernissen.'

'Hebben je mensen nog... nou ja, *aanwijzingen* zal ik maar zeggen, in de as gevonden?' vroeg ik.

Roger schudde zijn hoofd. 'We hebben altijd problemen met vandalisme. Het is hopeloos om je druk te maken over wie het gedaan heeft. Het zijn bijna altijd tieners, en de rechter geeft ze nauwelijks een tik op de vingers. We noteren gewoon een kleine post vandalisme in de boeken en proberen de ergernis en de overlast zoveel mogelijk te beperken.'

'Hoeveel mensen zouden weten dat je zo snel een hindernis weer op kunt bouwen?' vroeg ik.

'De trainers weten het in elk geval,' zei hij nadenkend. 'De jockeys, misschien. Maar niet veel anderen, of ze moeten hier werken.'

Roger liep even voor een praatje naar zijn voorman, die op zijn horloge keek, knikte en verder ging met waar hij mee bezig was.

'Goed,' zei Roger toen hij terugkwam en ons naar de jeep loodste. 'Jongens, jullie staan om halftwaalf bij mijn kantoor, oké? Dan rijd ik jullie en je vader naar de bus en ga ik zelf ook even naar huis, we kleden ons allemaal om voor de wedstrijden en om twaalf uur precies rijd ik jullie terug naar de paddock. Begrepen?'

Het scheelde niet veel of de jongens salueerden. Roger, met de klep van zijn tweed pet over de ogen getrokken als een garde-officier en met zijn afgebeten, maar tegelijk zeer beschaafde stem en zijn vastbesloten manier van optreden, met weinig omhaal van woorden, was helemaal de ouderwetse militair die gehoorzaamheid afdwong zonder daar moeite voor te hoeven doen. Ik zou nooit diezelfde autoriteit over mijn kinderen hebben die hem kwam aanwaaien.

We keerden terug naar het kantoortje van Roger. Voor zijn deur was het een drukte van belang: een ware processie van protestborden. Alle demonstranten van buiten waren binnengekomen en ze stonden allemaal om Henry heen, die de elleboog van Harold Quest in een ijzeren greep hield. De felle tante gebruikte een bord waarop RECHTEN VOOR DIEREN stond om Henry mee te bewerken. Vier of vijf anderen riepen scheldwoorden en beledigingen uit vertrokken monden, maar Henry schudde Harold Quest zonder respect of genade door elkaar.

Toen hij ons zag riep Henry, waarbij zijn stem net zo moeiteloos boven het kabaal uitsteeg als zijn postuur boven alle anderen: 'Deze vent belazert de kluit! Een pure oplichter. Allemaal. Veel geschreeuw...' – hij keek naar de muts op het hoofd van Quest – '...en ook veel wol, maar verder niks. Een lachertje.'

Hij stak de hand die hij vrij had uit en rukte de harpij het bord uit de hand.

'Ga terug naar je aanrecht, jij,' bulderde hij.

Henry stak bijna een halve meter boven haar uit. Hij torende boven Quest uit. Zijn baard was groter dan die van Quest, zijn stem machtiger, zijn kracht zo ongeveer het dubbele en zijn karakter... geen partij.

Henry stond te lachen. Harold Quest, de gesel van iedere binnenkomende auto, was zijn meerdere tegen het lijf gelopen – in ieder opzicht.

'Deze man,' brulde Henry, Quest aan zijn elleboog heen en weer schuddend, 'weten jullie wat die deed? Ik ging naar de Mayflower en toen ik terugkwam stond hij *een hamburger te eten.*'

Mijn zoons staarden hem aan. Ze stonden perplex. Hamburgers eten: veel normaler kon het niet.

'Rechten voor dieren!' riep Henry spottend. 'En hoe zit het dan met rechten voor hamburgers? Deze man stond *een dier* op te peuzelen.'

Harold Quest wrong zich in bochten.

'*Drie* van deze onnozele halzen,' riep Henry met een blik op het joelende koor, '*dropen* van het hamburgervet. Rechten voor dieren m'n *reet.*'

Mijn jongens waren gefascineerd. Roger stond te lachen. Oliver Wells kwam het kantoortje van Roger uit met de kennelijke bedoeling iedereen tot rust te manen, maar een glimlach verspreidde zich over zijn gezicht toen hij begreep in wat voor lastig parket Quest zich hier bevond.

'En dat jasje dat hij aan heeft,' riep Henry, 'dat lijkt wel *leer.*'

'Nee.' Quest schudde verbeten het hoofd en trok zijn wollen muts over één oor.

'En toen ik hem ervan beschuldigde dat hij een dier stond op te eten,' riep Henry, 'stopte hij de hamburger in zijn *zak.*'

Alan sprong op en neer, hij genoot en zijn besproete gezicht grijnsde breed.

Henry wierp het bord met RECHTEN VOOR DIEREN ver van zich af en boorde zijn hand in de zak van het leerachtige jasje van Harold Quest. Er kwam een wikkel uit, een half aangevreten broodje, tomatenketchup en gele, druipende mosterd, en een halve maan van vlees met de tandafdrukken van Quest erin.

Uit de zak viel ook, onverwacht, een tweede bal van plastic, een in elkaar geflanste wikkel die nooit een hamburger gezien had.

In het algehele tumult zag niemand de betekenis van de tweede wikkel, tot Christopher het, uit een obscure drang naar netheid, van de grond opraapte. Zelfs toen had het de meeste mensen niets gezegd, maar Christopher was anders.

'Kom op,' schreeuwde Henry naar zijn ongelukkige prooi, 'jij bent geen echte actievoerder. Wat doe jij hier?'

Harold Quest gaf geen antwoord.

'Papa,' zei Christopher. Hij trok aan mijn mouw. 'Moet je dit eens zien. Ruik eens.'

Ik keek naar het balletje wikkelmateriaal dat hij had opgeraapt, en rook eraan. 'Geef eens aan de kolonel,' zei ik.

Roger, die de toon in mijn stem had opgevangen, keek me even aan en nam het ineengefrommelde balletje van Christopher aan.

Het waren twee wikkels, bruin, doorzichtig plastic met rode en gele lettertjes. Roger streek één van de wikkels glad en keek naar Henry die, ook niet achterlijk, begreep dat hij meer had onthuld dan de resten van een hamburger.

'Breng hem naar binnen,' zei Roger tegen Henry.

Henry brulde naar de volgelingen van Quest: 'Jullie daar, opgesodemieterd voor jullie worden opgepakt wegens overlast op de openbare weg. Jullie met je leren schoenen, jullie met je hamburgers, pak het de volgende keer iets handiger aan. En nu wegwezen, allemaal.'

Hij draaide hen de rug toe en duwde Quest probleemloos voor zich uit naar de deur. Wij keken geïnteresseerd toe hoe de rumoerige kudde van Quest hem opeens in de steek liet en stilletjes afdroop.

Het kantoortje vulde zich weer eens: Oliver, Roger, ik, vijf jongens die onopvallend probeerden te doen, Harold Quest en bovenal Henry, die ruimte nodig had voor drie.

'Zou je zijn andere zakken ook kunnen doorzoeken?'

'Zeker wel.'

Hij moet zijn greep iets verslapt hebben om aan dat verzoek te voldoen, want opeens rukte Quest zich los en waagde een sprint naar de deur. Henry greep hem achteloos in zijn kraag en zwaaide met zijn arm alvorens hem nog een keer los te laten. Bij ieder ander had dat niet veel uitgehaald, maar bij Henry resulteerde dit in een zwieper van Quest door het vertrek en tegen de muur, waar hij met zijn rug tegenaan bleef staan. Zelfmedelijden vormde nattigheid rond zijn ogen.

'Doe dat jack *uit*,' commandeerde Henry, en Quest gehoorzaamde enigszins onhandig.

Roger pakte het jasje aan, doorzocht de zakken en legde de buit op het bureau, naast het vloeiblad, bij de half opgegeten hamburger die Henry daar eerder al had neergelegd. Afgezien van een magere portemonnaie met een busretourtje vanaf Londen en weer terug, kwamen er een aansteker te voorschijn, een doosje lucifers, en nog drie donkerbruine doorzichtige wikkels met rode en gele opdruk.

Roger streek er één glad op zijn bureau en las hardop voor wat erop stond.

'*Sure Fire*,' deelde hij mee. 'Schoon. Niet-giftig. Brandt extra lang. Feilloos. Verzekerd van vuur. Twintig sticks.' Hij maakte een klein rekensommetje. 'Vijf lege wikkels; dat betekent honderd aanmaaklucifers. Wat moet iemand met honderd aanmaaklucifers op een renbaan?'

Harold Quest staarde hem met angstogen aan.

Henry torende boven hem uit, alleen zijn formaat was al dreigend genoeg.

'Als jij geen echte demonstrant bent,' baste hij, 'wat ben je dan wel?'

'Niks,' zei Quest zwakjes. Hij streek met een hand over zijn gezicht.

De harde stem van Henry belaagde hem opnieuw. 'Mensen die hindernissen in de fik steken kunnen ook tribunes opblazen. We geven je over aan de politie.'

'Ik heb die tribune niet opgeblazen,' zei Quest, nu echt geagiteerd.

'O nee? Je was hier anders wel, vrijdagmorgen. Geef maar toe.'

'Ik heb nooit... ik was hier toen niet.'

'Dat was je *wel*,' zei ik. 'Je hebt zelf tegenover de politie verklaard dat je de auto van Dart Stratton tussen acht uur en halfnegen 's morgens door de poort naar binnen hebt zien rijden.'

Harold Quest keek verbijsterd.

'En het was volkomen *nutteloos*,' voegde Roger eraan toe, 'om te staan posten bij de poort van een renbaan waar die dag niets te beleven viel.'

'Alleen kwamen er wel televisiecamera's die dag,' zei ik, 'na de explosie.'

'We hebben jou gezien,' zei Christopher heftig. 'Op de televisie zeiden ze dat jij het gedaan had. Je hebt bijna mijn broertje vermoord en door jou moest mijn vader naar het ziekenhuis.'

'Dat is *niet* waar.'

'Wie heeft het dan wel gedaan?' bulderde Henry. 'Jij hebt het gedaan. Jij bent een kwelgeest, jij bent geen echte demonstrant, jij bent een vandaal, je kunt zo achter de tralies. Kolonel, haal de politie, ze zijn hier toch al. Zeg maar dat we de terrorist te pakken hebben.'

'Nee!' piepte Quest.

'Vertel op dan,' beval Henry. 'Wij luisteren.'

'Goed dan. Goed. Ik heb die hindernis inderdaad in brand gestoken.' Quest legde een bekentenis af, maar het had meer weg van een smeekbede. 'Maar ik heb nooit een vinger uitgestoken naar die tribune. Echt niet, God weet dat het niet zo is.'

'God misschien, maar je moet *ons* overtuigen.'

'*Waarom* heb je die hindernis in brand gestoken?' vroeg Roger.

'Waarom?' Quest keek wanhopig om zich heen alsof het antwoord misschien ergens op de muur gekalkt stond.

'*Waarom?*' loeide Henry. 'Waarom? Waarom? Waarom? En ga geen lulkoek verkopen over de rechten van het dier. We weten dat dat allemaal flauwekul is bij jou.' Hij gebaarde naar de hamburgerresten. 'Dus: *waarom* heb je het gedaan? Als je ons wat voorliegt krijg je moeilijkheden.'

Quest zag hoop gloren. 'Als ik het vertel, ben ik dan verder van jullie af?'

'Dat hangt ervan af,' zei Henry. 'Vertel het eerst maar.'

Quest keek eerst op naar de grote man voor hem, en toen naar ons, en toen hij onze vijandige blikken zag keek hij verder naar de wikkels en de hamburger op het bureau, en van het ene moment op het andere zakte hem de moed weer in de schoenen.

Hij zweette. 'Ik werd ervoor betaald,' zei hij.

We reageerden op zijn mededeling met stilzwijgen.

Quest keek onze beschuldigende gezichten langs, voelde zich geïntimideerd en begon nog meer te zweten.

'Ik ben acteur,' verdedigde hij zich.

Meer stilzwijgen.

Zijn wanhoop steeg met de toon van zijn stem. 'Jullie weten niet wat het is om altijd maar op baantjes te moeten wachten, *altijd* bij die telefoon te moeten zitten en van *kruimels* te moeten leven... je neemt *alles* aan, alles...'

Stilte.

'Ik ben een goede acteur...' jammerde hij.

Dat zou waarschijnlijk niemand van de aanwezigen willen tegenspreken.

'...maar je moet *geluk* hebben. Je moet mensen *kennen*...'

Hij trok zijn scheve wollen muts af en begon iets meer te lijken op Harold Quest, werkloos acteur, en minder op Harold Quest, dolgedraaid fanaticus.

'Ik werd gebeld door iemand die me in een televisiefilm had zien

175

spelen als saboteur van een vossejacht... het stelde niet veel voor, geen dialoog, alleen wat schelden, maar mijn naam stond op de aftiteling: leider demonstranten, Harold Quest.'

Het was niet te geloven, maar hij was er trots op: zijn naam op de aftiteling.

'Die man die belde vroeg of ik echt wilde demonstreren, voor geld. En ik hoefde niks aan mijn agent te betalen ook nog, want hij had me gewoon opgezocht in het telefoonboek en een paar nummers geprobeerd...'

Hij zweeg en keek ons één voor één aan, smekend om begrip, maar tevergeefs.

'Nou,' zei hij zwakjes, 'ik stond op het punt uit mijn flat te worden gezet wegens wanbetaling en ik kon nergens heen en ik was al eens eerder dakloos geweest en alles is beter dan slapen op straat.'

Iets in zijn relaas, een ondertoon aan zijn zelfmedelijden, bracht me acuut in herinnering dat dit een acteur was, een goeie, en dat zijn gesnotter niet te vertrouwen was. Laat hem maar kletsen, dacht ik. Er steekt allicht ergens wat waarheid in.

Hij besefte zelf dat hij weinig meelij wekte en reageerde met een iets zakelijker verklaring.

'Ik vroeg wat er van me verlangd werd, en ze zeiden dat ik hier moest komen om de kwelgeest uit te hangen bij de ingang, hoe irritanter hoe beter...'

'Ze?' vroeg Roger.

'Nou ja, hij. *Hij* zei dat ik moest proberen wat echte actievoerders te ronselen om hier een beetje te komen herrietrappen, dus ik ging naar een vossejacht en haalde Paula, dat wijf met die grote bek, over om hier met wat vriendjes naar toe te komen... en ik wil niet veel zeggen, maar ik ben nu bijna een week met ze opgetrokken en ik word zo langzamerhand bloedzenuwachtig van die hele club...'

'Maar je bent ervoor betaald?' vroeg ik. 'Je hebt er geld voor aangenomen?'

'Nou ja...' kwam er schoorvoetend uit, 'ik kreeg een deel vooruit betaald, en verder elke dag mijn deel. Ja.'

'*Elke dag?*' herhaalde ik ongelovig.

Hij knikte.

'En voor het verbranden van de hindernis?'

Hij begon zich weer in bochten te wringen en keek zo koppig als een ezel. 'Hij zei niets over het verbranden van die hindernis, dat kwam pas later.'

'Wie,' vroeg Roger zonder dreiging in zijn stem, 'is *hij?*'

'Hij heeft me zijn naam niet verteld.'

'Bedoel je te zeggen,' zei Roger, nog steeds op dezelfde redelijke toon, 'dat je hier die poppenkast op touw hebt gezet, met alle dreigementen erbij, voor iemand die je onbekend is?'

'Voor *geld*. Dat zei ik toch.'

'En jij vertrouwde er gewoon op dat je betaald werd?'

'Nou ja, dat *werd* ik ook.' Zijn uitdagende houding deed hem geen goed, integendeel. 'Als ik *niet* betaald werd, zou het me alleen de bus vanuit Londen hebben gekost, maar hij beloofde het en hij hield zich eraan. En elke dag dat ik problemen veroorzaakte kreeg ik meer.'

'Beschrijf hem,' zei ik.

Quest schudde zijn hoofd. Dat deed hij niet.

'Goed,' zei Roger ter zake. 'Hoe het ook zij, de renbaan zal uiteraard een aanklacht tegen je indienen wegens het moedwillig in brand steken van de hindernis bij de open greppel.'

'Maar jullie *zeiden...*' begon Quest, machteloos protesterend.

'We hebben niks beloofd. Als jij de identiteit van je, eh, *souteneur* achterhoudt, halen we meteen de politie erbij.'

Quest zag eruit als een stuk opgejaagd wild dat bijna was ingesloten.

'Hij zei dat ik elke auto moest tegenhouden,' vertelde hij in een poging ons te lijmen, 'en dat ik zo vervelend mogelijk moest doen, en een van de auto's zou van *hem* zijn, hij zou het raampje naar beneden draaien en mijn telefoonnummer noemen, dan zou ik weten dat *hij* het was, en dan moest ik mijn hand naar binnen steken en zou hij er geld in stoppen, en ik mocht geen vragen stellen of iets tegen hem zeggen – ik zweer het.'

'Daar hebben we niks aan,' loeide Henry, 'wij willen geen zweren, wij willen feiten!'

'Ik zweer...' begon Quest, maar toen stokte zijn stem. Tegen zoveel beschuldigende blikken, tegen zoveel ongeloof kon hij niet op.

'Goed,' zei Roger nuchter, 'misschien heb je hem niet in het gezicht willen kijken, om hem te kunnen identificeren, maar er is iets wat je wel weet en wat je ons wel kunt vertellen.'

Quest keek alleen nog maar nerveus.

'*Welke wagen?*' vroeg Roger. 'Beschrijf hem. En zeg wat voor kenteken hij had.'

'Nou... ik...'

'Na de eerste betaling,' zei Roger, 'heb je natuurlijk naar die auto uitgekeken.'

Ik neem aan dat konijnen naar slangen kijken zoals Quest naar Roger keek.

'*Welke auto?*' brulde Henry Quest in het oor.

'Een Jaguar xj6. Zilverkleurig.' Hij mompelde het kenteken.

'Keith,' zei Roger kortweg tegen mij, enigszins verbouwereerd, maar niet ongelovig.

Hij en ik lieten het nieuws op ons inwerken. Henry trok een vragend gezicht. Roger maakte een handgebaar en knikte. Henry begreep dat het werkelijk essentiële stukje informatie boven water was gekomen en keek nu iets milder op zijn gedemoraliseerde gevangene neer.

'Goed dan,' zei hij, op halve kracht, 'hoe kom je aan die aanmaaklucifers?'

'Die heb ik gekocht,' zei Quest na een korte stilte deemoedig.

'Wanneer?' vroeg Roger.

'Zaterdag.'

'Op *zijn* instructies?'

'Er zat een papiertje bij het geld,' zei Quest zacht. 'Daar stond op dat ik de hindernis bij de open greppel moest platbranden, die waar dat paard vorige week zaterdag was verongelukt. Hij zei dat ik hem voor de zekerheid met benzine moest besprenkelen.'

'Maar dat heb je niet gedaan.'

'Ik ben niet *gek*.'

'Veel scheelt het niet,' liet Henry hem weten.

'Waar moet ik benzine vandaan halen?' vroeg Quest retorisch. 'Een blik bij een garage kopen, twintig liter benzine kopen en dan een hindernis platbranden? Ik vraag je! Hij dacht dat ik gek was.'

'Een hamburger eten was ook niet bijster slim,' zei Henry.

'Heb je dat papiertje met instructies nog?' vroeg ik.

'Er stond op dat ik de instructies moest verbranden.'

'En dat heb je gedaan?'

Hij knikte. 'Natuurlijk.'

'Dom,' zei ik. 'Jij bent ook een schurk van niks. Wie moet jou geloven zonder die instructies?'

'Maar,' sputterde hij, 'ik bedoel, maar...'

'Hoe heb je het eigenlijk gedaan?' vroeg ik. 'Ik bedoel, wat heb je precies met die aanmaaklucifers gedaan?'

'Die heb ik bij bosjes in de hindernis geduwd,' zei hij zakelijk. 'Daarna heb ik een opgerolde krant aangestoken en ben ik erlangs gelopen om die bosjes één voor één te laten ontvlammen.' Hij glimlachte bijna. 'Het was niet moeilijk.'

Hij had de wikkels ook moeten verbranden, dacht ik, maar ja, mensen waren niet slimmer dan ze waren, en zeker acteurs niet die geen ervaren criminelen waren.

'Ik denk,' zei ik tegen Roger en Henry en Oliver, 'dat het tijd wordt voor een Strattonische maatregel.'

'Wat bedoel je?'

'Zou ik je typemachine even mogen lenen?'

'Natuurlijk,' zei Roger. Hij wees naar de deur van het binnenkantoor. 'Die staat daar.'

Ik liep naar de machine, schakelde hem in en typte een korte verklaring:

'Ik, Harold Quest, acteur, heb ermee ingestemd in ruil voor geld vervelende demonstraties te organiseren voor de ingang van de renbaan Stratton Park, zogenaamd uit naam van een beweging die het steeplechasen in diskrediet wil brengen. Ik ontving daar betalingen voor van een man die een zilverkleurige Jaguar xj6 reed, kenteken als volgt: ... Op instructies van die chauffeur heb ik ook honderd Sure Fire aanmaaklucifers gekocht en daarmee de hindernis bij de open greppel op het rechte stuk van Stratton Park platgebrand, om een uur of zes op de ochtend van Tweede Paasdag.'

Roger, Oliver en Henry lazen de bekentenis en legden hem aan Quest voor ter ondertekening. Zoals te verwachten viel had hij daar niet veel zin in. We zeiden dat hij er ook de datum en zijn adres onder moest zetten.

'Ik zou het maar doen,' zei ik, toen hij daarvoor terugschrok, 'want je staat in het telefoonboek, en we weten je ook wel te vinden, lijkt mij, als je foto's in *Spotlight* staan met de naam van je agent erbij.'

'Maar dit is een schuldbekentenis,' protesteerde hij. Dat we hem makkelijk konden opsporen bestreed hij niet: daar kon hij als acteur moeilijk onderuit.

'Natuurlijk,' zei ik, 'maar als je hem tekent, kun je meteen ophoepelen en met je busretourtje weer naar Londen gaan, en met een beetje geluk geven we je bekentenis dan niet aan de politie.'

Quest keek van de een naar de ander; wat hij zag leek hem niet gerust te stellen, maar tekenen deed hij. En hij vulde eigenhandig het kenteken in van de betreffende Jaguar (geverifieerd door Roger), en schreef zijn adres en de datum eronder.

De anderen bekeken het papier nauwlettend.

'Is dat alles?' vroeg Roger aan mij.

'Dat lijkt mij wel.'

'Laat hem maar lopen,' zei Roger tegen Henry, die de deur naar de vrijheid opentrok, zijn duim die richting opstak en Quest zijn laatste order gaf: 'Wegwezen!'

Quest, een mengelmoesje van opluchting en angst, wachtte niet of we misschien nog van gedachten zouden veranderen maar smeerde hem zo snel mogelijk.

Henry keek naar het achtergebleven stuk hamburger en zei vol afkeer: 'We hadden die kleine smeerlap met zijn neus door de mosterd moeten halen.'

'Zo slecht is Quest nu ook weer niet,' zei ik quasi-serieus. 'Vergeet niet dat hij Rebecca "eendje" heeft genoemd.'

'Dat is waar,' zei Henry gniffelend.

Roger pakte de ondertekende bekentenis op. 'En wat doen we hiermee? Moeten we dit aan de politie geven?'

'Nee,' zei ik, 'dat geven we aan Marjorie Binsham.'

12

Niettegenstaande onze dreigementen tegenover Quest was de politiemacht achter de schutting die morgen teruggebracht tot twee agenten, die daar meer waren om te voorkomen dat toeschouwers in de puinhopen gingen rondstruinen en zich een ongeluk op de hals zouden halen, dan om verder te zoeken naar sporen van bewijsmateriaal.

Voor zover Roger en Oliver de vorige middag hadden kunnen ontdekken, hadden de hogere rangen en de explosievendeskundige hun werkzaamheden na mijn vertrek afgerond met de vondst en montage van een opgeblazen klok, waarna ze gezegd hadden dat het verdere onderzoek 'elders' zou worden uitgevoerd, waar hadden ze er niet bij gezegd.

'Ze weten niet wie het gedaan heeft,' luidde kort en simpel de interpretatie van Roger.

Voor de saaie en grimmige schutting verrees nu een opblaasbaar springkasteel van Doornroosje, compleet met sprookjesachtige torens en een kinderoppas in de gedaante van Henry's enig overgebleven onderhoudsman.

Ivan was, in een opwelling van gulheid, teruggekomen met een tweede lading (gratis) planten, jonge boompjes in potten deze keer, die hij aan weerszijden van het kasteel opstelde, waardoor de schutting een tammer, zelfs decoratief deel van het geheel werd.

Toen Roger ons om halftwaalf naar zijn huis reed, konden noch hij noch ik noch Henry enige verbetering bedenken die we nog op tijd voor de wedstrijden van die middag zouden kunnen doorvoeren, maar nog wel een hele hoop voor na afloop, voor de volgende wedstrijddag.

De jongens trokken onder niet meer dan matig mopperen en tegenstribbelen hun nette kleren aan, en ik trok mijn werkplunje uit en mijn pak aan. Met mijn wandelstok slaagde ik erin heel onhandig de stapel dagboeken van Carteret van het tafeltje naast mijn bed te stoten. Edward raapte ze gedienstig voor me op, maar hield er één nogal onhandig open. De pagina's waren al half losgescheurd uit hun spiraalband.

'Hé, voorzichtig,' zei ik, het schrift van hem aanpakkend. 'Anders ben ik er geweest.'

Voorzichtig, om de schade zo minimaal mogelijk te houden, deed ik het boek dicht, maar opeens, vlak voor ik het dicht had, sprong de naam waar ik in de trein vergeefs naar gezocht had vanaf de pagina naar me op.

Wilson Yarrow.

'Wilson Yarrow,' had Carteret geschreven, 'dat voorbeeld waar wij altijd mee zijn doodgegooid, schijnt een bedrieger te zijn!'

De volgende alinea legde niets uit, maar bestond slechts uit opmerkingen naar aanleiding van een college over verkleining van ruimte.

Ik kreunde. 'Schijnt een bedrieger te zijn.' Daar kwam ik niet verder mee. Ik bladerde even verder en vond:

'Het gerucht doet de ronde dat Wilson Yarrow vorig jaar de Epsilon-prijs heeft gewonnen met een ontwerp dat hij van iemand anders gejat had! Rode koppen in de docentenkamer! Ze weigeren erover te praten, maar misschien zullen we van nu af aan minder horen over de *briljante* Wilson Yarrow.'

De Epsilon-prijs, herinnerde ik me vaag, werd ieder jaar uitgereikt voor het meest innovatieve ontwerp door een student. Ik had hem nooit gewonnen, Carteret ook niet. Ik kon me niet herinneren er ooit naar te hebben meegedongen.

Roger bonsde op de busdeur, stak zijn hoofd naar binnen en vroeg: 'Klaar?' De Morrissen, gekleed en wel, traden aan voor inspectie.

'Heel goed,' vond Roger. Hij maakte een diplomatenkoffertje open en gaf ons allemaal een renprogramma, een kaartje ten teken dat er voor onze toegang betaald was, en lunchbonnen.

'Ik wil niet kijken,' zei Toby opeens met gefronste wenkbrauwen. 'Ik wil hier blijven, voetballen kijken.'

Roger liet de beslissing aan mij.

'Oké,' zei ik kalm tegen mijn zoon. 'Ga maar een lunch halen, en als je van gedachten verandert, kom dan later naar het kantoortje.'

De bezorgde frons op het gelaat van Toby maakte plaats voor een zorgelozer uitdrukking. 'Bedankt, papa,' zei hij.

'Redt hij zich alleen wel?' vroeg Roger, terwijl hij met ons wegreed.

'Toby vindt het juist *leuk* om alleen te zijn,' verzekerde Edward hem. 'Hij verstopt zich vaak voor ons.'

'Dan gaat hij een eind fietsen,' zei Christopher.

Roger bepaalde zich weer tot de middag die voor ons lag. 'We hebben alles gedaan wat we konden,' zei hij twijfelend.

'Maak je niet zo'n zorgen,' zei ik. 'Weet jij het verschil tussen een paard en een paard en een paard?'

'Waar heb je het in godsnaam over?'

'Ik test een theorie uit.'

'Is het een raadsel, papa?' vroeg Neil.

'Min of meer. Maar vraag er niet naar, want er is geen antwoord op.'

Roger parkeerde de jeep naast het kantoorgebouwtje, waar hij mooi bij de hand was als het nodig mocht blijken om de renbaan heen te rijden. De jongens trokken er paarsgewijs op uit, Neil met Christopher en Edward samen met Alan. Voor na de eerste, derde en vijfde wedren hadden we bij het kantoortje afgesproken.

Mensen kwamen aanzetten: een buslading vol toto-personeel, de mensen van St. John's Ambulance, de politiemensen voor het regelen van het verkeer en het sussen van gevechten in de wedringen, de bookmakers met hun zeepkistjes en borden, de poortwachters, de verkopers van programma's; en dan de jockeys, de sponsors, de stewards, de trainers, de Strattons en vooral het publiek, al die mensen met al dat geld dat nog moest worden ingezet.

Ik stond vlak bij de hoofdingang naar de gezichten te kijken. Bijna allemaal drukten die feestvreugde uit waar we op gemikt hadden. Zelfs de televisieploeg, die door Oliver was uitgenodigd, leek zichtbaar onder de indruk. Zowel in als rondom de grote tent draaiden camera's.

Mark reed de Daimler rechtstreeks de paddock in, zodat Marjorie niet vanaf de parkeerplaats hoefde te lopen. Ze zag mij niet ver bij haar vandaan staan en wenkte.

Zonder commentaar keek ze toe hoe ik, hinkend met de wandelstok, naast haar kwam staan.

'*Vlaggen*,' zei ze, weifelachtig.

'Kijk eens naar die gezichten.'

Ze was verkocht, zoals ik ook wel verwacht had, door het gelach, het gekwetter, het gegons van opwinding. Het mocht dan net kermis wezen, het was wel iets waar over gepraat zou worden, iets wat de wedrennen op Stratton Park een positiever gezicht zou geven dan een opgeblazen hoofdtribune.

'De kolonel had ons een *lunch* beloofd...' begon ze.

Ik bracht haar naar de privé-eetkamer van de Strattons, waar ze begroet werd door dezelfde butler en serveersters die haar op wedstrijddagen altijd bedienden, en het was duidelijk dat ze zich meteen thuis voelde. Ze keek nauwlettend om zich heen, naar de tafel die de cateraars gebracht hadden, en gedekt met linnen en zilver, en naar het glimmende tentdoek boven haar hoofd, met het gefilterde licht en de verborgen luchtgaten.

'Conrad heeft het me verteld,' zei ze langzaam. 'Hij zei... een wonder. We worden gered door een wonder. Maar hij heeft er niet bij gezegd dat het *prachtig* was.' Opeens zweeg ze. Ze slikte en kon even geen woord uitbrengen.

'Ik geloof dat er champagne voor u is,' zei ik. Haar butler bracht haar al een glas op een dienblad en trok een stoel bij waar ze op kon gaan zitten – een plastic klapstoel, waarover net als over de andere tien die rond de tafel paraat stonden zorgvuldig een lap bloemetjesstof gedrapeerd was die met keurige strikken was vastgemaakt.

Aangezien het succes van de hele onderneming stond of viel met de bijval van Marjorie, was niets achterwege gebleven waarvan wij dachten dat het haar zou kunnen behagen.

Ze nipte stijfjes aan haar glas. 'Ga zitten, Lee,' zei ze na een poosje. 'Tenminste, als je dat kunt.'

Ik ging naast haar zitten, wat me inmiddels lukte zonder trekkebekken.

Lee. Wat klonk dat vriendschappelijk. Tjonge.

'Mrs. Binsham...'

'Noem me maar Marjorie... als je wilt.'

Te gekke meid, dacht ik, met een enorm gevoel van opluchting. 'Ik voel me vereerd,' zei ik.

Ze knikte, alsof ook zij het een hele eer voor me vond.

'Twee dagen geleden,' zei ze, 'heeft mijn familie je schandalig behandeld. Ik kan er nauwelijks over praten. En vervolgens doe jij dit voor ons.' Ze gebaarde om zich heen. '*Waarom* heb je dit gedaan?'

'Je weet waarschijnlijk wel waarom,' zei ik na een korte stilte. 'Jij bent waarschijnlijk de enige die het weet.'

Ze dacht na. 'Mijn broer heeft me een keer een brief laten zien die jij hem geschreven had,' zei ze, 'nadat Madeline was overleden. Je zei daarin dat het zijn geld was geweest waarmee jouw opleiding was betaald. Je bedankte hem. Je hebt dit allemaal voor *hem* gedaan, of niet? Om iets voor hem terug te doen.'

'Ik denk het.'

'Ja. Nou. Hij zou hier heel blij mee zijn.'

Ze zette haar glas neer, opende haar handtas, haalde er een wit zakdoekje uit en snoot zachtjes haar neus. 'Ik mis hem,' zei ze. Ze snoof een beetje, stopte het zakdoekje weer weg en probeerde vrolijk te zijn.

'Nou,' zei ze. 'Vlaggen. Blijde gezichten. Een heerlijke zonnige lentedag. Zelfs die afschuwelijke mensen bij de poort lijken te zijn afgedropen.'

'Ah,' zei ik, 'ik wil je even iets laten zien.'

Ik haalde de bekentenis van Harold Quest uit mijn zak, gaf die aan haar en legde het uit van Henry en de hamburger die niet klopte.

Ze zocht naar haar bril en las het papier, waarbij ze al snel een hand op haar hart legde als om het tot kalmte te manen.

'Keith,' zei ze, naar mij opkijkend. 'Dat is de auto van Keith.'

'Ja.'

'Heb je hier een kopie van aan de politie gegeven?'

'Nee,' zei ik. 'Dit is trouwens ook een kopie. Het origineel ligt bij de kolonel in de kluis.' Ik zweeg even en vervolgde toen: 'Ik geloof niet dat ik erachter kan komen hoeveel schulden Keith heeft, of aan wie, maar ik dacht dat je dit misschien ook wel als pressiemiddel kon gebruiken.'

Ze keek me een hele tijd onderzoekend aan.

'Jij begrijpt mij.' Ze klonk niet blij, ook niet boos, maar verrast, en berustend.

'Het heeft wel even geduurd.'

Een glimlachje. 'Je hebt me afgelopen woensdag voor het eerst ontmoet.'

Vijf hele lange dagen geleden, dacht ik.

Een vrouw verscheen in de opening van de eetkamer, met een jongere vrouw die achter haar schuilging.

'Mag ik even storen?' vroeg ze. 'Ik heb gehoord dat ik Lee Morris hier kon vinden.'

Ik kwam enigszins moeizaam weer overeind.

'Ik ben Lee Morris,' zei ik.

Ze was een jaar of zestig, goed in het vlees, met een stevige boezem, en had een vriendelijke uitstraling. Haar ogen waren groot en blauw, haar haar was kort, krullend en grijzend blond. Ze droeg verschillende lagen blauwe en beige kleren met bruine schoenen zonder hakken, en ze had een veelkleurige zijden shawl een beetje slordig rond haar hals geknoopt. Onder haar arm droeg ze een grote bruine handtas met een neerbungelende gouden schouderketting, en ze had het air van iemand die tevreden is met zichzelf: geen onzekerheid, geen onhandigheid.

Haar blik gleed nonchalant langs mij en viel op Marjorie, en even werd het heel stil en hing er tussen beide vrouwen een zekere spanning. Hun monden waren even wijd opengesperd, hun ogen registreerden dezelfde verwondering. In een flits kwam het bij me op dat ze elkaar kenden, al toonden ze geen teken van herkenning en deden ze geen enkele poging tot zelfs maar een paar beleefdheidsfrasen.

'Ik wil je graag spreken,' zei de nieuwkomer tot mij. Ze keek nu niet meer naar Marjorie, maar bleef zich zeer bewust van haar aanwezigheid. 'Niet hier, als je het niet erg vindt.'

'Wil je mij even excuseren?' vroeg ik aan Marjorie.

Ze had nee kunnen zeggen. Als ze dat gewild had had ze het gedaan ook. Ze wierp een ondoorgrondelijke blik op de nieuwkomer, dacht even na en zei toen nadrukkelijk: 'Ja. Ga maar.'

De nieuwkomer liep achteruit de middengang van de grote feesttent in, en ik liep achter haar aan.

'Ik ben Perdita Faulds,' zei de nieuwkomer toen ik buiten stond. 'En dit,' zei ze, terwijl ze aan de kant stapte en haar metgezel onthulde, 'is Penelope, mijn dochter.'

Het was net of ik twee keer heel snel een klap met een hamer kreeg; geen tijd het eerste stukje informatie te verwerken door de verbijstering over het tweede.

Penelope Faulds was lang, slank, blond en had een lange hals: bijna een dubbelgangster van Amanda, dat wil zeggen van de jonge Amanda, de Amanda op wie ik verliefd was geworden, het negentienjarige, fantastische meisje met de grijze, glimlachende ogen dat zich lachend in een tienerhuwelijk had gestort.

Ik was geen negentien meer, maar ik was net zo ademloos als toen. 'Aangenaam,' zei ik, en het klonk belachelijk.

'Is hier ook ergens een bar?' vroeg Mrs. Faulds. Ze keek om zich heen. 'Iemand buiten zei van wel.'

'Eh... ja,' zei ik. 'Hier.'

Ik nam haar een van de grootste 'kamers' in de feesttent mee in, de ledenbar, waar een paar vroege klanten met sandwiches en drankjes aan kleine tafeltjes zaten.

Perdita Faulds nam het heft in handen alsof ze niet anders gewend was. 'Was het champagne wat Mrs. Binsham dronk? Ik denk dat wij ook maar champagne moeten hebben.'

In een vaag soort verwarring liep ik naar de bar om te doen wat ze kennelijk van me verlangde.

'Ik trakteer,' zei ze. Ze maakte haar handtas open en gaf mij de middelen. 'Drie glazen.'

Penelope volgde me naar de bar. 'Ik draag de glazen wel,' zei ze. 'Kunt u de fles dragen?'

Mijn hartslag versnelde. Stom. Ik had zes zoons. Ik was te oud.

Het barpersoneel ontkurkte de fles en nam het geld aan. Mrs. Faulds keek goedmoedig toe terwijl ik haar glas deed bruisen.

'Weet je wie ik ben?' vroeg ze.

'U bezit zeven aandelen in deze renbaan.'

Ze knikte. 'En jij acht. Van je moeder. Ik heb je moeder goed gekend.'

Ik stopte even met inschenken. 'O ja?'

'Ja. Ga maar door. Ik heb dorst.'

Ik vulde haar glas, dat ze snel leegdronk. 'En hoe goed,' vroeg ik, terwijl ik het opnieuw volschonk, 'kent u Marjorie Binsham?'

'Ik ken haar niet echt. Ik heb haar één keer ontmoet, jaren geleden. Ik weet wie zij is. Zij weet wie ik ben. Dat is je zeker wel opgevallen?'

'Ja.'

Ik keek naar Penelope. Haar huid was soepel en aanlokkelijk in het zacht gefilterde, perzikkleurige licht. Ik wilde haar wang aanraken, strelen, zoenen, zoals ik bij Amanda had gedaan. In godsnaam, hield ik mezelf grimmig voor, hou jezelf in de hand. Word een keer volwassen, dwaas.

'Ik ben hier nooit eerder geweest,' zei Mrs. Faulds. 'We zagen het op de televisie van die bomaanslag op de tribune, hè, Pen? Ik werd ineens nieuwsgierig. En toen stond het natuurlijk ook nog eens in de zaterdagkrant, met jouw naam en alles, en daar stond ook in dat de wedstrijden gewoon door zouden gaan. Ze zeiden dat jij in die tribune had gezeten toen die werd opgeblazen, en dat je aandeelhouder was, en in het ziekenhuis lag.' Ze keek naar de wandelstok. 'En dat laatste is duidelijk niet het geval. Hoe dan ook, ik belde naar het kantoortje hier en vroeg waar je zat en kreeg te horen dat je vandaag hier zou zijn, en het leek me wel leuk jou eens te ontmoeten, de zoon van Madeline, na al die jaren. Dus vertelde ik Pen dat ik nog wat oude aandelen in deze renbaan had en vroeg of ze zin had om mee te gaan, en nu zitten we hier.'

Het kwam me voor dat ze een hoop had weggelaten, maar mijn aandacht werd grotendeels in beslag genomen door Penelope.

'Pen, lieverd,' zei haar moeder vriendelijk. 'Dit moet wel heel saai voor jou zijn, als Mr. Morris en ik hier over vroeger gaan zitten praten, dus als jij nou eens naar de paarden ging kijken?'

'Het is nog te vroeg,' zei ik, 'er zijn nog geen paarden in de voorbrengring.'

'Hup, Pen,' zei haar moeder, 'doe me een lol.'

Penelope glimlachte, tegelijkertijd berustend en samenzweerderig. Ze zoog haar glas droog en stapte zonder boos te worden op.

'Ze is een schat,' zei haar moeder. 'Mijn enige kind. Ik was tweeënveertig toen ik haar kreeg.'

'Eh... dan boft u,' mompelde ik.

Perdita Faulds lachte. 'Breng ik je in verlegenheid? Pen zegt dat ik mensen in verlegenheid breng. Ze zegt dat ik totaal vreemden dingen vertel die ik nooit aan wie dan ook zou moeten vertellen. Eerlijk gezegd houd ik er wel van om mensen een beetje te choqueren. Er zijn veel te veel stijve harken en ouwe sokken op de wereld. Maar geheimen, dat is wat anders.'

'Wat voor geheimen?'

'Wat voor geheim wil je weten?' vroeg ze gekscherend.

'Hoe u aan zeven aandelen komt,' zei ik.

Ze zette haar glas neer en nam me op met ogen die opeens behalve zacht ook nog scherp waren.

'Dat is nog eens een vraag!' Ze gaf er niet meteen antwoord op. 'Een paar weken geleden stond er in de kranten dat de Strattons in de clinch lagen over de toekomst van deze renbaan.'

'Ja, dat heb ik ook gelezen.'

'Is dat de reden dat je hier bent?'

'In grote lijnen wel, denk ik.'

'Ik ben hier opgegroeid, moet je weten,' zei ze. 'Niet hier op de renbaan, maar op het landgoed.'

Dat verraste me. 'Maar de Strattons–afgezien van Marjorie–zeggen dat ze u niet kennen.'

'Dat doen ze ook niet, suffie. Jaren geleden was mijn vader de kapper van Lord Stratton.'

Ze glimlachte om de verbazing die ik niet onder stoelen of banken stak.

'Jij vindt niet dat ik er als een kappersdochter uitzie?'

'Nou, nee, maar ik ken ook helemaal geen kappersdochters.'

'Mijn vader huurde een huisje op het landgoed,' legde ze uit, 'en hij had zaken in Swindon, en Oxford en Newbury, maar hij kwam zelf altijd naar Stratton Hays om Lord Stratton te knippen. We verhuisden voor mijn vijftiende en gingen vlak bij de zaak in Oxford wonen, maar mijn vader bleef één keer per maand naar Stratton Hays gaan.'

'Ga verder,' zei ik. 'Heeft Lord Stratton je vader die aandelen gegeven?'

Ze dronk de lichte vloeistof uit haar glas. Ik schonk nog een keer in.

'Nee, zo is het niet gegaan.' Ze dacht even na, maar ging verder met haar relaas. 'Mijn vader overleed en liet mij zijn kapperszaken na. Je moet weten dat ik toen inmiddels het vak geleerd had, ik was ook schoonheidsspecialiste, had diploma's, noem maar op. Lord Stratton kwam op een dag, toen hij in de buurt was, de zaak in Oxford binnenwandelen om te zien hoe ik het deed zonder mijn vader, en bleef om zijn handen te laten manicuren.'

Ze glimlachte. Ze dronk. Ik vroeg niet verder.

'Jouw moeder kwam altijd naar de zaak in Swindon om haar haar te laten doen,' zei ze. 'Ik had haar wel kunnen vertellen dat ze vooral niet met dat valse varken moest trouwen, met die Keith, maar toen was het kwaad al geschied. Ze kwam altijd bij me in de zaak met blauwe plekken in het gezicht en vroeg me haar haar zo te doen dat het niet te zien zou zijn. Ik nam haar altijd mee in een aparte cabine en daar klampte ze zich soms aan me vast en huilde alleen maar. We waren ongeveer even oud, weet je, en we mochten elkaar.'

'Ik ben blij dat ze iemand had om zich aan vast te klampen,' zei ik.

'Grappig, hè, als je nagaat hoe het kan lopen. Ik had nooit gedacht dat ik hier nog eens met *jou* zou zitten praten.'

'U kende mij al?'

'Lord Stratton vertelde me over jou. Tijdens het manicuren.'

'Hoe lang hebt u... zijn handen verzorgd?'

'Tot zijn dood,' zei ze eenvoudig. 'Maar er veranderde natuurlijk wel een en ander. Ik ontmoette mijn man en kreeg Penelope, en William —ik bedoel natuurlijk Lord Stratton—die werd *ouder* en kon niet... nou ja... maar hij liet nog steeds graag zijn nagels doen, en dan *praatten* we. Als oude, oude vrienden, zie je?'

Ik zag het.

'Hij heeft mij die aandelen gegeven toen hij jouw moeder haar aandelen gaf. Maar hij gaf ze aan zijn advocaten om er voor mij op te letten. Hij zei dat ze ooit misschien weleens wat waard konden zijn. Het stelde niet veel voor. Gewoon een aardigheidje. Een lievigheidje, zogezegd. Beter dan geld. Ik wilde nooit geld van hem hebben. Dat wist hij.'

'Hij bofte met u,' zei ik.

'O, je bent een *schat*. Je bent net zo'n schat als Madeline was.'

Ik wreef met een hand over mijn gezicht en wist niet wat ik daarop zeggen moest.

'Weet Penelope het van u en Lord Stratton?' vroeg ik.

'Pen is nog een *kind*!' antwoordde ze. 'Ze is achttien. Natuurlijk weet ze het niet. En haar vader ook niet. Ik heb het nooit iemand verteld. En William... eh, Lord Stratton ook niet. Hij wilde zijn vrouw geen pijn doen, en dat wilde ik ook niet.'

'Maar Marjorie heeft het geraden.'

Ze knikte. 'Ze heeft het al die jaren geweten. Ze kwam bij me langs in Oxford. Ze had er speciaal een afspraak voor gemaakt. Ik denk dat het alleen maar was om te zien wat voor iemand ik was. We hebben toen wat gepraat, maar veel stelde het niet voor. En daarna heeft ze nooit iets gezegd. Ze hield van William, net als ik. Ze zou hem nooit verraden hebben. Dat deed ze in elk geval niet. En dat heeft ze nog niet gedaan, of wel?'

'Nee.'

Na een pauze schakelde Perdita met haar stem over op een andere versnelling, ze schudde de nostalgie van zich af en kwam ter zake. 'En wat gaan we nu doen, met de renbaan van William?' vroeg ze kernachtig.

'Als de renbaan aan een projectontwikkelaar wordt verkocht,' zei ik, 'zit er voor u een aardige vermogensaanwas in.'

'Hoeveel?'

'U kunt net zo goed hoofdrekenen als iedere andere zakenvrouw. Zeventigduizend pond voor elke miljoen die het land opbrengt.'

'En jij?' vroeg ze ronduit. 'Zou jij willen verkopen?'

'Je kunt niet zeggen dat het niet verleidelijk is. Keith zit er de hele tijd op aan te dringen. Hij probeert mensen er zelfs van te weerhouden hierheen te komen, zodat de renbaan openhouden niks meer opbrengt.'

'Dat is voor mij een reden om juist niet te verkopen.'

Ik glimlachte. 'Voor mij ook.'

'Dus?'

'Dus als we een briljante nieuwe tribune laten bouwen—en met briljant bedoel ik niet gigantisch, maar slim ontworpen, zodat het publiek hier graag komt—zouden onze aandelen ons geregelder dividend moeten opleveren dan in het verleden het geval was.'

'Denk jij dan dat het paardenrennen gewoon zal blijven bestaan?'

'Tot dusver heeft het in Engeland al meer dan driehonderd jaar bestaan. Het heeft schandalen overleefd, oplichterij, allerlei rampzalige ongelukken. Paarden zijn prachtig en wedden is een verslaving. Ik zou een nieuwe tribune bouwen.'

'Wat een romanticus ben jij!' plaagde ze.

'Ik zit niet tot mijn nek in de schulden,' zei ik, 'en Keith misschien wel.'

'William heeft weleens gezegd dat Keith de grootste teleurstelling van zijn leven was.'

Ik keek haar opeens peinzend aan, en vijftig vragen schoten omhoog als scherpe bundels licht; maar voor ik iets constructiefs kon doen kwam een functionaris van de renbaan naar me toe en zei dat kolonel Gardner om me zat te springen in zijn kantoor.

'Gaat u niet weg zonder mij te vertellen waar ik u bereiken kan,' smeekte ik Perdita Faulds.

'Ik ben hier de hele middag nog,' stelde ze me gerust. 'Als ik je misloop is dit het telefoonnummer van mijn zaak in Oxford. Via dat nummer ben ik altijd te bereiken.' Ze gaf me een visitekaartje. 'En hoe vind ik *jou*?'

Ik schreef het nummer van mijn draagbare telefoon en van het huis in Sussex op de achterkant van een van haar andere visitekaartjes, en liet haar tevreden met de champagne achter terwijl ik naar buiten ging om te kijken in wat voor crisis we beland waren.

Het probleem zat hem in grote lijnen in de zenuwen van Rebecca. Ze beende op en neer voor het kantoortje en keek me kwaad aan toen ik langs haar heen liep en naar binnen ging. Ik had haar nog nooit zo instabiel gezien.

Roger en Oliver zaten binnen stoom af te blazen en tanden te knarsen.

'Je zult dit niet geloven,' zei Roger afgemeten toen hij me zag. 'We hebben alle gangbare problemen – we hebben iemand met doping betrapt in de stallen, de stoppen voor het toto-bord zijn doorgeslagen en er heeft iemand een hartaanval gekregen, maar nu hebben we ook nog Rebecca op ons dak gekregen. Ze trapt een ongelooflijke herrie omdat er in de verkleedtent voor de vrouwelijke jockeys nota bene, stel je voor, geen hangertjes hangen.'

'*Hangertjes?*' zei ik wezenloos.

'Hangertjes. Ze zegt dat niet van hen verwacht kan worden dat ze hun kleren en kleuren zomaar op de grond leggen. We hebben haar een tafeltje gegeven, een bankje, een spiegel, een kraan en een wastafeltje. En zij maakt herrie over *hangertjes*.'

'Eh...' zei ik. Ik wist zo gauw ook niks beters. 'Zou een touw misschien een idee zijn, dan kunnen ze daar de kleren overheen hangen.'

Roger gaf me een sleutelbos. 'Ik vroeg me af of jij even in de jeep naar mijn huis zou kunnen rijden. De deur zit op slot, mijn vrouw loopt hier ook ergens rond maar ik kan haar niet vinden. Zou jij wat hangertjes van de kapstok willen halen? Leg de jassen maar gewoon op de trap. Het is belachelijk, maar zou je het willen doen? En kunnen je benen het aan?'

'Zeker,' zei ik, opgelucht. 'Ik dacht even dat het ernstig was, omdat je speciaal mij liet zoeken.'

'Ze rijdt de eerste wedren op een paard van Conrad. Het zou ernstig genoeg zijn voor hem – en voor ons allemaal – als ze helemaal uit haar bol ging.'

'Oké.'

Buiten trof ik Dart, die tevergeefs probeerde zijn zuster te kalmeren. Hij gaf het op toen hij mij zag en liep met me mee naar de jeep. Hij vroeg waar ik heen ging. Toen ik zei dat ik hangertjes ging halen keek hij me eerst ongelovig aan, maar toen bood hij aan me te helpen, dus reden we samen weg.

'Ze kan zich nogal opwinden,' excuseerde Dart zijn zuster.

'Ja.'

'Ik denk dat het ook een hele spanning is, om elke dag je leven te wagen.'

'Misschien zou ze ermee moeten stoppen.'

'Ze is zich gewoon aan het afreageren.'

We haalden zoveel mogelijk hangertjes van de kapstok van de Gardners en gingen ook nog even bij de bus langs. Toen ik de deur opendeed en mijn hoofd naar binnen stak sloegen tientallen decibellen voetbalgeweld me om de oren.

'Toby,' schreeuwde ik, 'alles goed?'

'Ja, papa.' Hij draaide het volume iets lager. 'Papa, Stratton Park is er ook op geweest! Ze lieten alle vlaggetjes zien en het kussenkasteel en alles. Ze zeiden dat de mensen moesten komen, dat de wedstrijden gewoon doorgingen en dat het echt een mooi dagje uit was voor Tweede Paasdag.'

'*Prachtig!*' zei ik. 'Heb je zin om mee te gaan naar de paddock?'

'Nee bedankt.'

'Oké, tot vanmiddag dan.'

Ik vertelde Dart over het televisieverslag. 'Dat is het werk van Oliver,' zei hij. 'Ik heb hem die camerajongens horen pressen om die camera's maar eens flink te laten draaien. Ik moet zeggen, hij en Roger en jij hebben hier fantastisch werk geleverd.'

'En Henry.'

'Vader zegt dat de familie jou verkeerd beoordeelt. Hij zegt dat ze niet naar Keith hadden moeten luisteren.'

'Mooi.'

'Maar hij maakt zich wel zorgen om Rebecca.'

Dat zou ik ook doen, dacht ik, als ze mijn dochter was.

Dart gaf de hangertjes aan zijn zuster die er met opeengeperste lippen mee wegliep. En om mijn benen te sparen, zei hij, zou hij de sleuteltjes van de jeep ook wel even terugbrengen. Binnen vertelde hij Roger en Oliver dat de grote tent al op televisie was geweest. Weer buiten stelde hij mij voor een sandwich en een biertje te nemen in de bar, zodat hij de Stratton-lunch kon overslaan. 'Keith, Hannah, Jack en Imogen,' zei hij. 'Jakkes.' En toen: 'Wist je dat de politie mijn oude brik heeft meegenomen voor onderzoek?'

'Nee,' zei ik, tevergeefs op zoek naar tekenen van ongerustheid op zijn gezicht. 'Dat wist ik niet.'

'Ontzettend irritant,' zei hij. 'Ik heb een auto moeten huren. Ik heb de politie gezegd dat ik hun de rekening zou sturen, maar ze lachten alleen maar spottend. Ik ben dat bomgedoe zat.' Hij grinnikte naar mijn wandelstok. 'Dat zul jij ook wel zijn.'

Perdita Faulds zat niet meer in de bar en was nergens te bekennen toen wij er aankwamen. Dart en ik dronken en knabbelden en ik vertelde hem dat ik ooit een recept had gelezen tegen haaruitval.

Hij keek me argwanend aan. 'Je neemt me in de maling.'

'Nou,' zei ik geleerd, 'vergis je niet. Het zou weleens hetzelfde verhaal kunnen blijken te zijn als dat van de boombast die tegen malaria zou helpen, of schimmelkweekjes tegen bloedvergiftiging.'

'Kinine,' zei hij, knikkend, 'en penicilline.'

'Precies. Die kuur tegen kaalheid was afkomstig uit een handboek van een Mexicaanse medicijnman, geschreven in 1552.'

'Ik probeer *alles*,' zei hij.

'Je moet wat zeepkruid malen,' zei ik, 'en koken in honde-urine, daar mik je een boomkikker of twee bij plus een paar rupsen...'

'Je bent een *schoft*,' zei hij bitter.

'Het staat in dat boek.'

'Nog liegen ook.'

'De Azteken zweerden erbij.'

'Ik zal Keith op je loslaten,' zei hij. 'Of ik ga zelf op je staan stampen.'

'Het boek heet *The Barberini Codex*. Vijfhonderd jaar geleden werd het in elk geval heel serieus genomen.'

'Wat is zeepkruid dan?'

'Weet ik niet.'

'Ik vraag me af of het werkt,' zei hij bedachtzaam.

We leunden op de omheining van de voorbrengring voor de eerste wedstrijd, Dart en ik, en keken naar zijn vader en moeder, Conrad en Victoria, die met Rebecca stonden te praten in een geconcentreerd groepje waar ook de trainer van het paard deel van uitmaakte. Andere geconcentreerde groepjes stonden met even veel belangstelling naar hun eigen viervoeters te kijken, geduldig om de dieren heen paraderend, hun wilde hoop verbergend achter deskundige blikken.

'Hij heeft laatst nog een wedren gewonnen,' zei Dart, deskundige blikken werpend vanaf zijn eigen zijlijn. 'Ze rijdt goed, weet je, Rebecca.'

'Dat wil ik wel geloven, anders zou ze ook niet zo hoog op de lijst staan.'

'Ze is twee jaar jonger dan ik, en zolang ik me kan herinneren is ze gek op pony's geweest. Ik heb een keer een trap gekregen van eentje en dat was voor mij genoeg, toen heb ik verder voor de eer bedankt, maar Rebecca...' Zijn stem had de vertrouwde mix van respect en ergernis. 'Ze heeft al haar botten gebroken alsof het vingernagels waren... ik kan me niet voorstellen dat ik *ooit* nog eens zo graag *iets* zal willen als zij wil winnen.'

'Volgens mij zijn alle mensen die op een bepaald gebied de top bereiken zo,' zei ik, 'in elk geval voor een tijdje.'

Hij draaide zijn hoofd en nam me op. 'Ben jij ook zo?'

'Ik vrees van niet.'

'Ik ook niet.'

'En dus staan we hier maar naar je zuster te kijken,' zei ik.

'Jij hebt zo'n *verdomd* heldere kijk op de zaken,' zei Dart.

Het teken werd gegeven dat de jockeys in het zadel konden. Rebecca, gehuld in de aparte Stratton-kleuren, groene en blauwe ruiten op het lichaam met vloekend oranje en rood op mouwen en pet, slingerde haar magere, lenige gestalte in het zadel. Het ging licht en soepel alsof ze een distelpluisje was. De extreme spanning veroorzaakt door de triviale ergernis van ontbrekende knaapjes was verdwenen: ze zag er koel uit, geconcentreerd, een ster op haar eigen toneel, regisseur van haar eigen optreden.

Dart keek toe en de ambivalente gevoelens dropen ervan af; zijn zusje wier bekwaamheid hem overschaduwde, die hij bewonderde en verguisde, die hij begreep maar van wie hij onmogelijk houden kon.

Het renpaard van Conrad, Tempestexi, een kastanjebruine ruin, leek, vergeleken met sommige andere paarden in de ring, een lange rug en korte benen te hebben. De hordenren over twee mijl was volgens het programma bestemd voor paarden die sinds 1 januari geen hordenren gewonnen hadden. Tempestexi, die na die datum één keer gewonnen had, had daar een handicap van zeven pond voor gekregen, maar was ondanks dat toch favoriet gemaakt.

Ik vroeg Dart hoeveel renpaarden zijn vader in training had en hij dacht vijf, hoewel het wel een beetje een komen en gaan was, zei hij, al naar gelang hun benen.

'Pezen,' zei hij bondig. 'Paardenpezen zijn net zo temperamentvol als vioolsnaren. Tempestexi is op dit moment het paard waar vader al zijn hoop op gevestigd heeft. En zijn benen kunnen al die hoop kennelijk dragen: geen problemen mee gehad, tot dusver.'

'Wedt Conrad?'

'Nee. Moeder wel. En Keith. Die zou het Dower House op deze hebben gezet, als hij de eigenaar was geweest – van het Dower House, bedoel ik. Die zal wel alles gewed hebben waar hij aan kan komen. Als Rebecca niet wint draait Keith haar de nek om.'

'Daar zou hij weinig mee opschieten.'

Dart lachte. 'Jij zou onderhand toch moeten weten dat één lichaam te klein is voor logica en Keith. Keith heeft alleen zijn instinct.'

De paarden stroomden uit de voorbrenging op weg naar de startboxen, en Dart en ik gingen naar de tribune die Henry in elkaar had gezet van zijn circusspullen.

De tribune stond zo stampvol dat ik hoopte dat het geen opschepperij van Henry was geweest toen hij beweerde dat deze tribunes absoluut safe waren. Het afgelopen uur was een mensenmassa als een rivier door de poorten naar binnen gestroomd en al die duizenden mensen waaierden kwetterend uit over het terrein, in de feesttent en overal waar je weddenschappen kon afsluiten. De eettenten zaten vol, overal stonden klanten te wachten. Er waren opstoppingen in alle bars en ook voor de toto stonden lange rijen. Bij de ingang waren ze door de renprogramma's heen. Het kopieerapparaat spuwde kopieën uit en liep al rood aan. Oliver, die ik even in een glimp zag, zweette extatisch.

'Dat komt door de televisie,' zei hij, naar adem snakkend.

'Ja, jouw werk, goed gedaan.'

We wachtten op het startsignaal. 'Perdita Faulds is er ook,' zei ik tegen Dart.

'O? Wie is dat?'

'De andere niet-Stratton met aandelen.'

Hij toonde nauwelijks interesse. 'Is haar naam ook niet gevallen op die aandeelhoudersvergadering laatst? Waarom is ze gekomen?'

'Net als ik, om te kijken hoe het ervoor staat met haar investering.'

Dart zette het van zich af. 'Ze zijn vertrokken!' zei hij. 'Nou, kom op, Rebecca.'

Vanaf de tribune leek het een tamelijk saaie wedstrijd, al zou het er vanuit het zadel wel anders uitzien. De renners bleven in een kluitje de eerste ronde afleggen, namen keurig de horden, vlogen in een overlappend lint voor de eerste keer langs de finishpaal en renden vervolgens het veld weer in.

Aan de overkant vielen de minder fitten, de minder snellen terug en Rebecca kwam in derde positie uit de laatste bocht. Het was boven elke twijfel verheven dat Dart oprecht wenste dat zijn zuster zou winnen. Met zijn hele lichaam maakte hij aanmoedigende bewegingen, en toen ze in tweede positie op de laatste hindernis af kwam verhief hij zijn stem als alle anderen en brulde dat ze moest winnen.

En dat deed ze. Ze won met nog geen lengte voorsprong in een laatste versnelling, waarin ze een wonder van souplesse was vergeleken met de flapperende ellebogen van haar opponent, die er net niet in slaagde de kop vast te houden.

Het publiek juichte haar toe. Dart straalde alsof de overwinning ook een beetje zijn verdienste was. Iedereen stroomde naar de plek waar de winnares uit het zadel sprong en Dart voegde zich bij zijn ouders en Marjorie in een orgie van smakzoenen en petsen op de rug. Rebecca zadelde haar paard af en ging snel schuilen voor de regen van sentiment in de tent waar de weegschaal stond opgesteld. Daar liet ze zich heel professioneel en tamelijk in zichzelf teruggetrokken wegen, verzonken in haar eigen wereldje van risico's, inspanningen en deze keer succes.

Ik liep naar het kantoortje en trof daar vier jongens die zich trouwhartig kwamen melden.

'Hebben jullie je lunch al gehad?' vroeg ik.

Ze knikten. 'Het was maar goed dat we vroeg waren, want er was al heel snel geen tafeltje meer vrij.'

'Hebben jullie Rebecca Stratton die wedren zien winnen?'

'Ze heeft ons wel uitgescholden, maar we hadden toch wel op haar willen inzetten, alleen was jij nergens te bekennen,' zei Christopher op verwijtende toon.

Ik dacht na. 'Ik betaal jullie uit wat de toto geeft voor de laagste inzet.'

Vier grijnzen waren mijn beloning. 'En niet verliezen, hè,' zei ik.

Perdita Faulds en Penelope kwamen langs. Ze bleven even staan en ik stelde mijn kinderen aan ze voor.

'Allemaal van jou?' vroeg Perdita. 'Zo oud zie je er niet uit.'

'Ik ben jong begonnen.'

De jongens staarden Penelope aan met grote ogen.

'Wat is er aan de hand?' vroeg ze. 'Heb ik modder op mijn neus?'

'Nee,' zei Alan vrolijk, 'je lijkt op onze moeder.'

'O ja?'

Ze knikten allemaal en liepen met haar verder alsof het zo hoorde, op weg naar de voorbrengring om de paarden voor de volgende wedstrijd te bekijken.

'Ze lijkt op jouw vrouw, mijn Pen?' vroeg Perdita.

Mijn ogen lieten haar node gaan. Mijn hart bonkte. Idioot.

'Zoals ze toen was,' zei ik.

'En nu?'

Ik slikte. 'Ja, zoals ze nu is ook.'

Perdita wierp me een blik toe waar een lange ervaring uit sprak. 'Er is nooit een weg terug,' zei ze.

Ik zou het zo weer doen, bedacht ik hulpeloos. Ik zou trouwen met mijn ogen en een vreemde in de verpakking aantreffen die ik daar totaal niet verwacht had. Werd een mens dan nooit volwassen?

Ik zette het met kracht van me af en vroeg aan Perdita: 'Wist Lord Stratton, heeft hij u verteld, wat Forsyth precies gedaan heeft waar zijn hele familie zich zo ontzettend druk om maakt?'

Haar gulle rode mond vormde een o van aangename verrassing.

'Jij speelt toch geen spelletjes, hè? Waarom zou ik jou dat aan je neus hangen?'

'Omdat we de touwtjes moeten ontrafelen die de verschillende Strattons in handen hebben, anders kunnen we deze renbaan nooit redden. Iedereen weet dingen over de ander waar ze elkaar mee dreigen. Ze chanteren elkaar bij het leven, allemaal om hun eigen zin door te zetten.'

Perdita knikte.

'En in datzelfde kader,' zei ik, 'kopen ze ook mensen om, om de naam Stratton maar vooral zuiver te houden.'

'Dat doen ze, ja.'

'Te beginnen met mijn eigen moeder,' zei ik.

'Nee hoor, veel eerder.'

'Dus je *weet* het!'

'William praatte graag,' zei ze. 'Dat heb ik je toch verteld?'

'En... Forsyth?'

Penelope en de jongens kwamen er alweer aan. 'Als je morgenochtend langskomt in mijn zaak in Swindon,' zei Perdita, 'zal ik je vertellen over Forsyth... en over de anderen, als jij de vragen bedenkt.'

13

De aanval van razernij die Keith kreeg toen hij erachter kwam dat de open greppel gewoon zoals gepland was opgenomen in de tweede wedren, was bijna spectaculair te noemen.

Henry en ik liepen net toevallig achter de tenten van de catering langs toen de uitbarsting zich voordeed–Henry was bezig geweest met een lek in de nieuwe waterleiding–en we haastten ons door een gangetje waar alleen de cateraars gebruik van maakten naar de bron van het geloei en gekletter, rechtstreeks naar de privé-ruimte van de Strattons.

De hele familie was na de overwinning teruggekeerd om de lunch te vervolgen en een toost uit te brengen op de winnares en typerend genoeg, en misschien maar gelukkig ook, waren daar geen buitenstaanders bij uitgenodigd.

Keith, benen wijd, schouders achteruit, wapperende manen, had de complete eettafel omvergekieperd en alle flessen en glazen van het buffet geveegd. Tafelkleden, messen, borden, kaas, champagne, koffie, slagroompudding, alles lag door elkaar op de grond. Wijn klokte uit flessehalzen. De serveersters hielden de hand tegen de mond gedrukt en verscheidene Strattons grepen servetten en probeerden de rotzooi van schoot, broek en benen te vegen.

'Keith!' krijste Conrad, net zo woedend als hij, bevend op zijn voeten, dreigend als een stier die elk moment tot de aanval kan overgaan. '*Pummel.*'

De crèmekleurige zijden jurk van Victoria zat onder de koffie en de bordeaux. 'Ik moet de Cup uitreiken,' schreeuwde ze bijna huilend, 'en *kijk* me nou eens.'

Marjorie zat kalm en onbevlekt, ijzig woedend. Ivan, naast haar, zei: 'Maar Keith, *Keith...*'

Hannah, bij wie de custard langs beide benen lekte, sloeg onwelvoeglijke taal uit tegen haar vader en ook tegen haar zoon, die haar tevergeefs te hulp wilde schieten. De magere vrouw aan de andere kant van Ivan, die onverstoorbaar in gesprek bleef met een groot glas cognac, zou Imogen wel zijn. Dart was er niet. Forsyth, nukkig als altijd maar schijnbaar toch ook opgelucht dat iemand anders dan hij het mikpunt van de familie was, liep naar de geïmproviseerde deur richting gang:

een flap canvas die kon worden vastgeknoopt voor een beetje privacy.

Een paar mensen stonden de flap opzij te trekken in een poging naar binnen te kijken en erachter te komen wat de oorzaak van al die commotie was. Forsyth drong zich een weg naar buiten en gaf de nieuwsgierigen botweg te verstaan dat ze zich met hun eigen zaken moesten bemoeien, waar ze uiteraard geen gehoor aan gaven.

Het was een belachelijk schouwspel, maar niet ver onder dat kolderieke oppervlak, en daar was ieder lid van de familie zich bewust van, lag de verontrustende oorzaak van al dat destructieve geweld: de haat van Keith, die tot dusver voornamelijk een uitweg had gezocht in het slaan van zijn vrouwen en een kloppartijtje met Lee Morris, maar die op een dag niet meer in de hand te houden zou zijn.

Marjorie hield haar kopie van de bekentenis van Harold Quest op zodat iedereen hem zien kon – de bron van deze ellende.

Keith griste het vel papier plotseling uit haar hand, rukte zijn vrouw haar cognacglas uit de hand, goot de alcohol over de brief, smeet het glas op de grond en haalde verbluffend snel een aansteker uit zijn zak en stak het papier in de fik. De bekentenis van Harold Quest vlamde even op en krulde toen ineen tot as, waarna Keith hem op de grond liet dwarrelen om er triomfantelijk op te gaan staan stampen.

'Het was maar een kopie,' zei Marjorie nuffig om hem verder op de kast te jagen.

'Ik vermoord je,' zei Keith tegen haar, zijn onderlip bloeddorstig gekruld. Zijn blik gleed over haar heen naar mij. De haat in zijn ogen intensiveerde en vond een makkelijker en aantrekkelijker doelwit. 'En *jou* vermoord ik *zeker*,' zei hij.

In de korte stilte die volgde draaide ik me om en vertrok weer met Henry via de achteringang. De arme serveersters konden de rommel opruimen.

'Dat was hooguit voor de helft een grap,' zei Henry bedachtzaam.

'Ja.'

'Ik zou maar oppassen als ik jou was. Misschien vermoordt hij je de volgende keer wèl. En *waarom*? *Jij* hebt Harold Quest hier niet binnengehaald. *Jij* hebt die hamburger niet gepakt.'

'Nee,' zuchtte ik. 'Mijn maatje Dart Stratton zegt dat één lichaam te klein is voor logica en Keith. Maar aan de andere kant: dat geldt voor de helft van de wereld.'

'Moordenaars vallen ook onder die helft,' zei Henry.'

'Hoe brandgevaarlijk is de grote tent?' vroeg ik.

Henry bleef staan. 'Je denkt toch niet dat hij zou proberen...? Hij was aardig handig met die aansteker. En dat platbranden van die hindernis...' Henry keek kwaad maar schudde bijna meteen zijn hoofd.

'Deze grote tent gaat niet in de brand,' zei hij zeker. 'Alles wat ik hier mee naar toe heb genomen is brandvertragend, brandbestendig of brandt helemaal niet, zoals al die metalen stokken en de pylonen. Er zijn in het verleden wel rampen gebeurd in circussen, maar de voorschriften zijn nu heel streng. Deze feesttent zal in elk geval niet zomaar in brand vliegen. Maar brandstichting... tja, ik weet het niet. Maar zoals je weet hebben we overal brandblusapparaten hangen, en ik heb ook een stuk waterleiding naar het dak geleid bij wijze van sprenkelinstallatie.' Hij nam me mee om het te laten zien. 'Kijk, die buis die daar omhooggaat.' Hij wees. 'Daar staat redelijk wat druk op. Die buis gaat naar een stuk tuinslang dat helemaal rond de bovenkant van het dak loopt en waar kleine gaatjes in zitten. Daar kun je ook nog wel een vlammetje mee blussen.'

'Henry! Je bent geniaal.'

'Ik had nog een verloren minuutje gisteren, toen jij naar Londen was, en het leek me zo dat de renbaan zich niet nog zo'n catastrofe kon veroorloven. Een goede voorzorgsmaatregel is nooit weg, dacht ik, dus heb ik dit zeer elementaire sproeisysteem in elkaar geknutseld. Ik heb geen idee hoe lang het zou werken. Als de vlammen hoog genoeg komen zal die slang wel gaan smelten.' Hij lachte. 'En dan moet ik, of iemand die ervan af weet, ook nog eens in de buurt zijn om de kraan open te draaien. Ik heb er van die labels aangehangen, NIET AANKOMEN, voor het geval iemand mocht uitproberen waar die kraan voor dient terwijl binnen iedereen van een sandwich met gerookte zalm zit te smikkelen.'

'Mijn God!'

'Roger weet ervan, en Oliver, en nu weet jij het ook.'

'Maar geen Strattons.'

'Geen Strattons, die vertrouw ik niet.'

Keith was er beslist toe in staat de kraan open te draaien als de tent bomvol was.

Henry vervolgde zijn pogingen mij gerust te stellen. 'Maar Keith zal heus niet proberen je te vermoorden, niet nu hij het in het openbaar heeft aangekondigd.'

'Dat was niet in het openbaar. Dat was met Strattons onder elkaar.'

'Maar *ik* heb het hem horen zeggen, en de serveersters.'

'De serveersters kopen ze om en daarna doen ze er allemaal een eed op dat je het verkeerd verstaan hebt.'

'Meen je dat?'

'Ik ben er zeker van dat ze dat wel vaker geflikt hebben. Misschien niet met een moord, maar wel met andere misdaden, zeker.'

'Maar... de kranten dan?'

'De Strattons zijn rijk,' zei ik kort. 'Voor geld is meer te koop dan je zou denken. Geld is er om te krijgen wat je hebben wilt.'

'Ja, dat is duidelijk.'

'En wat de Strattons willen is: geen schandaal.'

'Maar de pers kunnen ze toch niet omkopen!'

'Ik heb het over de bronnen waar de pers zich op baseert. Plotseling blinde en dove serveersters met forse bankrekeningen.'

'Vandaag de dag toch niet,' protesteerde hij. 'Met al die onverzadigbare roddelbladen van tegenwoordig.'

'Ik had nooit gedacht dat ik me nog eens ouder zou voelen dan jij, Henry. De Strattons hebben meer te bieden dan de roddelbladen.'

Ik wist dat Henry bijdehand was, praktisch, inventief en recht-door-zee, maar van zijn privé-leven en achtergrond wist ik niets. Henry de reus en ik hadden al jaren in harmonie samengewerkt, nooit intiem, altijd met waardering – van mijn kant in elk geval zeker. Zijn handel in rommel had me al een keer een geheel authentieke Adam kamer opgeleverd, en tientallen antieke haarden en deurposten. Henry en ik deden zaken via de telefoon – 'Kun jij dit of dat voor me regelen?' of 'Ik ben nou iets tegengekomen...' Deze dagen op Stratton Park waren de eerste dat ik zo intensief met hem was opgetrokken en ze zouden, bedacht ik tevreden, zonder meer tot een hechtere vriendschap leiden.

We liepen om de grote tent heen en keken naar de renners, die voor de tweede wedstrijd naar de start liepen. Het grootste deel van mijn leven had ik me nauwelijks met paarden ingelaten, maar ik ontdekte nu dat ik er met steeds meer plezier naar keek. Stel je de wereld eens voor zonder paarden, dacht ik: de geschiedenis zou heel anders zijn verlopen. Transport over land zou niet hebben bestaan. Middeleeuwse slagen zouden niet geleverd zijn. Geen zeshonderd man om een vallei des doods in te rijden. Geen Napoleon. De zeevaarders, vikingen en Grieken, zouden misschien nog oppermachtig zijn.

Paarden, rap, sterk, tembaar, hadden precies het juiste formaat gehad. Ik keek naar de bewegingen van hun spieren onder de verzorgde huid; geen architect, waar ook ter wereld, zou een ontwerp hebben kunnen maken dat zo functioneel was, zo economisch, zo voortreffelijk geproportioneerd.

Rebecca kwam voorbij, ze verstelde al rijdend iets aan haar stijgbeugels en was met haar hoofd bij de wedstrijd die wachtte. Ik had nooit de wens gekoesterd paard te rijden, maar op dat moment benijdde ik haar: haar vaardigheid, haar geobsedeerdheid, haar absolute toewijding aan een fysieke – dierlijke – samenwerking met een fenomenaal schepsel.

Mensen konden wedden; ze konden eigenaar zijn van een paard, trainer, fokker, ze konden paarden schilderen, bewonderen, schrijven over volbloeden: de oerdrang om eerste te zijn, in zowel renpaard als jockey, was het waar de hele industrie mee begon. Rebecca in het zadel werd voor mij de kwintessens van het paardenrennen.

Henry en ik stonden op de voormalige circustribune en keken samen naar de wedstrijd. Het hele veld sprong probleemloos over de herbouwde hindernis bij de open greppel. Rebecca finishte ergens achterin, ze speelde geen rol van betekenis.

Henry zei dat paardenrennen hem niet half zoveel deed als rugby en stapte op voor verdere patrouille.

De middag verstreek. 'Er hebben zich weer de gebruikelijke rampen voorgedaan,' zei Roger, die overal en nergens was.

Ik liep de renbaandokter tegen het lijf die even een adempauze nam tussen twee patiënten door. 'Kom donderdag bij me langs,' stelde hij voor. 'Dan haal ik in één keer al die hechtingen eruit. Bespaart je een hoop wachten in het ziekenhuis.'

'Geweldig.'

Oliver, in het kantoortje, deed dienst als vraagbaak, nam boze trainers voor zijn rekening en deed voor de stewards navraag naar de weigering van de winnaar om in het binnenkantoortje plaats te nemen te midden van computers, kopieermachine en koffiezetapparaat.

Over het geheel genomen hielden zij wier taak het was het alle andere mensen naar de zin te maken, wel rekening met het geïmproviseerde karakter van de faciliteiten, maar het was toch interessant om te zien hoe ze, naarmate de dag vorderde, de waarlijk wonderbaarlijke voorzieningen meer en meer als vanzelfsprekend gingen zien en van lieverlede begonnen te klagen over de benauwde weegkamer en het gebrekkige uitzicht vanaf de tribunes.

'Je geeft ze een wonder,' klaagde Roger, 'en ze willen een wonder boven wonder.'

'Het blijven mensen.'

'Tuig is het.'

Ik bracht enige tijd door met Perdita en Penelope en was verward op het krankzinnige af, en ik bracht enige tijd door met mijn zoons, waardoor ik weer werd teruggesleept naar volwassenheid en ouderschap. Gelukkig kreeg ik niet meer te horen dat mijn dagen waren geteld.

Ik sprak nog wel met Marjorie, die Victoria verving bij de prijsuitreiking. Haar kaarsrechte figuurtje werd voor het gedrang beschermd door de massiviteit van Conrad en Ivan. Camera's flitsten, een microfoon die door iemand werd opgehouden produceerde een vaag gebrom; de eigenaar van de winnaar was in de wolken, de trainer leek opgelucht en de jockey bleef nuchter (zijn tiende paar manchetten). Het paard was opgewonden. Een doodgewone prijsuitreiking op een ongewone dag.

'Lee,' zei Marjorie, die alweer aanstalten maakte om naar de grote tent terug te gaan maar bleef staan toen ze mij in de buurt zag. 'Kopje thee?'

Ik liep gehoorzaam met haar mee, hoewel het voorstel om thee te gaan drinken het al snel moest afleggen tegen een voortreffelijke Pol Roger uit de kelders van Stratton Hays. Ze liet Conrad en Ivan achter en nam mij alleen mee de weer opgeruimde eettent in, waar de trouwe staf de tafel weer op zijn pootjes had neergezet en hem meteen gedekt met korstloze komkommersandwiches en roomsoesjes.

Marjorie nam plaats op een van de stoelen en kwam meteen ter zake.

'Wat kost dit allemaal?' vroeg ze op een toon die duidelijk maakte dat ze zich niet voor de gek liet houden.

'Wat is het waard?'

'Ga zitten, ga zitten.' Ze wachtte terwijl ik me voorzichtig liet zakken. 'Het is, en dat weet je heel goed, bijna alles waard wat jouw grote vriend ervoor zou vragen. We zijn de hele middag *overspoeld* met complimentjes. De mensen vinden deze tent enig. De toekomst van de renbaan, niet minder, is veilig gesteld. Misschien dat we vandaag geen winst in contanten halen, maar we hebben wel een investering van onschatbare waarde gedaan in goodwill.'

Ik glimlachte om haar zakelijke metafoor.

'Ik heb tegen Conrad gezegd dat hij niet moest kibbelen over de rekeningen,' zei ze beheerst. 'Oliver Wells is zo druk dat ik jou deze boodschap maar geef in plaats van hem. Ik heb een familiebijeenkomst gepland voor woensdag, overmorgen dus. Kunnen jij en Oliver en Roger voor mij van tevoren een lijst opstellen van alle gemaakte onkosten?'

'Vermoedelijk wel.'

'Doe het,' zei ze, meer om te overtuigen dan om te commanderen. 'Ik heb Conrad gezegd dat hij onze accountants opdracht moet geven zo snel mogelijk een up to date en realistische balans op te maken, en daar niet mee te wachten tot het eind van het belastingjaar. We hebben een helder beeld nodig van hoe de renbaan er op dit moment voor staat en we moeten ons beslist op de nabije toekomst beraden.' De heldere stem zweeg even. 'Jij hebt ons vandaag laten zien dat we de oude tribune niet weer moeten opbouwen zoals hij vroeger was. Jij hebt ons laten zien hoe positief mensen reageren op een frisse en ongewone omgeving.

We moeten *luchtige* tribunes bouwen.'

Ik luisterde vol ontzag. Hoe oud was ze? Vierentachtig? Vijfentachtig? Een fragiel ogend, maar keihard oud dametje met iets van een magnaat in zich.

'Kom jij ook naar de bijeenkomst?' vroeg ze, verre van zeker.

'Ik denk het.'

'En Mrs. Faulds?'

Ik keek haar droog aan. 'Ze zei al dat u haar wel herkend had.'

'Ja. Wat heeft ze tegen je gezegd?'

'Niet veel. Het kwam er voornamelijk op neer dat als de renbaan winstgevend kan draaien, zij niet zal gaan pushen dat de grond verkocht moet worden.'

'Mooi.' Haar opluchting werd onderstreept door een subtiel ontspannen van verscheidene aangezichtsspieren waarvan ik me niet gerealiseerd had dat ze gespannen waren geweest.

'Ik denk niet dat ze veel zin heeft naar die bijeenkomst te komen,' voegde ik eraan toe. 'Ze had over de familieruzies gelezen in de kranten. Ze wilde alleen weten hoe de zaken ervoor stonden.'

'De kranten!' Marjorie schudde walgend het hoofd. 'Ik heb geen idee hoe die aan al die verhalen over onze ruzies gekomen zijn. Die verslagen waren schandelijk. We kunnen ons geen onenigheid meer *veroorloven.* En wat nog belangrijker is, we kunnen ons *Keith* niet langer veroorloven.'

'Misschien,' probeerde ik, 'moeten jullie hem gewoon laten... vallen.'

'O, nee,' zei ze meteen. 'De naam van de familie...'

Het dilemma bleef, oeroud – en onoplosbaar, vanuit hun optiek.

Aan het eind van de dag verspreidden de mensenmassa's zich weer over Swindon en omgeving. De grote tent was leeggestroomd. De cateraars pakten hun tafels en stoelen in en vertrokken. De middagzon taande goudgeel aan de horizon en Henry, Oliver, Roger en ik zaten op kratten in de verlaten ruimte van de ledenbar, dronken bier uit blik en hielden anti-climactische nabesprekingen.

De vijf jongens zwierven als stropers rond, Toby had zich nu ook bij hen gevoegd. De Strattons waren vertrokken. Buiten werden de laatste winnaar en verliezers in paardetrailers geladen. De druk was van de ketel, de strijd was gestreden, de winnaars waren gelauwerd. Een ongelooflijk weekend vouwde zijn vleugels.

'En dan nu, dames en heren...' declameerde ik als circusdirecteur, zwaaiend met een arm.

'...gaan we naar huis en naar bed,' maakte Roger de zin af.

Hij reed mij en de jongens opgewekt terug naar de bus, maar keerde zelf nog weer terug naar de tenten en gebouwen om toezicht te houden op het opruimen, afsluiten en treffen van veiligheidsmaatregelen voor de nacht.

De jongens aten en maakten ruzie over een video. Ik las de dagboeken van Carteret, zwaar gapend. We praatten allemaal even met Amanda.

Carteret schreef:

'Lee haalde me over om naar een avondcollege te gaan over de gevolgen van bomexplosies op gebouwen. (Meer IRA-werk, geen bombardementen.) Slaapverwekkend. Het speet Lee dat hij mijn tijd had verpest. Hij heeft iets met ruïnes. Ik zeg steeds tegen hem dat hij daar hier niet bepaald mee kan scoren. Hij zegt dat er leven is na de opleiding...'

'Papa,' onderbrak Neil mijn lezing.
'Ja?'
'Ik heb Henry het raadsel voorgelegd.'
'Wat voor raadsel?'
'Weet je het verschil tussen een paard en een paard en een paard?'
Ik keek vol ontzag naar mijn pientere zoontje. 'Wat zei hij?'
'Hij vroeg van wie dat raadsel afkomstig was. Ik zei van jou, en toen lachte hij alleen maar. Hij zei dat als iemand het antwoord wist, dat jij dat was.'
Ik glimlachte. 'Misschien is het wel net als met dat ene raadsel in *Alice in Wonderland*. Er is helemaal geen antwoord.'
'Wat een stom raadsel.'
'Is ook zo. Dat heb ik ook altijd gevonden.'

Neil, wiens voorliefde voor Pinokkio de videoruzie had gewonnen (voor misschien wel de tiende keer), richtte zijn aandacht weer op de neus die langer werd bij elke leugen. Als je daarop doorfantaseerde, bedacht ik, zou de neus van Keith die van Cyrano de Bergerac ver in de schaduw stellen.

Het dagboek van Carteret:

'De "geweldige" Wilson Yarrow was er ook, hij stelde vragen om te laten zien hoe briljant hij wel is. Waarom de docenten hem zo fantastisch vinden is een raadsel. Hij loopt de hele tijd met ze te slijmen. Lee wordt nog van school getrapt wegens ketterij als de docenten horen wat hij over Gropius te zeggen heeft. Kan beter stoppen met mijn dagboek en doorgaan met mijn essay over politieke ruimte.'

Pagina's en pagina's volgden met een mengelmoes van sociale gebeurtenissen en studieperikelen: niks meer over Yarrow. Ik maakte een sprong voorwaarts in het verleden naar het deels uitgescheurde spiraalschrift waarin de opzienbarende opmerkingen over de Epsilon-prijs hadden gestaan. Hoe ik ook zocht, er leek verder maar één passage aan gewijd te zijn, hoewel die op zich vernietigend genoeg was.

Carteret schreef:

'Meer geruchten over Wilson Yarrow. Hij wordt niet van school getrapt! Ze zeggen dat het ontwerp van iemand anders *per ongeluk* onder zijn naam is ingediend voor de Epsilon-prijs!! Vervolgens zegt ouwe Hammond dat een briljant talent als dat van hem niet in de kiem moet worden gesmoord vanwege één kleine onachtzaamheid! Over in de kaart laten kijken gesproken! Heb het er met Lee over gehad. Hij zegt dat keuzes van binnen komen. Als iemand ervoor kiest om één keer de kluit te belazeren, zal hij het weer doen. En de consequenties dan, vroeg ik. Hij zei dat Wilson Yarrow niet over de consequenties had nagedacht omdat hij gehandeld had vanuit de overtuiging dat hij toch niet tegen de lamp zou lopen. Niemand schijnt te weten – of ze zeggen het niet – hoe de "fout" aan het licht is gekomen. De Epsilon is voor dit jaar vervallen. Waarom geven ze hem niet aan degene van wie dat winnende ontwerp was?

* Hoor net een gerucht, heet van de naald. Het ontwerp was van Mies!!! Ontworpen in 1925, maar nooit gebouwd. Mooie vergissing!!!'

Ik las tot mijn ogen pijn deden van zijn handschrift, maar nergens bevestigde of ontzenuwde Carteret dat laatste gerucht.

Eén knoeierij van lang geleden, nog betwist ook, was dan misschien interessant, zelfs Marjorie zou de oude dagboeken van Carteret niet als geschikt pressiemiddel beschouwen, zoveel jaar later, vooral niet aangezien er indertijd niks tegen ondernomen was. Wilson Yarrow nu een bedrieger noemen zou heel dicht in de buurt van laster komen.

Ik zag trouwens ook niet hoe zo'n oud schandaal, ook al was het waar gebeurd, door Yarrow gebruikt kon zijn om Conrad over te halen of zelfs te dwingen om hem, alleen hem, de opdracht voor het ontwerp van een nieuwe tribune toe te spelen.

Met een zucht stopte ik de dagboeken weer in de draagtas, keek de laatste vijf minuten van *Pinokkio* mee en stopte mijn kroost in bed.

Dinsdagochtend namen de Gardners, die er zelf ook dringende zaken hadden af te handelen, mij en de jongens mee naar Swindon. Ze zetten

ons af voor de wasserette en we spraken af elkaar later weer te ontmoeten bij een kapsalon genaamd Smiths.

Terwijl bijna onze volledige garderobe rondjes draaide in was- en
droogtrommels, gingen wij op sportschoenenjacht (moeilijk—en kost-
baar—aangezien kleur en vorm van de flitsende decoraties voor de jongens precies zo moesten wezen en niet anders, hoewel in mijn ogen de
schoenen waar zij kotsneigingen van kregen er vrijwel hetzelfde uitza-
gen), waarna ik (met een korte tussenstop voor de aanschaf van een
grote zak appels) de jongens meedogenloos richting kapsalon dreef om
ze te laten kortwieken.

Hun totale oppositie tegen dit plan smolt als sneeuw voor de zon op
het moment dat ze over de drempel van Smiths stapten, want daar werden ze door niemand minder begroet dan Penelope Faulds. Blonde,
lange, jonge Penelope, die handen kletste met mijn kinderen en elk
restje volwassenheid in mij met de grond gelijk maakte.

Smiths, waarvan ik op de een of andere manier verwacht had dat het
stil en ouderwets zou zijn, omdat het al zo lang bestond, bleek een paar
generaties te hebben overgeslagen en had nu een unisex voorkomen
compleet met graffiti en rap. Droogkappen waren vervangen door
handzame föhns en de modellen op de foto's aan de wanden leken wel
onder handen genomen door snoeikunstenaars. In de talrijke spiegels
zag ik voornamelijk nog meer spiegels en chroom. Jongens met paarde-
staartjes praatten als Eastenders. Ik voelde me opeens oud en mijn
kinderen vonden het geweldig.

Penelope knipte zelf hun haar en raadpleegde mij eerst over de instructies van Christopher, die zich bijna kaal wilde laten scheren, afgezien van een paar krulletjes die hij nog wel op zijn voorhoofd wilde ge-
dogen. 'Maak er een compromis van,' smeekte ik haar, 'anders draait
zijn moeder me de nek om. Zij knipt meestal hun haar.'

Ze glimlachte verrukkelijk. Ik verlangde zo ongelooflijk naar haar
dat de pijn die het dak van de tribune me bezorgd had er volledig bij
in het niet zonk. Ze knipte Christopher kort genoeg om hem tevreden
te stellen en te kort in mijn ogen. Het was *zijn haar*, zei hij. Zeg dat
maar tegen je moeder, antwoordde ik.

Toby vroeg, interessant genoeg, om een 'gewoon' kapsel: zijn haar
hoefde geen *statement* te zijn. Met een vaag behaaglijk gevoel keek ik
toe hoe Penelope een laken om zijn keel knoopte. Ik vroeg of haar
moeder in de buurt was.

'Boven,' zei ze, wijzend. 'Ga maar naar boven. Ze zei al dat ze je verwachtte.' Ze glimlachte. Mijn hart sloeg weer op hol. 'Ik zal van je kinderen geen kermisattracties maken,' beloofde ze. 'Ze hebben prachtige
koppies.'

Ik ging met tegenzin naar boven, naar Perdita, en het was daar, uit zicht, dat de oude orde had standgehouden: daar zaten dames met krulspelden op onder droogkappen damesbladen te lezen.

Perdita, levendig in zwarte broek, felroze shirt en lange parelketting, leidde mij langs haar oma-achtige klanten die naar die grote man met die wandelstok keken alsof hij van een andere planeet kwam.

'Let maar niet op mijn ouwe schatjes,' plaagde Perdita mij. Ze gebaarde dat ik haar afgeschermde heiligdom achter in de salon wel kon binnengaan. 'Tanqueray?'

Ik stemde een beetje bedeesd toe, en zij drukte een groot glas in mijn hand met ruim gin, een weinig tonic, tinkelende ijsblokjes en een dikke plak citroen. Kwart over elf op een dinsdagmorgen. Nou ja.

Ze deed de deur tussen ons en de ouwe schatjes dicht. 'Ze hebben oren als pannekoeken,' zei ze monter. 'Wat wil je weten?'

'Forsyth...?' vroeg ik voorzichtig.

'Ga zitten, schat,' beval ze, neerploffend in een met rozen bedrukte leunstoel en gebarend dat ik in het andere exemplaar kon plaatsnemen.

'Ik heb de hele nacht liggen denken of ik je het allemaal wel moest vertellen,' zei ze. 'Nou ja, de halve nacht. Verscheidene uren. William vertrouwde er altijd op dat ik niet zou doorvertellen wat hij mij vertelde, en dat heb ik ook nooit gedaan. Maar nu... Ik weet echt niet of hij wilde zeggen dat ik voorgoed moest zwijgen, maar de zaken staan er nu anders voor. Iemand heeft zijn geliefde renbaan opgeblazen, en jij hebt de koersdag van gisteren gered en ik denk... ik denk echt dat je, zoals jij zei, het werk voor hem niet kunt afmaken als je niet weet wat er tegenover je staat, dus, nou, ik denk niet dat hij het erg zou vinden.' Ze dronk wat gin. 'Ik zal je eerst vertellen over Forsyth, daarna zien we wel.'

'Goed,' zei ik.

Ze zuchtte diep en begon, en naarmate ze in haar verhaal groeide ging het haar makkelijker af.

'Forsyth vatte het plan op om een verzekeringsmaatschappij op te lichten,' zei ze, 'en de familie mocht voor de financiële brokken opdraaien of hem voor God mag weten hoe lang achter de tralies opzoeken.'

'Ik dacht wel dat het misschien zoiets was,' zei ik langzaam.

'William zei...' Ze zweeg even, nog steeds een beetje gereserveerd; onzeker, ondanks haar beslissing. 'Het voelt zo vreemd om jou dit allemaal te vertellen.'

Ik knikte.

'Er zou geen woord over mijn lippen komen als hij nog geleefd had, maar zijn familie kan me niet zoveel schelen. Ik heb vaak tegen hem gezegd dat hij ze voor hun eigen criminele handelingen zou moeten laten boeten, maar daar wilde hij niets van weten. De naam van de familie zuiver houden... het leek wel een obsessie.'

'Ja.'

'Goed.' Ze haalde diep adem. 'Ongeveer een jaar geleden leende Forsyth een fortuin van de bank, gegarandeerd door Ivan—zijn vader—met zijn tuincentrum als onderpand. Forsyth begon grasmaaimachines met afstandsbediening in te kopen en te verkopen. Ivan is geen geweldig zakenman, maar hij luistert tenminste naar zijn manager en gaat naar Conrad en William... dat deed hij tenminste, arm schaap... voor advies, en hij laat deugdelijke jaarverslagen opstellen... maar die wijsneus van een Forsyth, die ging zijn eigen gang, die wilde naar niemand luisteren. Hij kocht een gigantisch magazijn, waar hij ook weer een hypotheek op moest nemen, en duizenden grasmaaiers die verondersteld werden het gras te maaien terwijl jij lekker onderuit zat, maar die dingen waren alweer achterhaald toen hij er een contract voor tekende, en bovendien gingen ze de hele tijd stuk. De mensen die ze aan hem verkocht hadden moeten zich gek hebben gelachen, zei William. William zei dat Forsyth het had over het verwerven van een monopolie, wat niemand ooit kan, zei William, voor welk produkt ook. Het is de kortste weg naar een bankroet. Dus daar zat Forsyth met die enorme voorraad die hij zich contractueel verplicht had af te nemen, met een zware hypotheek die hij niet kon opbrengen, met een bank die zijn cheques weigerde te dekken en met een vader die ervoor kon opdraaien... en je kunt wel raden wat er toen gebeurde.' Ze richtte zich even op haar gin.

'Een brandje?' opperde ik, terwijl ik de ijsblokjes in mijn glas liet tinkelen.

'Brand*je*! Het was een vuurzee. Magazijn, maaiers, afstandsbedieningen, alles in as. William zei dat iedereen ervan uitging dat het was aangestoken. De verzekeringsmaatschappij stuurde er rechercheurs op af, het krioelde er van de politiemensen. Forsyth stortte in elkaar en bekende onder vier ogen tegen William.'

Ze zweeg even en zuchtte nog een keer diep.

'En wat gebeurde er toen?' vroeg ik.

'Niets.'

'*Niets?*'

'Nee. Het is geen misdrijf om je eigen bezit in brand te steken. William betaalde alles af. Hij claimde geen verzekering. Hij betaalde de hypotheek van het magazijn af met boetes en verkocht de grond waarop het gestaan had. Betaalde alle koopcontracten voor die stomme gras-maaiers om processen te vermijden. Betaalde het geld terug dat de bank geleend had, plus alle rente, om te voorkomen dat Ivan zijn tuincentrum zou kwijtraken. Het kostte allemaal een *enorme* hoeveelheid geld. William liet iedereen in de familie weten dat ze stuk voor stuk heel wat minder van hem zouden erven vanwege het zakelijke avontuur en het criminele uitstapje van Forsyth. Niemand wilde daarna nog met Forsyth praten. Hij jammerde erover tegen William en William zei dat het of dit was, of de gevangenis, en dat hij maar beter dankbaar kon zijn. Forsyth zei dat Keith hem had opgedragen het magazijn in brand te steken. Keith zei dat Forsyth loog. Maar William zei tegen mij dat het waarschijnlijk waar was. Hij zei dat Keith altijd zei dat je van dingen af kon komen door ze te verbranden.'

Zoals hindernissen bij open greppels, dacht ik. En tribunes, door ze op te blazen?

'Zo!' zei ze, alsof ze zelf verrast was over het gemak waarmee ze het verteld had. 'Ik heb het je verteld! En ik voel William achter me staan en zeggen dat ik mijn mond moet houden. Maar eigenlijk... is het andersom. Ik denk dat hij het *goed* vindt, schat, waar hij ook is.'

Daar ging ik geen vraagteken bij zetten. 'In elk geval was Forsyth nog een eerlijke oplichter,' zei ik. 'Geen verkrachtingen of drugs.'

'Ja, schat, *dat* krijg je veel moeilijker in de doofpot.'

Een nuance in haar stem, iets van geamuseerdheid, deed mij vragen: 'Maar het kan wel?'

'Je moedigt me aan om stout te zijn!'

Maar nu ze eenmaal van wal was gestoken genoot ze er zelf van.

'Ik zal het niet verder vertellen,' zei ik. 'Ik zal doen wat jij gedaan hebt, met de geheimen van William.'

Ik weet niet of ze me geloofde. Ik weet niet of ik meende wat ik zei. Maar evengoed moedigde het haar aan om verder te vertellen.

'Nou... dan had je Hannah...'

'Wat was er met haar?' drong ik aan, toen ze stilviel.

'Ze groeide zo verbitterd op.'

'Ja, ik weet het.'

'Geen zelfrespect, schat, begrijp je?'

'Nee.'

'Keith liet haar geen moment vergeten dat ze door haar moeder in de steek was gelaten. Door Madeline, die arme schat. Madeline huilde er vaak om en dan zei ze dat ze ik weet niet wat had gegeven voor een miskraam, maar we waren allebei jong toen en we wisten niet waar we een abortus voor haar konden regelen... je moest iemand *kennen* in die tijd, aangezien je nooit een huisarts zover zou krijgen om je te helpen. Niemand zou ooit een jonge getrouwde vrouw helpen om van haar eerste kind af te komen. Keith kreeg te horen dat ze ernaar *geïnformeerd* had; hij kreeg een vreselijke woedeaanval en sloeg haar twee tanden uit de mond.' Ze nam een grote slok gin bij de herinnering. 'William vertelde mij dat Keith tegen Hannah had gezegd dat haar moeder haar had willen aborteren. Vind je dat niet ongelooflijk? Keith was altijd wreed geweest, maar zoiets zeggen tegen je eigen dochter! Hij wilde dat Hannah Madeline zou haten, en dat deed ze. William zei dat hij om wille van Madeline geprobeerd had van Hannah te houden en haar een goede opvoeding te geven, maar Keith was altijd present om haar te verzieken en te verpesten, en ze is nooit een lief meisje geweest, zei William, ze was altijd koppig en hatelijk.'

'Arme Hannah.'

'Hoe dan ook, ze werd een mooi meisje, maar ook vreselijk scherp, en William zei dat jongemannen altijd afgeschrokken werden als ze haar beter leerden kennen, en zo voelde ze zich steeds meer afgewezen, ze haatte iedereen, en uiteindelijk viel ze voor een zigeuner en dook met hem tussen de lakens.' Perdita haalde zuchtend haar schouders op. 'William zei dat het niet eens een echte zigeuner was, maar een landloper die als dief bij de politie bekend stond. William zei dat hij Hannah niet begreep, maar het was een gebrek aan zelfrespect, schat. Een gebrek aan zelfrespect.'

'Ja.'

'Nou, uiteraard werd ze zwanger. En die zigeuner wist ook wel hoe hij een leuke grijpstuiver kon bijverdienen. Opeens stond hij bij Keith op de stoep en vroeg geld, anders zou hij iedereen in het dorp vertellen dat hij de sjieke dochter van Keith zwanger had gemaakt, en Keith sloeg hem neer en trapte op hem in en schopte een van zijn nieren kapot.'

Jezus, dacht ik, ik had nog geluk gehad.

'Keith vertelde het aan William. Die drie jongens zadelden hun vader altijd met hun moeilijkheden op. En William betaalde de zigeuner af, wat tien keer zoveel kostte als de zigeuner aanvankelijk aan Keith had gevraagd.'

'Zuur,' zei ik.

'Dus Jack werd geboren, en die had ook al weinig kans om fatsoenlijk op te groeien. Hannah dweept met hem. William betaalde natuurlijk eindeloos voor zijn opvoeding.'

'William heeft u dat allemaal verteld?'

'O ja, schat. Niet allemaal in één keer, zoals ik nu met jou. Bij stukjes en beetjes. Er zo ongeveer uit geperst, in de loop der jaren. Dan kwam hij doodmoe van zijn hele familie bij me en luchtte zijn hart wat, en dan dronken we een glaasje gin en – als hij er zin in had, nou ja, *je weet wel wat ik bedoel*, schat – en dan zei hij altijd dat hij zich weer een stuk beter voelde en ging hij weer naar huis...'

Ze zuchtte weemoedig.

'Conrad,' zei ze verrassend genoeg, 'raakte jaren geleden opeens verslingerd aan de heroïne.'

'Nee, dat meen je niet!'

Perdita knikte. 'Toen hij jong was. De jongeren van nu weten aan wat voor vreselijke gevaren ze blootstaan met drugs, maar toen Conrad twintig was vond hij het geweldig avontuurlijk, zei William. Hij studeerde aan de universiteit. Hij was met een andere jongeman, ze spoten zichzelf allebei in en zijn vriend kreeg te veel en overleed aan de gevolgen. William zei dat er een vreselijke herrie van kwam, maar hij wist Conrad er heelhuids uit te krijgen, stopte het in de doofpot en stuurde hem naar een peperdure privé-kliniek om ervan af te komen. Hij liet Conrad een brief schrijven waarin hij zijn ervaringen met drugs beschreef, wat hij voelde en zag als hij high was. William heeft me niet laten zien wat Conrad geschreven heeft, maar hij had de brief nog altijd. Hij zei dat Conrad genezen was, en hij was trots op hem. Maar Conrad ging niet meer terug naar de universiteit. William hield hem thuis op het landgoed.'

Ah, dacht ik, *dat* was de houdgreep van Marjorie. Zelfs na zoveel jaar zou Conrad wel niet willen dat zijn jeugdige indiscretie aan de openbaarheid werd prijsgegeven.

Perdita dronk haar glas leeg en schonk nog eens in. 'Glas verversen?' vroeg ze aan mij.

'Nee, ik heb genoeg zo. Ga verder, ik ben één en al oor.'

Ze lachte. Ze praatte heel makkelijk nu. 'Toen Keith ongeveer die leeftijd had, toen hij jong en knap was, voor al die vreselijke dingen, gaf hij de dochter van een van de landarbeiders er een keer van langs. Hij trok haar slipje naar beneden en petste haar op de billen. Ze had niets verkeerds gedaan. Hij zei dat hij wilde weten hoe het voelde. William betaalde haar vader een fortuin – voor die dagen – om hem ervan te weerhouden naar de politie te gaan. Maar het was geen verkrachting.'

'Het was erg genoeg.'

'Keith leerde zijn lesje, zei William. Nadien sloeg en verkrachtte hij alleen nog maar zijn vrouwen. Dat was toen nog niet strafbaar.'

Haar gezicht verloor opeens iedere vreugde, en dat van mij ongetwijfeld ook.

'Het spijt me, schat,' zei ze. 'Ik hield van Madeline, maar het is allemaal al veertig jaar geleden. En ze wist te ontkomen, ze trouwde opnieuw en kreeg jou. William zei dat Keith je moeder haar verachting voor hem nooit vergeven heeft.'

Misschien omdat ik het niet van me af kon zetten, zei ik: 'Gisteren zei Keith dat hij me zou vermoorden. Veertig jaar na dato probeert hij nog zijn gram te halen.'

Ze keek me aan met grote ogen. 'Meende hij het?'

'Hij meende het toen hij het zei.'

'Maar schat, je moet hem wel serieus nemen. Hij is heel gewelddadig. Wat ga je nu doen?'

Ik zag dat ze eigenlijk meer geïnteresseerd was dan bezorgd, maar het was ook niet haar probleem van leven of dood.

'Als hij mij ziet wordt hij al razend,' zei ik. 'Ik zou gewoon weg kunnen gaan. Naar huis. Erop gokken dat hij me niet achternakomt.'

'Ik moet zeggen schat, jij vat het wel heel kalm op.'

Ik had mijn eigen semi-doorwaakte nacht eraan gespendeerd, maar ik reageerde nonchalant. 'Dat komt waarschijnlijk omdat het zo onecht lijkt. Ik bedoel, het is voor mij niet bepaald routine om de mogelijkheid te overwegen dat iemand mij gaat vermoorden.'

'Dat snap ik,' zei ze instemmend. 'Maar vertrek je of niet?'

Ik kon haar geen antwoord geven, omdat ik het nog steeds niet wist. Ik moest ook aan de vijf kinderen denken, en voor hun hachje leek het mij beter om iedere verdere confrontatie maar zoveel mogelijk te vermijden. Het manische karakter van de haat die Keith voor mij koesterde had ik maar al te duidelijk gevoeld aan de felheid van zijn trappen, en hij had nu ook de rechtvaardiging voor een aanslag – in zijn ogen althans – vanwege mijn betrokkenheid bij de ontmaskering van Harold Quest en het in handen spelen van diens bekentenis aan Marjorie. Ik had hem aan haar overgeleverd: voor hem reden genoeg mij te vermoorden. Diep in mijn hart geloofde ik dat hij het zou proberen ook, en al wilde ik het niet, ik was toch bang voor hem.

Ik kon mijn jongens waarschijnlijk een levende vader garanderen door me uit het strijdperk terug te trekken.

Ik kon... weglopen.

Het was, zoals ik Toby duidelijk had gemaakt, niet realistisch om te verwachten dat je iedere dag standvastig kon zijn. Het zou *verstandig* zijn om te gaan.

Het probleem was echter dat ik dan misschien wel graag weg *wilde*, maar dat het deel van mij dat uiteindelijk de beslissingen nam niet weg *kon*.

'Kon ik maar doen wat de Strattons ook altijd doen,' zei ik harts-tochtelijk, 'kon ik Keith maar *chanteren* om me met rust te laten.'

'Het idee!'

'Maar dat kan ik wel schudden.'

Ze liet haar hoofd scheef zakken, keek naar mij en dacht met me mee.

'Zeg schat, ik weet niet of je er veel verder mee komt,' zei ze lang-zaam, 'maar misschien heeft Conrad wel iets dergelijks.'

'Wat dan? Hoe bedoelt u?'

'Ik heb nooit precies geweten wat het was,' zei ze, 'maar William had wel een maniertje om Keith deze laatste paar jaar in het gareel te hou-den. Alleen op dit ene punt heeft hij me nooit alles verteld. Ik had het idee dat hij zich te veel voor Keith *schaamde*, toen. Alleen zijn naam leek al genoeg om hem ineen te doen krimpen. Toen, op een dag, zei hij dat er dingen waren waarvan hij niet wilde dat andere mensen ze te weten kwamen, zelfs niet na zijn dood, maar dat hij dacht, dat hij wat hij wist wel moest doorgeven aan Conrad, zijn *erfgenaam*, begrijp je, schat, zodat Conrad het zou kunnen gebruiken als het moest. Ik had hem nog nooit zo bedrukt gezien als die dag. Ik vroeg hem ernaar de volgende keer dat hij bij me kwam, maar hij wilde er nog steeds niet veel over zeggen. Hij zei alleen dat hij een verzegeld pakket aan Conrad zou geven met zeer strenge instructies over wanneer het ooit openge-maakt zou moeten worden, en hij zei dat hij altijd zijn best had gedaan voor de familie. Zijn uiterste best.'

Ze zweeg even, enigszins van streek. 'Hij was zo'n *schat*, weet je.'

'Ja.'

De geheimen waren eruit. Perdita veegde een paar tranen van gene-genheid weg en had duidelijk vrede met zichzelf. Ik stond op, kuste haar wang en ging naar beneden, naar mijn vers-gekapte kinderen.

Ze zagen er geweldig uit. Ik smolt bij het tevreden professionalisme dat Penelope uitstraalde. De jongens lachten met haar, leken er geen enkele moeite mee te hebben genegenheid voor haar te voelen en ik, die pijnlijk naar haar lichaam verlangde, betaalde voor hun nieuwe kap-sels (ondanks haar protesten) en bedankte haar, waarna ik mijn jongens met pijn in het hart mee naar buiten nam.

'Gaan we daar nog eens naar toe, papa?' vroegen ze.

'Ja, dat doen we nog weleens,' beloofde ik. Waarom niet? vroeg ik me af, en: misschien houdt ze wel van me, en ik bedacht dat de kin-deren toch ook gek op haar waren, en liet me meeslepen in een hopelo-ze warboel van zelfrechtvaardiging, en was meteen bereid mijn onbevre-digende huwelijk eraan te geven, datzelfde huwelijk waar ik nog zo kort geleden, in de trein, bijna voor op de knieën had gelegen om het maar stand te laten houden.

De Gardners pikten ons op en namen de schone kleren, de appels, de nieuwe sportschoenen en de kapsels mee terug naar de renbaan en het gewone leven.

Die avond belden we Amanda. Het was acht uur, maar ze klonk mat en slaperig.

Ik maakte een lange nacht door zonder veel vreugde, en dacht zowel aan mijn eigen verplichtingen en verlangens, als aan Keith en wat hij ook van plan mocht zijn. Ik zocht naar manieren om hem de baas te zijn. Ik dacht aan angst en de behoefte aan moed, en voelde me besluiteloos en onbeholpen.

14

Woensdagochtend was Henry in zijn laatste wagen vertrokken. Hij had alles zoveel mogelijk in gereedheid gebracht voor de volgende keer en hij had beloofd in de toekomst nog verbeteringen aan te brengen.

Op dinsdag waren de vlaggen boven de grote tent met kranen ingehaald en in zakken gestopt. De lichten en de ventilatoren waren uitgeschakeld. De zijtentjes voor de cateraars waren afgesloten, zodat niemand er zomaar kon binnenwandelen. De brandblussers bleven op hun plaats, rode wachtposten, onaangeroerd. De mannen van Henry en een paar mensen van het renbaanpersoneel hadden met slangen en bezems de afdrukken van een paar duizend voeten van de vloer verwijderd.

Op woensdagochtend liepen Roger en ik door het middenpad en checkten de grote lege ruimten aan weerszijden. Geen stoelen, geen tafels; een paar plastic kratten. Het enige licht was daglicht van buiten, dat door het canvas en het perzikkleurige tentdoek filterde en van dof naar helder naar dof verliep terwijl wolken zonder veel haast langs de zon schoven.

'Wat een rust, hè?' zei Roger.

Ergens flapperde een stuk canvas in de wind, maar verder was het overal stil.

'Je kunt je nauwelijks nog voorstellen hoe het er op maandag allemaal uitzag,' beaamde ik.

'Gistermiddag hebben we de laatste cijfers op een rijtje gezet,' vertelde Roger. 'Er was elf procent meer publiek dan vorig jaar. Elf procent! En dat terwijl de tribunes in puin liggen.'

'Dat is ook meteen een van de redenen,' zei ik. 'Samen met al die aandacht op de televisie.'

'Ja, dat denk ik ook.' Hij was opgewekt. 'Heb je gisteren de kranten nog gezien? "Moedig Stratton Park." Dat soort sentimenteel gedoe. Kan niet beter natuurlijk!'

'De Strattons zeiden dat ze vanmorgen een bijeenkomst hadden,' zei ik. 'Weet jij ook waar?'

'Niet hier, voor zover ik gehoord heb. Hier is alleen mijn kantoor, en dat is toch echt te klein.' Hij dacht even na. 'Als ze een bijeenkomst hebben zullen ze jou toch zeker wel vertellen waar?'

'Ik zou er niet op rekenen.'

We liepen langzaam terug naar het kantoor, met niks om handen: een raar gevoel. Opeens zwaaide Dart in zijn oude brik het parkeerterrein op.

'Hallo,' riep hij vrolijk terwijl hij uitstapte. 'Ben ik de eerste?'

Roger legde uit dat hij van niks wist.

De wenkbrauwen van Dart gingen de lucht in. 'Toen Marjorie zei dat er een bijeenkomst was, ging ik er automatisch van uit dat ze hier bedoelde.'

Met zijn drieën, heel amicaal, liepen we verder.

'Zoals jullie zien heeft de politie me mijn wagen weer teruggegeven,' zei Dart, 'maar het is een wonder dat ik niet in de bak zit. Een kwestie van tijd, als je het mij vraagt. Ze zijn tot de slotsom gekomen dat ík de tribunes heb opgeblazen.'

Roger hield stomverbaasd de pas in. '*Jij?*'

'Het lijkt wel of ze alles wat er maar mis kon zijn met mijn auto ook werkelijk hebben ontdekt: aids, hasj, hondsdolheid, vuile vingernagels, noem maar op. Hun honden en hun reageerbuisjes sloegen op hol, overal gingen alarmbelletjes rinkelen.'

'Nitraten,' interpreteerde ik.

'Precies. Het spul waar de tribunes mee zijn opgeblazen is in mijn auto naar de renbaan gebracht. Tussen acht uur en halfnegen, de ochtend van Goede Vrijdag. Dat zeggen ze tenminste.'

'Dat kunnen ze niet menen,' protesteerde Roger.

'Gistermiddag hebben ze me anders behoorlijk aangepakt.' Ondanks zijn opgewekte houding was het duidelijk dat hij geen woord te veel zei. 'Ze bleven maar doorgaan over waar ik dat spul vandaan had, dat PE 4 of zoiets. En mijn handlangers, vroegen ze de hele tijd. Wie waren dat? Ik keek ze alleen maar met grote ogen aan. Maakte een slap geintje of twee. Ze zeiden dat het niet om te lachen was.' Hij trok een komischzielig gezicht. 'Ze beschuldigden me ervan dat ik op school ook de militaire training had gedaan. Een half leven geleden! Nou vraag ik je! Ik zei "nou en, dat is geen geheim". Ik heb een jaar of twee wat lopen marcheren om mijn grootvader een plezier te doen, maar een soldaat in hart en nieren zou ik mezelf toch *echt* niet willen noemen. Het spijt me, kolonel.'

Roger wuifde het excuus weg. We gingen zijn kantoor binnen en bleven met zijn drieën rond het bureau staan praten.

'Ze zeiden dat ik bij die militaire training vast ook met explosieven had gewerkt,' vervolgde Dart. 'Ik niet, zei ik. Laat anderen maar de idioot uithangen. Het enige dat ik me echt levendig herinnerde van die training was dat ik over een tank heb gekropen en na afloop nachtmerries had dat ik eraf viel en voor die rupsbanden terechtkwam. Zo *hard* als dat ding kon! Hoe dan ook, ik zei: ga maar eens met Jack praten, die volgt om dezelfde reden als ik die militaire training, en die *zit* nog op school en hij haat het, en ik vroeg waarom ze *hem* niet gevraagd hadden waar je aan dat vuurwerk kon komen. Ze sloegen me bijna in de boeien toen ik dat zei.'

Toen hij even stilviel vroeg ik: 'Doe jij normaal gesproken je auto op slot? Ik bedoel, wie zou er anders in hebben kunnen rijden op de ochtend van Goede Vrijdag?'

'Geloof je me niet?' vroeg hij beledigd.

'Ja, ik geloof je. Zonder meer. Maar als jij niet achter het stuur zat, wie dan wel?'

'Er *kunnen* geen explosieven in mijn auto hebben gezeten.'

'Je zult het feit onder ogen moeten zien dat het wel zo gegaan is.'

'Ik weet er niets van,' zei hij obstinaat.

'Nou... eh... sluit je je auto af of niet?'

'Niet vaak, nee. Niet als hij gewoon voor de deur staat. Dat heb ik ook tegen de politie gezegd. Ik zei dat hij daar gewoon stond en dat ik het sleuteltje er waarschijnlijk inderdaad in had laten zitten. Ik zei dat *iedereen* ermee vandoor kon gaan.'

Roger en ik keken allebei weg van Dart, we wilden hem nergens van beschuldigen. 'Voor de deur' was niet wat je noemt in het zicht van de doorsnee-autodief. Voor de deur was bij de achteringang van het familiehuis, Stratton Hays.

'Stel dat het Keith was die je auto even had geleend,' zei ik, 'zou je familieloyaliteit zich tot *hem* uitstrekken?'

Dart was verbijsterd. 'Ik weet niet waar je het over hebt. Ik weet niet wie mijn auto gebruikt heeft.'

'En je wilt het ook niet weten.'

Hij grinnikte een tikkeltje ongemakkelijk. 'Wat voor vriend ben jij eigenlijk?'

Roger zei neutraal: 'Keith heeft Lee eergisteren nog bezworen dat hij hem om zeep zou helpen. En hij meende zonder enige twijfel wat hij zei. Je kunt het Lee niet kwalijk nemen dat hij wil weten of Keith de tribune heeft opgeblazen.'

Dart keek me een hele tijd aan. Ik lachte met mijn ogen.

'Ik denk niet dat Keith het was,' zei Dart uiteindelijk.

'Toch ga ik onder mijn bus kijken,' zei ik tegen hem. 'Ik laat mijn kinderen er niet in voor ik zeker weet dat het vertrouwd is.'

'*Lee!*' Het klonk geschokt. 'Nee, *zoiets* zou hij niet doen. Zelfs Keith

218

niet. Ik zweer je...' Hij viel stil. Hij had me hoe dan ook verteld wat ik weten wilde. Een fragment van de waarheid, al was het niet het hele verhaal.

'Zou je vanuit een soort familiegevoel,' vroeg ik, in een poging zo luchtig mogelijk over te komen, 'willen overwegen mij te helpen een manier te vinden om Keith te verhinderen zijn onaangename dreigement uit te voeren? Om hem en jullie allemaal voor de consequenties te behoeden, zogezegd?'

'Maar natuurlijk.'

'Mooi.'

'Maar ik zie niet in wat ik kan doen.'

'Dat vertel ik je straks. Nu eerst dit: waar is de bijeenkomst?'

'Jezus, ja.'

Hij pakte meteen de telefoon en draaide een nummer, kennelijk van zijn ouders want hij kreeg een schoonmaakster aan de lijn die niet wist waar Lord of Lady Stratton te bereiken waren.

'Verdomme,' zei Dart, en hij probeerde een ander nummer. 'Ivan? Waar is die bijeenkomst? Bij *jou*? Wie zijn er? Nou zeg maar dat ik later kom.' Hij legde de hoorn neer en schonk Roger en mij weer zijn zorgeloze grijns. 'Mijn ouders zijn er, en Rebecca en Hannah, Imogen en Jack, en het wachten is op tante Marjorie. En Keith hoorde ik op de achtergrond al schreeuwen. Om jullie de waarheid te zeggen voel ik er weinig voor om er ook heen te gaan.'

'Ga dan niet,' zei ik.

'Het was heel belangrijk, zei Ivan. De hele familie is er. Dat betekent dat ik geen keus heb.'

Carpe diem, zeggen ze. Pluk de dag. Pluk het moment. Ik had de kans gekregen waar ik me het hoofd over gebroken had.

'Als jij me nu eens naar het huis van je ouders reed,' stelde ik voor, 'tegen de schoonmaakster zei dat ik een vriend van de familie was en mij daar achterliet terwijl jij naar de bijeenkomst ging?'

'Waarom dat in vredesnaam?' vroeg hij verbaasd.

'Je weet maar nooit,' zei ik.

'Lee...'

'Oké. Om die ontwerpen voor een nieuwe tribune aan een nader onderzoek te onderwerpen, waar ik de vorige keer niet aan wilde.'

Roger maakte aanstalten me eraan te herinneren dat ik die ontwerpen al gezien had maar hield zich, tot mijn grote opluchting, net op tijd in.

Dart zei met gefronst voorhoofd: 'Ik begrijp echt niet...'

Aangezien ik ook niet *wilde* dat hij het begreep zei ik, zijn verwarring nog groter makend: 'Het is in het belang van je familie. Zoals ik al zei, als je mij liever niet door Keith uit de weg wilt laten ruimen, moet je gewoon op me vertrouwen.'

Hij vertrouwde mij meer dan wie ook in zijn familie dat deed, en zijn laconieke instelling kreeg weer de overhand.

'Als jij dat graag wilt,' stemde hij in, nog altijd niet-begrijpend – en hoe kon hij het ook begrijpen? 'Bedoel je *nu*?'

'Absoluut. Alleen zou ik je willen vragen de achteruitgang te nemen, want ik kan beter de jongens even inlichten dat ik een tijdje weg ben.'

'Je bent echt ongelooflijk,' zei Dart.

'Ze voelen zich veiliger als ze het weten.'

Dart keek naar Roger, die gelaten knikte. 'Christopher, de oudste, heeft me verteld dat als ze van huis zijn, in die bus, dat ze het dan niet erg vinden als hun vader hen alleen laat, zolang ze maar weten dat hij weg is, en ruwweg wanneer hij weer terugkomt. Dan passen ze op zichzelf zonder zich zorgen te maken. Het schijnt te werken.'

Dart rolde komiek met zijn ogen alsof hij zeggen wilde: een huishouden van Jan Steen, waarop we gezamenlijk naar zijn wagen liepen. Ik liep naar de passagierskant, waar een groot glossy tijdschrift lag getiteld *American Hair Club*. Breeduit grijnzend op de cover stond een jonge, fotomodelachtige man met een stevige kop haar.

Dart stak het snel in de deurzak naast zich en verdedigde zich. 'Dat gaat over het aanhechten van haar met polymeren. Het lijkt me helemaal geen slecht idee.'

'Wat let je?' zei ik.

'Lach me niet uit.'

'Dat doe ik ook niet.'

Hij wierp een achterdochtige blik in mijn richting, maar reed me vriendelijk genoeg naar de bus, waar ik wat gereedschap ophaalde, maar geen jongens ontdekte. Die zaten bij Mrs. Gardner in de keuken, tot de ellebogen in het meel: ze waren bezig met haar goddelijke vruchtencakerecept. Het meeste verdween echter rauw in hun mond. Ze glimlachte stralend naar me, gaf me een kus en zei: 'We hebben zo'n *lol* met elkaar. Haast je niet.'

'Waar vind je een vrouw die je vijf zoons schenkt?' vroeg Dart humeurig, terwijl hij wegreed. 'Wie wil er nou goddomme een ronde, kalende vent van dertig zonder enig talent?'

'Wie wil er nou een opgewekte, zorgeloze, aardige vent die niet bezeten is van allerlei demonen?'

'Heb je het over mij?' Hij was verrast.

'Ja.'

'Er is geen meisje dat mij echt wil hebben.'

'Heb je weleens één gevraagd?'

'Ik ben met een stuk of wat naar *bed* geweest, maar ze lijken allemaal hun zinnen op Stratton Hays te hebben gezet, dan beginnen ze er opeens over wat voor prachtige feesten je daar wel niet kan geven, en één bestond het zelfs om al over het debuutbal van onze *dochter* te beginnen...'

'En dat jaagt jou de stuipen op het lijf?'

'Ze willen met een *huis* trouwen.'

'Als ik naar huis ga,' zei ik, 'moet je maar eens komen logeren, dan zal ik ervoor zorgen dat je mensen ontmoet die nog nooit van Stratton Hays gehoord hebben, en die niets weten van de titel van je vader of jouw eigen miljoenen, dan kun jij je mooi voorstellen als Bill Darlington of wat voor naam je maar leuk lijkt, en dan zullen we eens zien hoe je het doet.'

'*Meen* je dat nou?'

'Nou en of.' Ik dacht even na en vroeg toen: 'Wat gebeurt er binnen je familie als Marjorie overlijdt?'

'Daar denk ik niet aan.'

'Tegen die tijd zou jij getrouwd moeten zijn. Op een dag zul jij het hoofd van de familie zijn, en de anderen zouden dat als vanzelfsprekend moeten zien en jou en je vrouw respecteren, en dan zouden ze moeten kunnen uitkijken naar een mooie en stabiele toekomst.'

'Mijn God,' protesteerde hij, 'jij vraagt ook niet weinig!'

'Jij bent de beste van alle Strattons,' zei ik.

Hij slikte, werd rood en zweeg. We reden de oprijlaan op naar het lelijke, gestreepte huis van zijn ouders, stapten uit en liepen achterom, net als de vorige keer.

De achterdeur zat niet op slot. We liepen langs het pijpenstelsel en door naar de zwart-wit betegelde hal, waar Dart hard begon te roepen: 'Mrs. Chinchee? Mrs. Chinchee!'

Een kleine vrouw van middelbare leeftijd in een roze overall verscheen boven aan de trap en zei: 'Mr. Dart, ik ben hierboven.'

'Mrs. Chinchee,' riep Dart naar haar, 'deze vriend en ik zijn een tijdje hier, maar gaat u maar gewoon door met schoonmaken.'

'Ja, Mr. Dart. Dank u, Mr. Dart.'

Dart draaide zich om en Mrs. Chinchee trok zich weer terug op de bovenverdieping, waar haar werkzaamheden haar mooi van haar eventuele nieuwsgierigheid konden afleiden.

'Goed,' zei Dart. 'En nu? Ik ga niet naar die vergadering. Je zou me hier weleens nodig kunnen hebben.'

'Oké,' zei ik, ergens opgelucht. 'Ga jij dan naar buiten, naar je auto. Mocht een van je ouders eerder van die familiebijeenkomst terugkomen dan we verwachten, druk dan vijf, zes keer flink op de claxon.'

'Je bedoelt dat ik... gewoon op de uitkijk sta?'

'Als je ouders terugkomen, toeteren, en vertel ze maar dat je mij even de telefoon laat gebruiken, of dat ik even naar het toilet moest, of verzin maar iets.'

'Het bevalt me niet,' zei hij met gefronst voorhoofd. 'Stel dat ze jou met die ontwerpen betrappen?'

'Dat vond je eerder niet erg. Sterker nog, je hebt me zelfs aangemoedigd.'

Hij zuchtte. 'Ja, dat is ook zo. Ik kende je toen nog niet zo goed, en het maakte me ook nog niet zoveel uit... Luister, maak het niet te lang.'

'Nee.'

Nog steeds aarzelend draaide hij zich om en vertrok weer naar de achterdeur, en ik betrad de studeerkamer van Conrad, waar paardenprenten elkaar verdrongen op de muren en een eindeloze verzameling snuisterijen op eksterneigingen wees. Miniatuurpaardjes van zilver, antieke gouden munten op een blad, een klein gouden jachttafereel; op elk denkbaar oppervlak stond wel iets.

Zonder tijd te verknoeien liep ik om het grote, rommelige bureau heen en wijdde me aan de illegale daad van het openbreken van andermans kluis. Het slot was gelukkig zo makkelijk te forceren als ik gehoopt had. Het kleine, platte stukje gereedschap dat ik had meegenomen gleed gedienstig langs het simpele slotwerk en duwde de tong terug. Voor het kraken van simpele sloten heb je genoeg aan elke willekeurige platte, afgevijlde smalle versie van een gewone sleutel; hoe eenvoudiger, hoe beter.

De paneeldeur, die zo bedrieglijk op de omringende wanden leek, liet zich makkelijk opendrukken. Erachter lag een kast die groot genoeg was om in te lopen. Ik liet de wandelstok op het bureau liggen, hinkte de kast in en drukte op het schakelaartje dat ik ontwaarde, waarop boven mijn hoofd een peertje in een eenvoudige kap begon te branden.

De wanden van de kast waren bedekt met planken die vol stonden met lange rijen dozen, allemaal van verschillend formaat, kleur en vorm, en niet één met een beschrijving van wat erin zat.

De ontwerpen van de beoogde nieuwe tribune stonden duidelijk in zicht: de grote map die Conrad en Wilson Yarrow naar het kantoortje van Roger hadden gebracht stond gewoon op de grond, tegen een van de planken geleund. Ik trok het paarse lint los waarmee de map zat dichtgebonden, haalde de tekeningen eruit en streek ze plat op het bureau.

Ze waren, dat moest ik toegeven, een beetje als dekmantel bedoeld, voor het geval Dart me mocht betrappen, want het waren inderdaad de tekeningen die ik al gezien had, zonder verdere toevoegingen.

Het belangrijkste doel van mijn riskante onderneming was van begin af aan het pakketje geweest waarvan Perdita me verteld had dat William, Lord Stratton, derde baron, het wilde toevertrouwen aan Conrad, vierde baron—een pakketje met genoeg belastend materiaal over Keith om hem onder controle te houden. Als ik dat nou eens kon vinden, dacht ik, zou ik het misschien kunnen gebruiken om mijn eigen leven te redden, bijvoorbeeld door te verzekeren dat mocht ik een gewelddadige dood sterven, de inhoud van het pakketje onverbiddelijk openbaar zou worden gemaakt.

Nu ik oog in oog stond met deze diverse verzameling dozen, moest ik opnieuw nadenken. Eén bepaald pakketje in al die dozen opzoeken kon uren duren, was in elk geval geen kwestie van minuten, vooral aangezien ik geen duidelijke omschrijving had gekregen van wat voor soort pakketje ik zoeken moest.

Ik haalde het deksel van een doos recht voor me. De doos had het formaat van een grote schoenendoos en was gemaakt van stevig, decoratief karton met kastanjebruine spikkeltjes; het soort doos waar mijn moeder foto's in bewaarde.

Deze doos bevatte geen foto's en geen mysterieuze pakketjes, maar alleen herinneringen aan sociale gelegenheden die te maken hadden met de jachtvereniging waar Conrad jagermeester van was; stijve uitnodigingen met een verguld randje, menu's, volgorde van speeches. Een langere doos ernaast bevatte handenvol losse knipsels uit kranten en bladen, verslagen van eerdere jachtpartijen en vooruitblikken op telkens weer een nieuw jachtseizoen.

Doos na doos bevatte hetzelfde soort spullen: Conrad was niet zozeer iemand die graag van alles geheim hield, zoals Dart hem omschreven had, maar meer een dwangmatig verzamelaar van de bijzonderheden in zijn leven, een man die Carteret naar de kroon stak met zijn dagboeken, om over mij met mijn spaarzame memoires als bewijs van mijn bestaan maar te zwijgen.

Ik probeerde te denken zoals Conrad misschien zou denken, me voor te stellen waar hij zijn meest gevoelige informatie zou bewaren. Even vroeg ik me af of ik niet gewoon in zijn bureau of op de boekenplanken moest zoeken, maar die gedachte zette ik snel van me af. Als de inhoud van het pakketje ernstig genoeg was geweest om door te geven aan een volgende generatie, zou Conrad het vast niet ergens neerleggen waar een argeloos iemand het zo kon vinden. Hij had deze geheime kast, en het slot mocht dan weinig voorstellen: Conrad zou zonder meer van deze opbergmogelijkheid gebruik maken.

Ik haastte me langs de rijen, duwde deksels omhoog, graaide in stapels irrelevante papieren en vond niets wat het risico waard was. Het was in een gewone schoenendoos dat ik een prachtvondst deed, iets waar ik op gehoopt had, al was het niet de jackpot.

Ik keek naar een zwart-witte glansfoto van Rebecca: geen portret, maar een foto van haar in gewone kleren, geen rijkostuum. Ze hield haar hand uit en ontving een stapeltje van wat op bankbiljetten leek van een man die met de rug naar de camera stond, maar die een slappe vilthoed droeg waar haar onderuit krulde en een jasje van een geruit maatkostuum. De achtergrond, ietwat onscherp, was niettemin herkenbaar als een renbaan.

Ik draaide de foto om: geen aantekeningen, geen nadere aanwijzingen betreffende de herkomst, niets.

In dezelfde doos waar ook de foto uit was gekomen lag een bandje. Afgezien van die twee voorwerpen was de doos leeg geweest.

Het bandje oogde heel gewoontjes, maar er stond op geschreven wat ermee was opgenomen.

Ik geloof niet in buitenzintuiglijke waarneming, maar ik voelde een ongebruikelijke rilling bij deze vondst: één foto en één bandopname, samen in één doos, en verder niets. Ik haalde ook de band eruit en legde die met de foto op het bureau van Conrad om eventueel nog op zoek te gaan naar een bandrecorder; maar eerst keerde ik weer terug in de kast, nog steeds koppig op zoek naar een pakketje dat daar hoogstwaarschijnlijk niet eens te vinden was.

Oude lijsten van jachthonden. Jarenoude accountantsrapporten. Dozen vol schoolrapporten van Dart. Geïnspireerd door de stelregel van dieven dat iedereen waardevolle spulletjes *onder* in laden bewaart, en dat de snelste manier om winstgevend in te breken de la op de kop houden is, begon ik de dozen niet echt leeg te schudden, maar alle spullen die erin lagen op te tillen om naar het onderste in elke doos te kijken, en op die manier vond ik dan eindelijk een heel gewone bruine envelop waar slechts 'Conrad' op geschreven stond.

Ik trok hem onder een stapel soortgelijke enveloppen uit die oude verzekeringspolissen bevatten, al lang niet meer geldig. De grote envelop was opengesneden. Zonder opwinding keek ik erin: ik had inmiddels geconcludeerd dat ik me aan strohalmen had vastgeklampt, dat alles van enig belang toch ergens anders zou blijken te liggen. Met een zucht trok ik er een velletje papier uit waarop een paar zinnen stonden geschreven. Ik las:

'Conrad,
    Dit is de envelop waarover ik je verteld heb. Pas er goed op. Kennis is gevaarlijk.
    S.'

Ik keek verder in de bruine envelop. Er zat een andere bruine envelop in, iets kleiner en ongeopend, maar dikker, met meer dan één of twee velletjes papier erin.

Of dit was waar ik naar gezocht had, of het was het niet. Hoe dan ook, ik nam het mee, en om mijn kruimeldiefstal zelfs voor Dart geheim te houden verstopte ik de grotere envelop, met het briefje en de ongeopende envelop erin, onder mijn kleren: om precies te zijn in mijn strakke onderbroek, tegen mijn buik.

Na een blik om me heen om te zien of ik alle dozen weer dicht had gedaan en of te zien was dat er iemand aan gezeten had, liep ik naar het bureau van Conrad om de tribune-ontwerpen weer in hun map te stoppen, ze terug te zetten waar ik ze vandaan had gehaald, de kastdeur weer op slot te doen en onbetrapt de plaat te poetsen.

De foto van Rebecca en het bandje lagen op de tekeningen. Ik fronste mijn voorhoofd, trok opnieuw mijn gulp open en verstopte de foto tussen de envelop en mijn buikwand. De envelop drukte het glanzende oppervlak tegen me aan, het kleefde, en zo zaten beide goed vast. De envelop was te groot om in mijn broekspijp naar beneden te glijden.

Op dat moment hoorde ik stemmen in de hal, dichtbij, en ze kwamen nog dichterbij.

'Maar vader,' hoorde ik Dart wanhopig proberen, 'u moet meteen meekomen naar dat hek bij het kreupelhout...'

'Niet nu, Dart,' zei de stem van Conrad. 'En waarom was je niet op de bijeenkomst?'

Mijn god, dacht ik. Ik griste het bandje van het bureau en stopte het in mijn broekzak, waarna ik me over de tekeningen boog alsof ik nergens anders in geïnteresseerd was.

Conrad duwde de deur van de kamer open. Zijn tot op dat moment vriendelijke gelaatsuitdrukking veranderde snel in verbazing, waarna hij rood aanliep, zoals iedereen zou gebeuren die zijn privé-domein zo geschonden aantrof.

En wat erger was: achter hem betrad Keith het vertrek.

Conrad keek naar zijn open kast waar licht in brandde, en naar mij bij zijn bureau. Het rood van zijn hondekop werd paars en steeds donkerder, zijn zware wenkbrauwen zakten als een bui over zijn ogen en zijn mond verhardde zich.

'Verklaar je nader!' eiste hij op hoge toon en met een vernietigende ondertoon.

'Het spijt me vreselijk,' zei ik onhandig. Ik stopte de tekeningen in de map en deed die dicht. 'Ik kan hier geen excuses voor aanvoeren. Ik kan me alleen verontschuldigen. Ik bied u heel oprecht mijn verontschuldigingen aan.'

'Dat is niet genoeg!' Zijn woede was groot en werd nog erger doordat woede hem eigenlijk vreemd was: hij was niet half zo gewelddadig als Keith. 'Die kast zat op slot. Ik doe hem *altijd* op slot. Hoe heb je hem opengemaakt?'

Ik gaf hem geen antwoord. De afgevijlde sleutel die ik gebruikt had stak nog in het sleutelgat. Ik voelde me afgrijselijk in verlegenheid gebracht, en dat was ongetwijfeld te zien ook.

In een opwelling van oprechte razernij graaide hij mijn wandelstok van zijn bureau en hief hem alsof hij me ging slaan.

'O nee, Conrad,' zei ik. 'Niet doen.'

Hij aarzelde, zijn arm in de lucht. 'Waarom niet? Jezus, je verdient het.'

'Dat is jouw stijl niet.'

'Maar de mijne wel,' zei Keith. Hij trok de wandelstok zonder verdere omhaal uit de hand van zijn niet eens tegenstribbelende tweelingbroer en mikte ermee op mijn hoofd.

In een reflex weerde ik hem af met een arm en kreeg meteen de stok te pakken. Met meer kracht dan ik verwacht had gaf ik er een harde ruk aan. Hij hield lang genoeg vast om zijn evenwicht te verliezen, zijn gewicht kwam naar voren en hij liet alleen los om zich met twee handen op het bureau staande te kunnen houden.

Alle drie, Conrad, Keith en Dart, keken stomverbaasd toe. Ik had die ochtend iets van mijn oude kracht voelen terugkeren als een opkomend, welkom en vertrouwd tij. Ze waren gewend geraakt aan mijn zwakte en waren op niets anders voorbereid.

Ik leunde niettemin op de stok. Keith rechtte zijn rug en beloofde me met zijn ogen een ontijdige dood.

'Ik wilde de tekeningen inzien,' zei ik tegen Conrad.

'Maar waarom?'

'Hij is architect,' zei Dart, mij verdedigend, al had ik dat liever niet gezien.

'Aannemer,' wierp zijn vader tegen.

'Allebei,' zei ik kort. 'Het spijt me heel erg. Echt heel erg. Ik had u moeten vragen of ik ze kon inzien in plaats van hier in te breken. Ik heb mezelf verlaagd... vernederd...' En dat was ook zo, maar berouw of schaamte voelde ik niet.

Conrad onderbrak mijn gekruip. 'Hoe wist je waar de tekeningen waren?' Hij keek naar Dart. 'Hoe wist hij dat? Hij kan die kast zelf niet gevonden hebben. Die kast is praktisch onzichtbaar.'

Dart zag er zo onbehaaglijk uit als ik me voelde. Hij liep om het bureau heen en ging schuin achter me staan, bijna alsof hij wilde schuilen tegen de vaderlijke donderbui die in Conrad opkwam.

'Jij hebt hem verteld waar hij zoeken moest,' beschuldigde Conrad verontwaardigd zijn zoon. 'Jij hebt het hem laten *zien*.'

'Ik dacht dat het niet erg zou zijn,' zei Dart zwakjes. 'Wat maakt het nou uit?'

Conrad gaapte hem aan. 'Hoe moet ik dat uitleggen als jij zo stom bent? Maar *jij*,' richtte hij zich tot mij, 'ik begon net te denken dat we jou misschien wel vertrouwen konden.' Hij haalde verslagen zijn schouders op. 'Wegwezen, allebei. Jullie maken me misselijk.'

'Nee,' protesteerde Keith, 'hoe weet je dat hij niks gestolen heeft?' Hij keek het vertrek rond. 'Je hebt hier allemaal goud en zilver liggen. Hij is een *dief*.'

Die verdomde klere-Keith, dacht ik, een opkomende paniek snel de kop in drukkend. Ik had iets beters gestolen dan goud of zilver, en ik was van plan het te houden ook. Maar ik mocht me dan sterker voelen, op de uitkomst van een vechtpartij durfde ik nog niet te gokken, zeker niet met één tegen twee. *Sluw zijn*, hield ik mezelf voor: meer had ik niet in huis.

Ik hief het hoofd, dat ik tot dan toe gegeneerd had laten hangen. Ik keek zo zorgeloos als ik maar voor elkaar kon krijgen. Ik zette de wandelstok tegen het bureau, ritste het jasje los dat een paar dagen over een stoel in het kantoortje van Roger had gehangen, trok het uit en gooide het Conrad toe.

'Zoek maar na,' zei ik.

Hij ving het ineengefrommelde kledingstuk op. Keith griste het uit zijn handen en doorzocht alle zakken. Geen goud of zilver. Niks gestolen.

Ik droeg mijn geruite wollen overhemd. Ik knoopte de mouwen los, maakte de knoopjes aan de voorkant open, trok het uit en gooide het volgende kledingstuk naar Conrad.

Met ontbloot bovenlijf stond ik achter het bureau. Ik glimlachte. Ik ritste mijn gulp open en begon mijn riem los te gespen.

'Mijn broek ook?' vroeg ik luchthartig aan Conrad. 'Schoenen? Sokken? Verder nog iets?'

'Nee. Nee.' Hij wist het niet meer. Hij maakte een gebaar dat ik me niet verder moest uitkleden. 'Trek dat shirt weer aan.' Hij gooide het terug. 'Je mag dan onbetrouwbaar zijn – ik ben teleurgesteld, dat geef ik toe – maar een dief ben je niet.' Hij draaide zich om naar Keith. 'Laat hem gaan, Keith. Als je wilt vechten doe dat dan maar ergens anders. Niet hier.'

Ik trok mijn overhemd aan en knoopte het dicht, maar ik liet het over mijn broek hangen, als een jasje.

'Vader,' zei Dart kruiperig, 'het spijt me.'

Conrad maakte een gebaar: we konden afnokken. Dart liep om het bureau heen en hield Keith in de gaten, die nog steeds mijn jasje vasthield.

Ik strompelde langzaam achter Dart aan, met mijn wandelstok als wandelstok, maar meer dan bereid er ook een tik mee uit te delen.

'Ik wil u nooit meer zien, Mr. Morris,' beet Conrad me toe.

Ik boog het hoofd, mijn fouten erkennend.

Keith hield mijn jasje stijf vast en ik ging er niet om vragen. Dat was te riskant, de lichtste trilling kon een vulkaanuitbarsting veroorzaken. Ik was al lang blij dat ik ongemolesteerd bij de deur aankwam en de hal in kon lopen, waar ik smadelijk over de tegels hobbelde, nog dieper in Conrads achting gedaald dan de eerste de beste kakkerlak.

Ik hield mijn adem in tot we buiten stonden, maar er kwamen ons geen boze kreten meer achterna. Dart haastte zich om achter het stuur van zijn auto te stappen, die nu geflankeerd werd door de Jaguar van Keith, en wachtte vol ongeduld tot ik ook zat.

Toen floot hij van opluchting tussen zijn tanden, startte de motor en scheurde de oprijlaan af. 'Mijn God, wat was die kwaad.'

'Jij bent ook een uitkijk van lik me reet,' zei ik verbitterd. 'Waar bleef mijn waarschuwing?'

'Ja, nou, luister, *het spijt me.*'

'Lag je te pitten?'

'Nee... nee... ik was aan het lezen.'

Het begon te dagen. 'Je zat in dat kloteblad over haarmatjes te lezen!'

'Ja... nou ja...' Hij grinnikte beschaamd, hij kon het niet ontkennen.

Er was niets meer aan te doen. Een paar drukken op de claxon zouden me de tijd hebben gegeven om me van het heiligdom van Conrad naar het oneindig veel onschuldiger toilet bij de achteringang te spoeden. Betrapt worden met mijn hand in de koekjestrommel, bij wijze van spreken, was niet alleen een afschuwelijke ervaring geweest, het kon

Conrad er ook best eens toe aanzetten om de inhoud van de dozen te checken. De consequenties konden desastreus zijn.

'Je nam ook zo lang de tijd,' klaagde Dart. 'Waar werd je zo lang door opgehouden?'

'Ik keek gewoon rond.'

'En het was de auto van *Keith* waar ze mee terugkwamen,' zei Dart, zichzelf verexcuserend. 'Ik keek uit naar die van vader.'

'Mooie uitkijk.'

'Je keek ontzettend schuldig,' zei Dart in een poging mij ook een zwarte piet toe te spelen.

'Zo voelde ik me ook.'

'Maar wat Keith betreft met zijn beschuldiging van diefstal...' Hij zweeg. 'Toen je je shirt uittrok... ik bedoel, ik wist dat je stukken van de tribune op je nek had gekregen, maar al die hechtingen en schaafwonden... wat zullen die een *pijn* doen.'

'Niet meer,' zuchtte ik. Ik was in de consternatie alweer vergeten dat hij achter me had gestaan. 'Het waren de snijwonden in mijn benen die het lopen zo moeilijk maakten, maar daar gaat het ook al beter mee.'

'Keith schrok aardig, toen je die wandelstok terugpakte.'

Ik had hem behoedzamer gemaakt, bedacht ik spijtig, wat misschien helemaal niet zo gunstig was, van mijn standpunt uit bekeken.

'Waar gaan we heen?' vroeg Dart. Hij was de poort uitgereden en ging automatisch de kant van de renbaan op. 'Terug naar de Gardners?'

Ik probeerde na te denken, mijn positieven weer bij elkaar te krijgen.

'Rijdt Rebecca vandaag ook,' vroeg ik, 'dat jij weet?'

'Nee,' antwoordde hij, verbijsterd leek het wel. 'Ik dacht het niet. Ze was natuurlijk op de bijeenkomst.'

'Ik moet Marjorie spreken,' zei ik. 'En ik moet naar Stratton Hays.'

'Ik volg je niet.'

'Nee, maar *breng* je me?'

Hij schoot in de lach. 'Nou ben ik opeens je chauffeur?'

'Je bent beter als chauffeur dan als uitkijk.'

'O, dank je.'

'Leen me anders je auto,' stelde ik voor.

'Nee,' zei hij, 'ik rij je wel. Met jou in de buurt valt er altijd iets te beleven.'

'Goed, eerst de Gardners, dan.'

'*Yes, sir.*'

In de keuken van de Gardners werd ik door Mrs. Gardner ontvangen met guitige ontsteltenis: ik had mijn vijf koks nog niet eens een uur aan haar uitbesteed, veel te kort. Ik bood hun diensten voor nog een paar uur aan. Aangenomen, zei ze.

'En zeg het alsjeblieft als ik ze te veel bij je achterlaat,' smeekte ik haar.

'Doe niet zo mal. Ik vind het heerlijk. En bovendien, Roger zegt net dat als jij er niet geweest was, hij zijn baan al praktisch kwijt zou zijn geweest, en dan zouden wij nou vreselijk in de penarie hebben gezeten.'

'Denkt hij dat?'

'Hij weet het.'

Dankbaar en deels getroost liet ik Dart in de keuken achter en ging naar de bus. Daar, in de beslotenheid van de cabine, stopte ik het bandje dat ik gestolen had in de cassetterecorder.

Het bleek een opname te zijn van een telefoongesprek vanuit een telefooncel: het soort spionage dat verduiveld makkelijk was als je meeluisterde met een scanner die zich dicht bij de cel bevond.

Ik had nooit geweten of afgeluisterde gesprekken die in de openbaarheid kwamen nu op goed geluk waren afgeluisterd of met voorbedachten rade, maar wie luisterde nu in hemelsnaam dag in dag uit naar alle uitlatingen van één persoon *en nam die nog op ook*, in de hoop geheimen te horen waar je munt uit kon slaan? Hoe dan ook, in dit geval was er beslist sprake van een bandje met commerciële mogelijkheden.

Het gesprek ging tussen een stem waar je met een beetje goede wil die van Rebecca in kon horen en een man die met een zuidoostelijk accent sprak, geen cockney, maar wel iemand die de k's en t's in haar naam consequent inslikte. Stratton werd 'Stra-on', Rebecca was 'Rebe-a'.

'Rebe-a Stra-on?' vroeg de mannenstem.

'Ja.'

'Zeg het maar, schat.'

'Hoeveel krijg ik?'

'Zelfde als altijd.'

Na een korte stilte zei ze, heel kalm: 'In de vijfde rij ik Soapstone en die heeft geen schijn van kans, hij is niet in conditie. Zet alles wat je kunt missen op Catch-as-Catch, die springt bijna uit zijn vel en gaat een hoop geld opleveren.'

'Dat is alles?'

'Ja.'

'Nou, bedankt, schat.'

'Ik zie je op de renbaan.'

'Zelfde plaats,' beaamde de man. 'Voor de eerste.'

Het bandje klikte en viel stil. Ik stak het met een grimmige uitdrukking op mijn gezicht bij me, klom weer terug in de bus, ritste mijn broek los en haalde de foto en het pakje met gevaarlijke kennis te voorschijn.

Uit dat pakje haalde ik de dikkere bruine envelop en sneed die open met een mes. Er zat weer een andere envelop in, wit deze keer, plus weer een kort briefje van William Stratton, derde baron, aan zijn zoon Conrad, de vierde.

Het luidde als volgt:

'Conrad,

Dit doet me mateloos verdriet. Vergeet nooit dat Keith, tot mijn innige wanhoop, altijd liegt. Ik heb feiten achterhaald en weet niet hoe ik ze moet gebruiken. Besluit jij maar. Wees wel voorzichtig.

S.'

Enigszins ongerust sneed ik de witte envelop open en las de langere inhoud. Toen ik was uitgelezen merkte ik dat mijn handen beefden.

Mijn niet-grootvader had me een manier aan de hand gedaan, een afdoende manier, om Keith voorgoed buitenspel te zetten.

Ik stak de enveloppen weer terug zoals ik ze had aangetroffen, pakte plakband en verzegelde de buitenste, bruine envelop, zodat niemand hem per ongeluk kon openmaken. Een poosje bleef ik met mijn hoofd in mijn handen zitten. Ik realiseerde me dat als Keith wist wat ik had, hij me meteen zou vermoorden, en ook dat mezelf voor hem behoeden een risico met zich meebracht zoals ik me nooit eerder had voorgesteld.

Gevaarlijke kennis. Niet gevaarlijk: dodelijk.

15

Dart reed me naar Stratton Hays. Onderweg pakte ik mijn draagbare telefoon (luisterde iemand mee?) en belde Marjorie, die thuis bleek te zijn en ronduit boos was.

'Je bent niet naar de vergadering gekomen!'

'Nee. Het spijt me.'

'Het was een zootje,' zei ze stuurs. 'Tijdverspilling. Keith schreeuwde aan één stuk door en er kwam niets uit. Hij kon het aantal verkochte kaartjes niet ontkennen, dat was *voortreffelijk*, maar hij blijft fanatiek voorstander van verkopen. Weet je *zeker* dat je zijn schulden niet kunt achterhalen?'

'Weet Imogen er misschien meer van?' vroeg ik.

'*Imogen?*'

'Als ik haar een paar borrels gaf, zou zij dan iets afweten van de zaakjes van haar man?'

'Wat een schurk ben jij!'

'Helaas.'

'Wist ze er maar meer van. Maar probeer het maar niet, want als Keith je betrapt...' Ze zweeg en vroeg toen zonder aandringen: 'Neem je zijn dreigementen serieus?'

'Ik moet wel.'

'Heb je er al aan gedacht om je... terug te trekken?'

'Nou en of. Heb je het druk? Ik moet je een paar dingen vertellen.'

Ze zei dat als ik haar een uur gaf, ik naar haar huis kon komen, waar ik mee instemde. Dart en ik reden door naar Stratton Hays, waar hij zijn auto op dezelfde plaats parkeerde als bij mijn eerste bezoek, en evenals toen het sleuteltje erin liet zitten.

Het grote, gracieuze gebouw, vol vergeten levens en kalme geesten, stond vredig in het geschakeerde zonlicht, een huis gebouwd voor honderden, bewoond door één.

'Wat nu?' vroeg die ene, Darlington Stratton, de toekomstige vijfde baron.

'We hebben bijna een uur. Kunnen we de noordvleugel even bekijken?'

'Maar dat is een ruïne. Dat heb ik je verteld.'

'Ruïnes zijn mijn brood.'

'Dat was ik vergeten. Nou, goed.' Hij draaide de achterdeur open en troonde me opnieuw mee door de uitgestrekte, ongemeubileerde hal voorin en door een brede gang met ramen en de afmetingen van een schilderijenzaal, maar met kale muren.

Aan het eind van de gang bereikten we een zware deur, niet betimmerd, niet gepolitoerd, maar modern, en zwaar vergrendeld. Dart trok met enige moeite de grendels terug en opende krakend de deur, waarna we het soort woestenij betraden waarnaar ik op zoek was: rottend hout, hopen puin, opschietende boompjes.

'Ze hebben het dak hier zestig of meer jaar geleden af gehaald,' zei Dart gelaten. 'Al die jaren regen en sneeuw... de vloer van de bovenverdieping is gewoon verrot en ingestort. Grootvader vroeg de National Trust en de mensen van de Heritage... ik geloof dat die zeiden dat het enige dat hij doen kon, deze vleugel afbreken was, en de rest bewaren.' Hij zuchtte. 'Maar grootvader hield niet van veranderingen. Hij liet de tand des tijds voortknagen en er gebeurde verder niets.'

Ik klauterde moeizaam over een heuveltje van verweerde grijze balken en keek uit over een weids, door stormen geteisterd landschap geflankeerd door hoge, nog altijd staande, maar niet langer versterkte muren.

'Wees wel voorzichtig,' waarschuwde Dart. 'Je mag hier zonder helm eigenlijk niet eens komen.'

De ruimte gaf me geen creatieve prikkel, wekte geen enkel verlangen op er iets van te maken. Het enige dat ik ervoer, in die majestueuze proporties, oog in oog met de onwaardige dood die deze vleugel in de loop der jaren bereid was, was een gevoel van respijt, van kalmte, van geduld, een diepe, adembenemende sensatie van leven dat voorbijging, leven vol nijverheid en vertrouwen, leven dat vier eeuwen geleden dit huis ontworpen en gebouwd had.

'Oké,' zei ik. Ik draaide me om en voegde me weer bij Dart in de deuropening. 'Dank je.'

'Wat denk je?'

'Je grootvader heeft het juiste advies gekregen.'

'Daar was ik al bang voor.'

Hij vergrendelde de zware deur weer en we liepen via de grote hal terug naar de achteruitgang.

'Kan ik even van je toilet gebruik maken?' vroeg ik.

'Zeker.'

Hij ging me voor, de achterdeur voorbij en naar zijn eigen onderkomen, de begane grond van de zuidvleugel.

Hier ging het leven gewoon door, met tapijten, gordijnen, antiek meubilair en de frisse geur van politoer. Hij wees me de deur van zijn badkamer, een mengeling van antiek en modern, een kamer die wellicht eens zitkamer was geweest, met een groot, vrijstaand Victoriaans bad en twee nieuw ogende, in marmer gevatte wasbakken. Het marmer was bedekt met flesjes shampoo en haarconditioner, en alle soorten slangeolie. Ik leefde met hem mee.

Voor het raam hing vitrage. Ik keek naar buiten. Links zag ik de auto van Dart op de oprijlaan staan. Daarachter lagen gazons en bomen. Rechts had je open tuinen.

'Wat is er?' vroeg hij, terwijl ik daar stond uit te kijken. Toen ik me niet verroerde kwam hij naast me staan om te ontdekken waar ik naar keek.

Hij kwam en hij zag. Hij richtte zijn blik op mijn gezicht, onderzoekend, en las moeiteloos mijn gedachten.

'*Shit*,' zei hij.

Een toepasselijk woord zo naast die closetpot. Maar ik zei niets en liep weer terug richting achterdeur.

Dart kwam achter me aan lopen. 'Hoe wist je het?' vroeg hij.

'Gewoon geraden.'

'En wat nu?'

'Nu gaan we naar Marjorie.'

'Ik bedoel... wat moet *ik*?'

'Dat is mijn zaak niet,' zei ik.

'Maar...'

'Je stond in de badkamer je haar te doen,' zei ik. 'En door het raam zag je wie jouw auto meenam. Niemand zal je op de pijnbank leggen om erachter te komen wie het geweest is. Doe gewoon of je niets gezien hebt, zoals je tot nog toe de hele tijd hebt gedaan.'

'Weet jij... wie het was?'

Ik glimlachte half. 'Laten we even bij Marjorie langsgaan.'

'*Lee*.'

'Kom mee en luister.'

Dart reed ons naar het huis van Marjorie, dat onvervalst vroeg-Georgian bleek te zijn, even beschaafd en verzorgd als zij zelf. Het prijkte vierkant en in onkruidloze grond aan het eind van het dorpje Stratton, schuiframen strak in het gelid, met een voordeur pontificaal in het midden en een ronde oprijlaan en hekpalen met urnen erop.

Dart zette de auto bij de voordeur neer en liet als gewoonlijk het sleuteltje erin zitten.

'Doe je hem *nooit* op slot?' vroeg ik.

'Waarom zou ik? Ik kan best een excuus gebruiken om een nieuwe auto te kopen.'

'Waarom doe je dat dan niet gewoon?'

'Komt nog wel,' zei hij.

'Je bent net je grootvader.'

'Wat? O, ja. Ik denk het wel een beetje, ja. Komt nog wel. Misschien.'

Ons werd opengedaan door een bediende ('Ze leeft in het verleden,' prevelde Dart) die ons vriendelijk voorging door een hal naar haar ontvangkamer. Zoals verwacht trof ik daar onberispelijke smaak aan en een tijd die stilstond, zachte kleuren, roze, groen en goud. In de ramen zag ik nog de originele blinden, maar er hingen ook gordijnen tot op de vloer, met guirlandes van damast, en door één raam ving ik een glimp op van een zonverlichte voorjaarstuin.

Marjorie zat in een brede leunstoel die het vertrek domineerde, te allen tijde en in hoge mate de vrouw met de touwtjes in handen. Ze droeg, als zo vaak, donkerblauw met wit om de hals en zag eruit als een kostbare pop, een uiterlijk waar haar hardheid voor even achter schuilging.

'Ga zitten,' beval ze, en Dart en ik namen dicht bij haar plaats, ik op een kleine sofa, Dart op een spichtige stoel – Hepplewhite, waarschijnlijk.

'Je had me iets te vertellen,' begon ze tegen mij.

'Mm,' zei ik. 'Je hebt me gevraagd twee zaken uit te zoeken.'

'En wat betreft Keith's financiën is je dat niet gelukt,' zei ze met een beslist hoofdknikje. 'Dat heb je me al verteld.'

'Ja. Maar... wat je andere opdracht betreft...'

'Ga *door*,' zei ze, toen ik zweeg. 'Ik weet het nog precies. Ik had je gevraagd uit te zoeken hoe die ellendige architect Conrad zover kreeg om hem die nieuwe tribunes te laten bouwen.'

Dart keek verbaasd op. '*Opdracht?*' vroeg hij.

'Ja, ja.' Zijn oudtante was ongeduldig. 'Lee en ik hadden een overeenkomst. We hebben er de hand op geschud. Is het niet?' Ze keek mij aan. 'Een overeenkomst die jij niet wilde breken.'

'Dat klopt,' zei ik.

'Tante Marjorie!' Dart stond perplex. 'U hebt Lee voor u *zelf* aan het werk gehad?'

'En wat is daar mis mee? Het was uiteindelijk voor het bestwil van de hele familie. Hoe kunnen wij nu verder als we de feiten niet kennen?'

Wereldleiders konden bij haar in de leer, bedacht ik vol bewondering. Onder dat gewatergolfde witte haar school een uiterst helder brein.

'Onderwijl,' zei ik, 'ben ik ingelicht over Forsyth en de grasmaaiers.'

Dart hapte naar adem. De ogen van Marjorie gingen wijd open.

'En,' vervolgde ik, 'ik heb ook gehoord van de scheve schaats van Hannah, en het resultaat daarvan.'

'Waar heb je het over?' vroeg Dart, die het niet meer kon volgen.

Marjorie lichtte hem in. 'Hannah is de bosjes in gedoken met een zigeuner en raakte in verwachting, dat domme wicht. Keith ging die zigeuner te lijf, want die wilde uiteraard geld zien. Mijn broer heeft hem vervolgens afgekocht.'

'Bedoelt u...' dacht Dart hardop na, 'dat de vader van Jack een *zigeuner* was?'

'Zo ongeveer. Maar niet eens een echte. Gewoon een landloper,' zei Marjorie, 'een waardeloze vent.'

'O, mijn God,' zei Dart zwakjes.

'En praat er niet weer over,' beval Marjorie hem streng. 'Hannah heeft Jack verteld dat zijn vader een buitenlandse aristocraat was die geruïneerd zou zijn door het schandaal.'

'Ja.' De stem van Dart klonk flauw. 'Dat heeft Jack mij ook verteld.'

'Laat hem het maar geloven. Ik hoop, Lee,' richtte ze zich weer tot mij, 'dat dat alles was.'

De telefoon rinkelde op het tafeltje aan haar zijde. Ze pakte de hoorn en luisterde.

'Ja... wanneer? Dart is hier. Lee ook. Ja.' Ze legde de hoorn neer en zei tegen Dart: 'Dat was je vader, hij zegt dat hij hierheen komt. Hij klinkt ongelooflijk boos. Wat heb je gedaan?'

'Komt Keith ook?' Mijn woorden floepten eruit, en zij reageerde meteen.

'Je bent bang voor Keith!'

'Niet zonder reden.'

'Conrad heeft niet gezegd of Keith meekwam of niet. Wil je nu weg, meteen?'

Ja en nee. Ik dacht aan moord in haar rustige ontvangkamer en hoopte dat ze dat niet zou toestaan.

'Ik heb een foto voor je meegenomen,' zei ik. 'Hij ligt in de auto van Dart, ik zal hem even halen.'

Ik stond op en liep naar de deur.

'Niet wegrijden en mij hier achterlaten, hè?' zei Dart, maar half schertsend.

De verleiding was groot, maar waar moest ik heen? Ik haalde de foto, in een envelop, uit het portierzakje waar ik hem in had gestopt en keerde terug naar de ontvangkamer.

Marjorie haalde de foto uit de envelop en keek er niet begrijpend naar. 'Wat heeft dit te betekenen?'

'Ik zal het uitleggen,' zei ik, 'maar als Conrad komt wacht ik wel tot hij erbij is.'

De afstand van het huis van Conrad naar dat van Marjorie was klein. Hij kwam heel snel, en tot mijn opluchting zonder Keith. Maar hij was wel gewapend, met een jachtgeweer, de vriend van iedere landeigenaar. En hij droeg het wapen niet opengeklapt over de arm, zoals het hoort, maar dichtgeklapt, en in de aanslag.

Hij liep straal langs de bediende, die de deur voor hem geopend had en nog net had weten aan te kondigen: 'Lord Stratton, mevrouw', banjerde over het vale Chinese tapijt van Marjorie recht op mij af en bleef vlak voor me staan, de beide lopen op mij gericht.

Ik ging staan, nauwelijks drie passen voor hem.

Hij hield het geweer niet vast zoals wanneer je op vogels in de vlucht richt, maar liet het bij zijn middel, vertrouwd als hij kennelijk was met schoten vanuit de heup. En op die afstand kon hij nog geen vlieg missen.

'Je bent een leugenaar en een dief.' Hij gromde van woede en zijn vingers beefden vervaarlijk bij de trekker.

Ik ontkende de beschuldiging niet. Ik keek langs hem en zijn geweer naar de foto die Marjorie vasthield, en hij volgde mijn blik. Hij herkende de foto en de blik die hij me toewierp deed in moordlustigheid niet onder voor de woedendste blikken van Keith. De lopen werden recht op mijn borst gericht.

'Conrad,' zei Marjorie op scherpe toon, 'kalmeer.'

'Kalmeer? *Kalmeer*! Deze *verachtelijke* figuur heeft me bestolen.'

'Maar in mijn huis mag je *niet* op hem schieten.'

In zeker opzicht was het grappig, maar als altijd lagen ook nu dolkomisch en tragisch te dicht bij elkaar. Zelfs Dart schoot niet in de lach.

'Ik kan je vrijwaren van chantage,' zei ik tegen Conrad.

'*Wat?*'

'Waar heb je het over?' vroeg Marjorie op hoge toon.

'Ik heb het over Wilson Yarrow die Conrad chanteert om hem de opdracht te geven voor de bouw van nieuwe tribunes.'

'Dus je bent er toch achter gekomen!' riep Marjorie uit.

'Is dat geweer geladen?' vroeg ik aan Conrad.

'Ja, natuurlijk.'

'Zou je het erg vinden om het... eh... ergens anders op te richten?'

Hij bleef vierkant staan, onverzettelijk als een stier.

'Vader,' protesteerde Dart.

'Houd jij je mond,' zei zijn vader kranig. 'Jij hebt hem geholpen.'

Ik besloot het erop te wagen. 'Wilson Yarrow heeft tegen jou gezegd dat als hij die opdracht niet kreeg, hij er persoonlijk voor zou zorgen dat Rebecca het verder kan vergeten als jockey.'

Dart rolde met zijn ogen. 'Belachelijk,' zei Marjorie.

'Nee, niks belachelijk. Die foto, dat is een foto van Rebecca die op een renbaan een bom duiten in ontvangst neemt van een man die naar alle waarschijnlijkheid een bookmaker is.'

Ik probeerde wat speeksel op te wekken. Ik had nog nooit eerder oog in oog gestaan met een woedende man die een geweer op me gericht hield. Ook al klampte ik me uit alle macht vast aan de overtuiging dat Conrad een zelfbeheersing had die bij Keith ontbrak, ik voelde mijn hoofdhuid zweten.

'En ik heb ook naar het bandje geluisterd,' zei ik.

'Je hebt het *gestolen*.'

'Ja,' beaamde ik. 'Ik heb het gestolen. Het is vernietigend materiaal.'

'Dus nu ben *jij* degene die mij gaat chanteren.' De hand aan de trekker verstrakte zijn greep.

'O, mijn God, Conrad,' zei ik, bijna geërgerd. 'Gebruik toch eens je verstand. Ik ga jou niet chanteren. Ik ga ervoor zorgen dat Yarrow jou *niet* chanteert.'

'*Hoe dan?*'

'Als je dat stomme geweer laat zakken zal ik het uitleggen.'

'Wat voor bandje?' vroeg Dart opeens.

'Het bandje dat jij hem hebt helpen stelen uit mijn kast.'

Dart keek hem wezenloos aan.

'Dart wist er niets van,' zei ik. 'Hij zat buiten in zijn auto.'

'Maar Keith heeft je jasje nog doorzocht,' wierp Dart tegen.

Ik stak mijn hand in mijn broekzak en haalde het bandje te voorschijn. Conrad wierp er een blik op en opnieuw vreesde ik voor mijn leven.

'Dit bandje,' zei ik tegen Marjorie, 'bevat een opname van een telefoongesprek van Rebecca die informatie verkoopt over een paard waar ze op ging rijden. Dat is in die kringen de ergste zonde die je begaan kunt. Als dit bandje en die foto bij de betreffende autoriteiten terechtkomen is het met haar carrière als jockey gedaan. Dan wordt ze voortaan van elke renbaan geweerd. De naam Stratton zou in het slijk belanden.'

'Maar zoiets zou zij niet *doen*,' klaagde Dart.

Maar Conrad zei, alsof de woorden hem blaren bezorgden: 'Ze heeft het toegegeven.'

'Nee!' kreunde Dart.

'Ik heb haar om opheldering gevraagd,' zei Conrad. 'Ik heb haar het bandje laten horen. Ze kan zo hard zijn. Ze luisterde ernaar alsof ze van steen was. Ze zei dat ik niet kon toestaan dat Yarrow het gebruikte.' Conrad slikte. 'En... ze had gelijk.'

'Leg dat geweer alsjeblieft neer,' zei ik.

Hij deed het niet.

Ik gooide het bandje naar Dart, die het opving maar meteen uit zijn handen liet vallen. Hij raapte het snel weer op.

'Geef aan Marjorie,' zei ik, en hij deed hevig knipperend met zijn ogen wat ik zei.

'Als jij de munitie uit dat geweer haalt en het tegen de muur zet,' zei ik tegen Conrad, 'zal ik je vertellen hoe je van Yarrow afkomt, maar ik zeg niets zolang jij je vinger aan de trekker houdt.'

'Conrad,' zei Marjorie beslist, 'je schiet toch niet, dus zet dat geweer neer voor je het per ongeluk doet.'

Mijn eigen bodyguard. Conrad keek even alsof hij ineens onder een koude douche stond, waarop hij besluiteloos naar zijn handen staarde. Hij had het vuurwapen ongetwijfeld weggezet ware het niet dat Rebecca op dat moment als een wervelstorm binnenkwam. Bij haar had de bediende helemaal geen schijn van kans.

'Wat gebeurt hier?' vroeg ze. 'Ik heb het recht dat te weten!'

Marjorie staarde haar aan met haar gebruikelijke afkeuring. 'In aanmerking genomen wat jij geflikt hebt, heb je helemaal *nergens* recht op.'

Rebecca keek naar de foto en het bandje in de handen van Marjorie, en naar het geweer in de handen van haar vader, en toen naar mij, en ze voelde zich opeens bedreigd.

'Keith heeft me verteld dat die... die...' –ze wees naar mij bij gebrek aan woorden die uitdrukking konden geven aan haar minachting–'genoeg gestolen heeft om mijn carrière op het spel te zetten...'

'Dat bandje is *nep*,' zei ik verbeten tegen Conrad.

Het effect op Rebecca was een accumulatie van woede. Terwijl de rest van de familie pogingen deed te begrijpen wat ik gezegd had, griste zij het geweer uit de handen van haar vader, bracht de kolf naar haar schouder, richtte snel op mij en haalde zonder dralen de trekker over.

Ik zag de intentie in haar ogen en wierp me zijdelings op de grond, rolde op mijn buik en miste op een haar na de bal bruisende hagel, maar er waren *twee* lopen, twee kogels, en ik zag geen kans om een schot in de rug te ontlopen.

Het vertrek werd meteen gevuld met een daverend gekraak, met vuur en rook, met de bijtende geur van kordiet. *Jezus*, dacht ik. God allemachtig. Niet Keith, maar Rebecca.

Het tweede schot kwam niet. Ik kromp ineen op de vloer–ik heb er geen ander woord voor. Er was die geur, de galmende echo, en daarna... stilte.

Ik verroerde me, draaide mijn hoofd, zag haar schoenen, liet mijn blik tot aan haar handen omhoogkruipen.

Ze stond *niet* met de tweede loop op mij gericht.

Haar handen waren leeg.

Ogen langzaam naar rechts... Conrad zelf hield het geweer vast.

Dart knielde neer bij mijn hoofd en zei machteloos: 'Lee.'

'Ze heeft mis geschoten,' zei ik stompzinnig.

'God, Lee.'

Ik voelde me buiten adem, maar ik kon niet eeuwig zo blijven liggen. Ik rolde terug naar een zitstand, nog te bibberig om weer op te staan.

Het schot had hen allen geschokt, zelfs Rebecca.

Marjorie, rug recht, was in- en inbleek, haar mond hing open en ze staarde voor zich uit alsof ze ingevroren was. De ogen van Conrad staarden duister naar een bloedbad dat op het nippertje vermeden was. Ik kon... Rebecca... nog niet recht in de ogen kijken.

'Ze meende het niet,' zei Conrad.

Maar ze had het wel degelijk gemeend; zonder meer, en zonder waarschuwing vooraf.

Ik kuchte een keer, verkrampt. 'Dat bandje is nep,' zei ik opnieuw. Deze keer probeerde niemand me te doden.

'Ik begrijp het niet,' zei Conrad.

Ik haalde diep en langzaam adem in een poging mijn hartslag weer te normaliseren.

'Ze *kan* het niet gedaan hebben,' zei ik. 'Ze zou nooit zoiets doen. Ze zou... ze zou het *bolwerk* van haar diepste innerlijk nooit in gevaar durven brengen.'

'Ik begrijp het niet,' zei Conrad, perplex.

Eindelijk keek ik Rebecca aan. Ze staarde terug, haar gezicht hard en uitdrukkingsloos.

'Ik heb je zien rijden,' zei ik. 'Het is je lust en je leven. En ik heb je ook een keer horen zeggen dat je dit jaar bij de top vijf zou horen. Je zei het met zoveel hartstocht. En je bent een Stratton, je bent niet alleen eindeloos trots, je bent ook nog rijk, dat geld heb jij niet nodig. Jij zou nooit, van je levensdagen niet, dergelijke minne informatie verkopen die zo'n ondraaglijke schande over je zou kunnen afroepen.'

De ogen van Rebecca werden steeds smallere spleetjes tot ze bijna geheel verdwenen onder haar neergeslagen oogleden. Haar gezicht bleef rigide.

'Maar ze heeft bevestigd dat het zo was!' zei Conrad weer.

'Ze heeft het bandje zelf gemaakt,' zei ik met leedwezen, 'teneinde druk op jou uit te kunnen oefenen nieuwe tribunes te laten bouwen. Daarom probeerde ze me net ook neer te schieten, om te voorkomen dat ik je dat vertellen zou.'

'Rebecca!' Conrad kon zijn oren niet geloven. 'Hij liegt. Zeg me dat hij liegt.'

Rebecca zei niets.

'Je hebt alle tekenen vertoond van een ondraaglijke innerlijke spanning,' hield ik haar voor. 'Ik zou denken dat het jou om te beginnen wel een goed idee leek je vader te laten geloven dat hij gechanteerd werd om te voorkomen dat jij in opspraak zou raken, maar toen je dat eenmaal voor elkaar had, en hij zich inderdaad liet chanteren, denk ik dat je er al snel gruwelijke spijt van had. Maar *dat* heb je niet aan hem bekend. Je ging gewoon door met je obsessie, je drastische plan om Stratton Park radicaal te moderniseren, en het vreet al weken aan je en je bent gewoon... je bent gewoon jezelf niet meer.'

'De kleerhangertjes!' zei Dart.

'Maar *waarom*, Rebecca?' smeekte Conrad, helemaal van de kaart. 'Ik had alles voor je gedaan...'

'Misschien was je het er helemaal niet mee eens geweest,' zei ik, 'om nieuwe tribunes te bouwen, laat staan naar een ontwerp van Wilson Yarrow. En hij was toch degene, of niet soms, die naar je toe is gekomen met de mededeling: "Ik heb informatie over jouw dochter die je waarschijnlijk liever geheim wilt houden, en het enige dat je hoeft te doen om haar eer te redden is mij die opdracht geven"?'

Conrad gaf niet meteen antwoord, maar hij brak zijn geweer open en trok er met trillende vingers beide patronen uit, het ene zwartgeblakerd en leeg, het andere fel oranje. Hij stak ze beide in zijn zak en zette het geweer tegen de muur.

Terwijl hij dat deed werd er zacht aangeklopt. Conrad deed de deur open en daar stond de bediende van Marjorie, lichtelijk ongerust. 'Niks aan de hand hier,' stelde Conrad hem op stroperige toon gerust. 'Mijn geweer ging per ongeluk af. Er moet alleen wat worden opgeruimd, maar dat kan later wel.'

'Ja, meneer.'

De deur ging dicht. Ik merkte voor het eerst op dat het schot hagel een spiegel aan de muur kapot had geschoten en stukken goudkleurige zijden bekleding van stoelen had gerukt. Het was op het nippertje geweest. Jezus.

Ik tastte naar de wandelstok die ik naast de sofa had neergelegd waar ik gezeten had en krabbelde met hulp daarvan overeind.

'Je moet iets tegen Keith hebben gezegd over chantage,' zei ik tegen Conrad. 'Hij gebruikte dat woord in verband met Yarrow. Jullie hebben het allemaal gehoord.'

Conrad maakte een machteloos gebaar. 'Keith bleef maar doorzeuren dat ik van het idee van die nieuwe tribunes moest afstappen en ik zei dat dat niet *kon.*' Hij zweeg. 'Maar *hoe* ben je hier allemaal achter gekomen?'

'Door een hoop kleine dingen,' zei ik. 'Zo ben ik bijvoorbeeld naar dezelfde school voor architectuur geweest als Wilson Yarrow.'

'*Architectuur!*' onderbrak Marjorie.

'Ja. Toen ik hem zag... zijn naam hoorde... wist ik dat er iets niet klopte met hem. Ik herinnerde het me slechts vaag, dus ik ging langs bij iemand met wie ik aan die architectuurschool gestudeerd heb, die ik al in geen tien jaar meer gezien had, en vroeg het aan hem. Die man hield indertijd een dagboek bij en hij had een gerucht opgeschreven dat hij destijds gehoord had, dat Wilson Yarrow een prestigieuze prijs gewonnen had met een bouwontwerp van een beroemde architect dat hij als zijn eigen had ingezonden. Het college trok de prijs in en frommelde het in de doofpot, maar het stigma van oplichter bleef en er moeten ettelijke honderden architecten rondlopen die net als ik de naam Yarrow meteen associëren met iets dat niet klopt. Zo'n verhaal doet de ronde in professionele kringen en de geheugens daar zijn goed—gemiddeld beter dan het mijne. De briljante carrière die ooit van Yarrow verwacht werd kwam niet van de grond. Zijn naam stond ook alleen op de tekeningen die hij voor jullie gemaakt heeft, en dat betekent dat hij waarschijnlijk niet bij een bureau in dienst is. Misschien zit hij wel helemaal zonder werk—en er is een overschot aan architecten tegenwoordig en de scholen blijven ieder jaar meer mensen afleveren dan de markt kan verwerken. Ik denk dat hij de prestige verbonden aan deze klus als een manier heeft gezien om weer naam te maken. Volgens mij was hij ten einde raad en wilde hij wel *alles* doen om die opdracht in de wacht te slepen.'

Ze hingen aan mijn lippen, zelfs Rebecca.

'Voordat ik voor de eerste keer naar Stratton Park kwam, had Roger Gardner me al verteld dat een architect nieuwe tribunes aan het ontwerpen was, die niks van de rensport wist, en ook niks begreep van het gedrag van grote massa's mensen, en dat het afgelopen zou zijn met de renbaan omdat de man bovendien voor geen enkele rede vatbaar was. En jij, Conrad, was niet van hem af te brengen.'

Ik zweeg. Niemand zei iets.

'Dus,' vervolgde ik, 'ik kwam naar jullie aandeelhoudersvergadering afgelopen woensdag, ontmoette jullie voor het eerst en legde mijn oor te luisteren. Ik begreep wat jullie allemaal wilden met de renbaan. Marjorie wilde dat alles bleef zoals het was. Jij, Conrad, wilde nieuwe tribunes, feitelijk was dat om Rebecca van de ondergang te redden, maar dat wist ik toen nog niet. Keith wilde verkopen, voor het geld. Rebecca wilde natuurlijk een heel nieuwe start maken, met nieuwe tribunes, een nieuwe manager, nieuwe baancommissaris, kortom, een nieuw image voor het ouderwetse Stratton Park. Marjorie leidde die vergadering op een wijze die wereldleiders vol bewondering zouden hebben gadegeslagen, en manipuleerde jullie allemaal zo dat *zij* haar zin kreeg, wat betekende dat Stratton Park in de nabije toekomst op de oude voet zou verder gaan.'

Dart wierp een bewonderende blik op zijn oudtante, zijn grijns brak bijna door.

'Voor Rebecca was dat onverteerbaar,' zei ik, 'en voor Keith idem dito. Keith had Harold Quest, die acteur, inmiddels in de arm genomen om de etterige demonstrant uit te hangen voor de hoofdingang, zodat de mensen er genoeg van zouden krijgen om nog naar Stratton Park te gaan en de renbaan zijn inkomsten zou zien kelderen, met als uiteindelijk doel een faillissement voor het bedrijf, zodat jullie het *echt* waardevolle, de grond waar het bedrijf *op* staat, in de verkoop zouden moeten doen. Hij gaf Harold Quest tevens opdracht een hindernis te verbranden—de open greppel: juist die, omdat daar bij de laatste wedstrijden een paard was doodgevallen. Maar dat plannetje viel in het water, zoals jullie weten. Keith is niet zo slim. Maar Rebecca...'

Ik aarzelde. Er waren dingen die gezegd moesten worden, maar ik had liever gehad dat iemand anders—maakte niet uit wie—dat deed.

'Zoals de zaken er nu voor staan,' benaderde ik de zaak met een omweg, 'zijn twee van de Strattons opgewekte en onschuldige figuren, Ivan en Dart. Er is één uitgesproken slimme Stratton en dat is Marjorie. Dan heb je Conrad, die machtiger lijkt dan hij is, maar alle andere Strattons hebben een meedogenloos en gewelddadig trekje, wat jullie allemaal handenvol geld heeft gekost. Als die trekjes samengaan met domheid en arrogantie, krijg je Forsyth en zijn grasmaaiers. Veel van de Strattons, hij niet uitgezonderd, geloven dat jullie nooit betrapt zullen worden. Mocht dat toch gebeuren dan geloven jullie dat de familie haar geld en macht wel zal aanwenden om de zaak te redden, zoals in het verleden altijd gebeurd is.'

'En ook in de toekomst zal gebeuren,' zei Marjorie vastbesloten.

'Ook in de toekomst, ja,' beaamde ik, 'zo mogelijk. Maar binnenkort zullen jullie als familie al je vaardigheden in de strijd moeten werpen om de schade binnen de perken te houden.'

Verrassend genoeg bleven ze luisteren en probeerden me niet het zwijgen op te leggen.

'In Rebecca,' vervolgde ik behoedzaam, 'wordt dat gewelddadige trekje grotendeels in bedwang gehouden en komt eruit als een verterende competitiedwang in een veeleisende sport. Haar karakter wordt gekenmerkt door geweldige moed en een wil om te winnen. En ze heeft ook een overweldigende drang om haar zin te krijgen. Toen Marjorie een stokje stak voor haar eerste plan om nieuwe tribunes te krijgen, kwam ze met een simpele oplossing – weg met de oude.'

Deze keer protesteerde Conrad ongelovig, en Marjorie eveneens, maar Rebecca niet. En Dart ook niet.

'Ik vermoed,' zei ik tegen Rebecca, 'dat jij Wilson Yarrow opdracht hebt gegeven om ze op te blazen, omdat hij anders dag met het handje kon zeggen tegen zijn opdracht.'

Ze keek me boos en zonder met de ogen te knipperen aan, een ongetemde tijgerin.

'Wilson Yarrow zat al tot aan zijn nek in die chantagepoging,' vervolgde ik. 'Hij zag net zo goed als jij dat als een deel van de grote tribune werd vernietigd, er nieuwe tribunes gebouwd zouden moeten worden. Hij kende die oude tribunes en begreep, hij is niet voor niks architect, hoe een maximale schade kon worden aangericht met een minimale inspanning. De trap in het midden was de hoofdslagader van het gebouw. Laat het hart instorten, en de kamers eromheen zouden dat voorbeeld volgen.'

'Ik stond erbuiten,' riep Rebecca opeens.

Conrad schrok. Hij was... ontzet.

'Ik heb die explosieve ladingen gezien voor ze ontploften,' zei ik tegen Rebecca. 'Ik heb gezien hoe ze waren aangebracht. Zeer professioneel. Ik had het zelf kunnen doen. En ik ken genoeg handelaren met minder verantwoordelijkheidsbesef dan mijn reusachtige vriend Henry, mensen die alles verkopen zonder moeilijke vragen te stellen. Maar het is moeilijk, zelfs voor mensen die van slopen hun vak hebben gemaakt, om de juiste hoeveelheid explosieven te bepalen. Elk gebouw heeft zijn eigen kracht en zwakke plekken. Er bestaat de neiging om eerder te veel te gebruiken dan te weinig. De hoeveelheid die Yarrow gebruikte legde het halve bouwwerk in puin.'

'Nee,' zei Rebecca.

'Ja,' sprak ik haar tegen. 'Jullie besloten onderling dat het op de ochtend van Goede Vrijdag moest gebeuren, als er niemand op de tribune zou zijn.'

'Niet.'

'Wilson Yarrow boorde de gaatjes en plaatste de explosieven, en jij stond op de uitkijk.'

'Niet!'

'Zonder uitkijk kon het niet. Als je iets crimineels van plan bent, moet je een uitkijk hebben die je kunt vertrouwen.'

Dart wrong zich in bochten. Toen begon hij te grinniken. Onstuitbaar.

'Jij zat op de uitkijk in de auto van Dart,' zei ik.

De mond van Rebecca viel abrupt open. Het 'niet' dat eruit kwam klonk al zwakker dan de vorige ontkenningen.

'Jij dacht,' zei ik, 'dat als je in je eigen felrode Ferrari ging, en er misschien een personeelslid zou rondlopen dat je wagen daar zag staan op een dag dat er niet geraced werd, hij zich dat zou herinneren en het zou aangeven als de tribune eenmaal de lucht in was gevlogen. Dus reed je naar Stratton Hays, parkeerde je auto daar, nam die van Dart, waar altijd de sleuteltjes in zitten, en reed daarmee naar de renbaan, want de auto van Dart is daar zo vertrouwd dat hij nauwelijks nog opvalt. Je had echter geen rekening gehouden met Harold Quest, acteur en wijsneus, die daar op die dag nooit had staan demonstreren als hij een echte activist was geweest, en je moet geschokt zijn geweest toen hij vertelde dat de auto van Dart op de renbaan was geweest en hem beschreef tegenover de politie. Maar niet zo geschokt als je geweest zou zijn wanneer Harold Quest je Ferrari erbij gelapt had.'

'Ik geloof hier allemaal niks van,' zei Conrad zwakjes, maar hij geloofde het wel degelijk.

'Ik stel me voor,' zei ik tegen Rebecca, 'dat jij Yarrow ergens hebt opgepikt en hem en de explosieven naar de renbaan hebt gereden, want de politie heeft de wagen onderzocht en sporen van nitraten ontdekt.'

Rebecca zei niets.

'Dart heeft de hele tijd geweten dat jij het was–jij of Yarrow–die de tribunes heeft opgeblazen.'

'Dart heeft het verteld!' riep Rebecca, en woest draaide ze zich naar hem om. Dart keek onthutst en gekwetst. 'Jij hebt mij verlinkt bij die... die...'

'Nee, dat heeft hij niet,' zei ik fel. 'Dart was onwankelbaar loyaal aan je. Hij is gisteren flink aan de tand gevoeld door de politie maar hij heeft geen woord gezegd. Ze hebben hem ervan beschuldigd dat hij de explosieven zelf geplaatst heeft, en hij is nog altijd hun hoofdverdachte, en ze zullen hem zonder meer weer ondervragen. Maar hij zal jouw naam niet laten vallen. Hij is trots op je, hij heeft gemengde gevoelens, hij vindt je van lotje getikt, maar hij is een Stratton en hij zal jou nooit verlinken.'

'Hoe *weet* je dat?' klaagde Dart, gekweld.

'Ik heb naast je gestaan toen ze won met Tempestexi.'

'Maar... *daar* kon je toch geen conclusies uit trekken.'

'Ik heb een week Strattons achter de rug.'

'Hoe *wist* je het?' vroeg Rebecca aan haar broer.

'Ik zag je Ferrari staan vanuit de badkamer, en mijn eigen auto was weg.'

'Hij heeft daar nog geen uur gestaan,' zei ze machteloos.

De schouders van Conrad zakten.

'Ik was lang voor de explosie terug in Lambourn,' zei Rebecca stuurs. 'En Yarrow liet zich inmiddels zien in Londen.'

'Ik zou graag willen weten,' richtte Marjorie zich na een stilte tot mij, 'hoe je ertoe kwam om Rebecca te verdenken.'

'O, ook weer door van die kleine dingen.'

'Zoals?'

'Nou,' zei ik, 'ze was een fanatiek voorstandster van verandering.'

'En verder?' drong Marjorie aan toen ik zweeg.

'Ze had het over nieuwe tribunes geheel uit glas opgetrokken. Er zijn wel tribunes in Engeland met delen in glas, maar geen complete tribunes, zoals in het ontwerp van Yarrow, en ik vroeg me af of ze de ontwerpen die Conrad zo angstvallig had opgeborgen soms *gezien* had. En verder...'

'Verder wat?'

'Rebecca zei dat ze de enige van de hele familie was die het verschil wist tussen een paard en een paard en een paard.'

Ze keken nog steeds niet begrijpend, behalve Rebecca.

'Dat volg ik niet,' zei Marjorie.

'Wat een paard is weten jullie allemaal, maar een paard is nog meer,' legde ik uit. 'Roger Gardner begreep het ook niet.'

'Ik ook niet,' meldde Conrad, 'en ik heb mijn leven lang paarden gehad.'

'Iemand die in de bouw zit, of in de architectuur, die weet het wel,' zei ik, 'en een timmerman ook. Maar een jockey? Ik vroeg het me af.

En ik vroeg me ook af, maar op dat moment nog niet heel dringend, of ze misschien met een architect in contact stond, en of die architect misschien Yarrow was. Het was maar een vage speculatie, maar dat soort dingen blijft altijd hangen.'

'Maar wat *is* het verschil tussen een paard en een paard en een paard?' vroeg Dart.

'Een paard voor een timmerman is een schraag om hout op te zagen. In elke timmermanswerkplaats staat er wel één.'

'En dat andere paard?'

'Dat andere paard is een spits toelopende afdekking van een stenen muur. Ze noemen het ook wel een ezelsrug. Maar het zijn vaktermen, en zeker geen vaktermen die je oppikt op een renbaan.'

'Het verschil tussen een paard en een paard en een paard,' zei Dart bedachtzaam. 'Had je jongste zoontje het daar ook niet over?'

'Zou heel goed kunnen.'

'Ik had je moeten vermoorden toen ik de kans had,' voegde Rebecca me verbitterd toe.

'Ik had ook heel sterk de indruk dat je je kans grijpen zou,' zei ik.

'Ze richtte wel op je,' zei Dart. 'Vader rukte het geweer uit haar handen. Als je het hem vraagt zal hij waarschijnlijk zeggen dat één schot in de borst als een ongeluk zou kunnen worden uitgelegd, maar een tweede schot in de rug, dat kan toch niets anders zijn dan moord.'

'Dart!' beet Marjorie hem scherp toe. Maar ik twijfelde niet aan zijn gelijk. Dart was een van hen. Hij kon het weten.

Conrad had een vraag voor zijn dochter. 'Waar heb je Yarrow dan ontmoet? Waar ken je hem van?'

Ze haalde haar schouders op. 'Op een feest. Hij deed stomme imitaties in het accent dat jullie op dat bandje hebben gehoord. Rebe-a Stra-on, schat. Iemand vertelde me dat hij een briljant architect was, maar volledig platzak. Ik wilde een nieuwe tribune. Hij wilde niets liever dan werk, en het kon hem niet schelen hoe hij eraan kwam. We hebben gewoon een deal gesloten.'

'Maar meestal heb jij het niet op mannen.'

'Ik heb het ook niet op hem,' zei ze wreed. 'Ik heb hem *gebruikt*. Ik veracht die man. Hij zal nu wel aardig in de rats zitten,' voegde ze er boosaardig aan toe.

'En... wat nu?' vroeg Conrad, beklagenswaardig. 'De politie?'

Ik keek Marjorie aan. 'Jij bent degene die de familietouwtjes in handen heeft,' zei ik. 'Jij hebt veertig jaar de scepter gezwaaid. Je was zelfs je eigen broer de baas, al pakte je dat nog zo voorzichtig aan.'

'Hoe dan?' vroeg Dart meteen gretig.

Marjorie smeekte me met haar ogen om te zwijgen, maar het was voor Perdita Faulds dat ik tegen Dart zei: 'Het geheim van je grootvader was zijn geheim alleen, en het is met hem gestorven. Ik kan het je niet vertellen.'

'Je wilt het niet,' beweerde Dart.

'Ik wil het niet, nee,' beaamde ik. 'Hoe dan ook, naar de politie gaan of niet, die beslissing is aan Marjorie, niet aan mij. Mijn taak was haar een pressiemiddel aan de hand te doen tegen Yarrow, en dat heeft ze nu. Daarmee zit mijn taak erop.' Ik zweeg. 'Ik ben ervan overtuigd, Dart,' vervolgde ik, 'maar wie ben ik, dat de politie niet genoeg bewijsmateriaal tegen je heeft, of zal weten te vinden, om je te vervolgen. Blijf gewoon doen of je nergens van weet, dan komt alles goed.'

'Maar Yarrow dan?' vroeg Dart.

'Dat moet Marjorie maar beslissen,' zei ik. 'Maar als jullie Yarrow aanklagen verraden jullie meteen de plannetjes van Rebecca en jullie eigen betrokkenheid. Dat zie ik haar niet doen.'

'En Keith?' vroeg Marjorie, die de last die ik op haar schouders had geplaatst niet probeerde af te werpen. 'Wat moeten we met *hem?*'

Keith.

Ik keek Conrad aan. 'Zei jij, toen je hier kwam, niet dat *Keith* je hierheen had gestuurd?'

'Dat zei ik, ja.'

'Gestuurd... met een geweer?'

Hij keek licht beschaamd. 'Dat kun je me niet echt kwalijk nemen. Ik bedoel, toen jij en Dart vertrokken waren stonden Keith en ik in mijn kamer te praten over jouw inbraak, en we ontdekten dat die loper van jou nog in het slot stak en ik zei, wat een risico alleen om die plannen in te zien... en toen kwam het ineens bij me op dat je overal zo bij *betrokken* was geweest, en al kon ik niet geloven dat je misschien ergens anders naar gezocht had, of dat je zelfs maar genoeg *wist*, ik ging toch even in de doos met de foto en het bandje kijken, en ik was zo geschokt dat Keith vroeg wat er was. Hij zei... we dachten allebei... dat je ons nu natuurlijk zou chanteren.'

'O, natuurlijk.'

'Ja, maar...'

'Jullie chanteren elkaar bij het leven. Jullie kunnen je niet voorstellen dat een ander dat niet zou doen.'

Conrad haalde zijn zware schouders op alsof het volgens hem vanzelf sprak. 'Hoe dan ook,' zei hij, 'Keith vroeg me hem de envelop te geven die onze vader me vlak voor zijn dood had toevertrouwd. Ik zei tegen Keith dat ik dat niet kon doen. We kregen een beetje ruzie, maar vader had me zeer expliciete instructies gegeven dat niemand anders hem zien mocht. Keith vroeg of ik wist wat erin zat, maar dat weet ik niet en dat zei ik ook. Hij zei dat hij hem moest hebben. Hij begon dozen open te trekken en alles eruit te gooien. Ik probeerde hem tegen te houden, maar je weet hoe hij is. Toen kwam hij bij de doos waarin ik dacht die brief te hebben gestopt maar toen hij alles eruit schudde leek hij er niet bij te zijn... maar hoe kon je hem hebben meegenomen als je niets van het bestaan van die brief kon hebben afgeweten? Het draaide erop uit dat ik hem hielp zoeken. Alles ligt op de grond, het is een verschrikkelijke puinhoop en ik kan het nooit meer in orde maken...'

'Maar hebben jullie de envelop nog gevonden?' vroeg Marjorie bezorgd.

'Nee.' Hij keek me aan en zei met nadruk: 'Ik *weet* dat hij erin zat, in één speciale doos, onder een stapel niet meer geldige *polissen*. Keith zei dat ik een geweer moest meenemen en je moest doodschieten...'

'Maar hij wist dat je dat niet zou doen,' zei ik vol overtuiging.

'Hoe weet je dat zo zeker?' vroeg Dart.

'De ene tweelingbroer zou de pelgrim vermoorden,' zei ik. 'De andere niet. Ze kunnen hun inborst niet veranderen.'

'De tweesprong! Subtiele... subtiele *hufter*.'

Marjorie keek me recht aan. Wat Dart gezegd had begreep ze niet en kon haar ook niet schelen. 'Heb jij die envelop meegenomen?'

'Ja,' zei ik.

'Heb je hem opengemaakt? Heb je gezien wat erin zat?'

'Ja.'

'Geef hem dan aan mij.'

'Nee.' Ik schudde mijn hoofd. 'Dit...' en ik haalde diep adem, 'dit is iets wat ik alleen moet doen.'

De telefoon naast Marjorie begon doordringend te rinkelen. Haar mond verstrakte uit irritatie over de interruptie, maar ze nam toch op.

'Ja,' zei ze, en haar gezicht verloor iedere uitdrukking. 'Ja, die is hier.'

Ze stak mij de hoorn toe. 'Keith,' zei ze. 'Hij wil je spreken.'

Hij weet dat ik die brief moet hebben meegenomen, bedacht ik. En hij weet wat erin staat.

Met een akelig voorgevoel zei ik: 'Ja?'

Hij sprak niet meteen, maar hij was aan de lijn: ik hoorde zijn adem. Lange seconden verstreken.

Hij zei slechts vijf woorden voor de verbinding weer werd verbroken. De ergste vijf woorden in welke taal dan ook.

'Neem afscheid van je kinderen.'

16

Mijn verstand stond stil.

Een golf van angst sloeg vanuit mijn hielen tegen mijn schedeldak, zo'n afgrijselijke fysieke sensatie die zich voordoet op momenten dat je je bewust wordt van een levensgrote en onafwendbare ramp.

Ik bleef roerloos staan en probeerde te bedenken wat ook alweer het nummer van de Gardners was. Het lukte niet. Ik kneep mijn ogen dicht en liet het nummer zonder strijd vanuit mijn onderbewustzijn naar boven komen, als een vertrouwd ritme, zonder het voor me te hoeven zien. Ik drukte op de knoppen en zweette.

De vrouw van Roger nam op.

'Waar zijn de jongens?' vroeg ik haar abrupt.

'Die kunnen elk moment bij je zijn,' zei ze op geruststellende toon. 'Ze zijn... nou... zo'n kwartier geleden of zo vertrokken. Ze zullen er zo wel zijn.'

'Waar... waar zullen ze zo wel zijn?'

'Nou, in de grote tent, natuurlijk.' Ze klonk verbaasd. 'Christopher heeft je boodschap gekregen en ze zijn meteen gegaan.'

'Heeft Roger ze gebracht?'

'Nee. Die is ergens op de renbaan, ik weet niet precies waar. De jongens zijn gaan lopen, Lee... is er iets mis?'

'Wat voor boodschap?' vroeg ik.

'Een telefoontje, voor Christopher...'

Ik gooide de hoorn naar Marjorie en sprintte haar ontvangkamer uit, haar rustige hal door en haar voordeur uit, en sprong in de auto van Dart. Het gaf niet dat de sprint een hobbel was, ik was nog nooit zo snel geweest. Het gaf niet dat ik wist dat mij een hinderlaag wachtte, een voorgekookt noodlot. Ik kon er alleen maar met gierende banden op af, in de hoop, zonder werkelijke hoop, dat hij zich tevreden zou stellen met mij, dat hij de jongens zou laten leven...

Ik reed de auto van Dart als een gek door het dorp, maar net nu ik wel een heel bataljon politie had kunnen gebruiken, was er niet één surveillancewagen om de achtervolging in te zetten.

Door de poort naar binnen. Naar de parkeerplaats voor het kantoortje van Roger. Daar stond de Jaguar van Keith. Niemand te zien... *Ja...*

Christopher... en Edward... en Alan. Allemaal doodsbang, met grote ogen vol verschrikking. Ik klauterde achter het stuur vandaan, gedreven door demonen.

'Papa!' De bodemloze opluchting van Christopher was geen geruststelling. 'Papa, snel.'

'Wat gebeurt er?'

'Die man... in de tent.'

Ik ging erop af.

'Hij heeft overal vuurtjes aangestoken... en Neil... en Toby... en Neil gilt.'

'Zoek kolonel Gardner,' riep ik al rennend. 'Zeg dat hij de sproeier aanzet.'

'Maar...' zei Christopher wanhopig, 'we weten niet waar die is.'

'Zoek hem.'

Ik *hoorde* Neil gillen. Geen woorden, niks verstaanbaars. Hoge kreten. *Gillen.*

Hoe pak je zoiets aan?

Ik rende de tent in, de middengang in, en zocht naar de brandblusser die daar bij de ingang had moeten hangen, maar zag hem niet en rende meteen door om pas toen te merken dat Alan meerende.

'Terug,' riep ik tegen hem. 'Alan, *terug.*'

Er hing rook in de tent en op de vloer brandden hier en daar felle brandjes; knalrode, oranje en gouden vlammen dansten in plasjes en stroompjes. En daarachter, als een kolos met zijn benen wijd uiteen, zijn mond wijd open, stralend van duivels plezier... *Keith.*

Hij hield Neil bij een pols vast, hield het dunne armpje met gemak in een boosaardige greep, en het kleine lichaampje kronkelde en vocht om los te komen, maar alleen zijn tenen raakten af en toe de grond.

'Laat hem los,' riep ik. Van trots was geen sprake meer, ik was bereid hem te smeken, ik was bereid voor dat beest in het stof te kruipen.

'Kom maar halen, anders verbrand ik hem.'

Naast Keith, in een hoge, decoratieve, gietijzeren houder, stond een toorts met een lang handvat en een naakte vlam, zo'n toorts die gebruikt werd als feestverlichting bij barbecues, die werd meegedragen in processies, en waar huizen van mensen die anders denken dan anderen mee in brand werden gestoken; Neil aan de ene kant, de toorts aan de andere. In het midden hield Keith een plastic jerrycan zonder dop erop.

'Het is benzine, papa,' riep Alan naast mij. 'Hij goot het zo op de grond en stak het aan. We dachten dat hij ons misschien wel zou verbranden... en toen zijn we weggerend, maar hij greep Neil... laat hem Neil niet verbranden, papa.'

'Terug,' schreeuwde ik tegen hem, buiten zinnen, en hij aarzelde en bleef staan, tranen op zijn wangen.

Ik rende op Keith af, op zijn verschrikkelijke grijns af, op mijn doodsbange zoontje af. Ik rende op het vuur af, rende zo hard als ik kon, rende uit instinct.

Als Keith ergens vanaf wil, verbrandt hij het...

Ik zou hem omverlopen, dacht ik. Ik zou hem tegen de grond lopen, onder de voet, ik zou me bovenop hem storten. Hij zou meegaan waar ik ook heen ging... waar ik ook heen ging.

Een regelrechte bestorming had hij niet verwacht. Hij deinsde achteruit en leek al een stuk minder zeker van zijn zaak, maar Neil gilde gewoon door. Een mens, realiseerde ik me later, doet bijna krankzinnige dingen om zijn kinderen te verdedigen.

Op dat moment was ik me alleen bewust van vlammen, van woede, van de rauwe geur van benzine, van een helder zicht op wat de uitkomst zou zijn.

Hij zou de jerrycan met benzine in mijn richting werpen en de toorts erachteraan, en om dat te kunnen doen moest hij... *moest* hij Neil loslaten. Ik zou hem wegduwen, bij Neil vandaan, en Neil zou het overleven, Neil zou veilig zijn.

Zes passen bij hem vandaan, ik rende nog steeds op hem af, gaf ik ineens alle hoop dat ik niet zou verbranden op. Maar Keith zou ook verbranden... doodbranden... daar zou ik voor zorgen.

Een kleine donkere figuur dook opeens tussen ons op als een kabouter uit het niets, een en al armen en benen, ongecoördineerd maar razendsnel. Hij knalde op Keith en haalde hem uit zijn evenwicht, en Keith begon te draaien en te zwaaien en viel bijna achterover.

Toby... *Toby.*

Keith liet Neil los. In een vlaag duwde ik mijn zoontje bij hem vandaan. De benzine gutste uit de jerrycan en over de benen van Keith in een glinsterende stroom. Hij wankelde en probeerde de brandstof te ontwijken, en kiepte de houder met de toorts omver. De houder begon te zwaaien, één keer naar achteren, één keer naar voren en toen viel hij achterover. De vlam viel in een dodelijke boog.

Ik sprong naar voren, pakte Toby op met mijn rechterarm, nam Neil aan de linker, tilde ze allebei van de grond en draaide me in één beweging om naar de uitgang.

Achter onze ruggen klonk opeens een gesuis en een stroom van hitte en knetterend vuur barstte los. Het was of de lucht in brand stond. In een fractie van een seconde keek ik over mijn schouder en zag Keith met zijn mond open alsof hij deze keer echt zou gaan gillen, hij leek diep adem te halen om in een waanzinnig krijsen uit te barsten, maar het vuur kolkte zijn open mond in alsof het werd aangetrokken door balgen in zijn longen en er kwam geen geluid uit, hij greep alleen naar zijn borst, sperde zijn ogen open tot ik overal oogwit zag en viel toen met zijn gezicht in een bal van vuur.

De achterkant van mijn eigen shirt schroeide van nek tot middel en het haar van Toby brandde. Ik rende met de jongens half in mijn armen, rende ver genoeg het gangpad door en struikelde en viel, ik liet Neil los, rolde op mijn rug en wreef met mijn handen over het haar van Tony.

Radeloze momenten. Neil stonk naar benzine, Toby ook, en er brandden overal vuurtjes, een doolhof van vlammen lag tussen ons en de uitgang.

Ik lag even op adem te komen, probeerde mijn krachten te verzamelen en legde een arm om Neil heen, die huilde. Ik deed mijn uiterste best Toby gerust te stellen. En toen, ver van boven, daalde een gezegende nevel, een motregen van fijne druppeltjes op ons neer, verkoelend water, leven-gevend, en het water spuwde en siste in de vlammen, die meteen begonnen te doven en de lompe vorm van Keith veranderden in een rokend kadaver.

Toby leunde op mijn borst en staarde in mijn gezicht alsof hij het niet aandurfde om een andere kant op te kijken.

'Hij wilde je in brand steken, hè, papa?'

'Ja, dat was hij van plan, ja.'

'Dat dacht ik al.'

'Waar kwam jij vandaan?' vroeg ik.

'Uit de eetkamer, waar we geluncht hebben. Ik was me aan het verstoppen...' Zijn ogen stonden opengesperd. 'Ik was *bang*, papa.' Water druipte door zijn geschroeide haar en in zijn ogen.

'Dat zou iedereen geweest zijn.' Ik wreef mijn vuist over zijn rug, ik hield van hem. 'Jij hebt de moed van tienduizend helden.' Ik zocht wanhopig naar woorden. 'Niet veel jongens kunnen zeggen dat ze het leven van hun vader gered hebben.'

Ik zag dat het niet genoeg was. Er moest meer komen, iets dat hem een permanent gevoel van eigenwaarde kon geven, iets dat hem overeind kon houden, een niet aflatende bron van zelfvertrouwen.

Ik dacht aan zijn kleine gestalte die een onmogelijk doelwit te lijf was gegaan, met armen en benen die alle kanten op vlogen, maar hun doel bereikten.

'Zou je karate willen leren,' vroeg ik, 'als we weer thuis zijn?'

Zijn gespannen gezicht brak open in een schitterende glimlach. Hij veegde het druppelende water van zijn mond. 'O *ja*, papa,' zei hij.

Ik ging rechtop zitten, hield beiden tegen me aan gedrukt, en daar kwam Christopher opeens aanrennen, en de andere twee ook. Alle drie staarden ze over ons heen naar de geblakerde, onvoorstelbare verschrikking.

'Daar niet heen gaan,' zei ik, terwijl ik overeind krabbelde. 'Waar is kolonel Gardner?'

'Die konden we niet vinden,' zei Christopher.

'Maar... de sproeier?'

'Die heb ik aangedaan,' zei Christopher. 'Ik had Henry er al die labels op zien plakken, toen jij met de trein weg was. Ik wist waar de kraan was.'

'*Fantastisch*,' zei ik, maar geen woord kon uitdrukking geven aan wat ik wilde zeggen. 'Laten we hier nu maar snel weg wezen, het regent hier.'

Neil wilde gedragen worden. Ik pakte hem op en hij wond zijn armen om mijn nek en klampte zich stevig vast. Zo liepen we met zijn zessen doorweekt naar buiten.

Roger kwam net aanrijden in zijn jeep. Hij stapte uit en staarde ons aan.

We zullen wel een merkwaardig schouwspel hebben gevormd. Eén lange jongen en één klein jongetje die zich vastklampten, de andere drie er dicht omheen, allemaal drijfnat.

'Doe jij even snel die kraan uit,' zei ik tegen Christopher, en tegen Roger: 'We hebben brand gehad. Wat matten en vloerplanken die met benzine waren doordrenkt. Maar Henry had gelijk, het canvas heeft geen vlam gevat.'

'*Brand!*' Hij liep meteen naar de ingang om zelf te gaan kijken.

'Ik kan je maar beter waarschuwen,' zei ik. 'Keith ligt binnen. Hij is dood.'

Roger bleef even stilstaan en liep toen verder. Christopher kwam weer aanlopen en opeens, als op commando, begonnen de jongens en ik te bibberen, net zo goed van de schok en de angst, denk ik, als van het windje dat door onze natte kleren blies.

'In de auto,' zei ik, en ik wees naar de oude brik van Dart. 'Allemaal, jullie moeten eerst droog worden.'

'Maar papa...'

'Ik ga mee.'

Ze stapten allemaal in toen Roger met een bezorgd gezicht weer naar buiten kwam.

'Wat is er in godsnaam gebeurd?' vroeg hij dringend. 'Ik zal de politie moeten waarschuwen. Ga even mee naar kantoor.'

Ik schudde mijn hoofd. 'Eerst krijgen de jongens droge kleren. Ik wil niet dat ze een longontsteking krijgen. Ik kom terug.'

'Maar Lee...'

'Keith heeft geprobeerd de boel in brand te steken,' zei ik. 'Maar...'

'Maar,' maakte Roger de zin af, 'wie een kuil graaft voor een ander...'

Ik glimlachte flauw. 'Precies.'

Ik liep naar de auto van Dart en reed met de jongens naar de bus, waar iedereen, ik zelf nadrukkelijk incluis, een douche nam en droog ondergoed en droge kleren aantrok. Mijn geblokte overhemd, waarvan de achterkant verschroeid was alsof het met een te heet strijkijzer was behandeld, ging in de vuilnismand, niet in de zak met vuile was. Mijn rug voelde aan alsof ik te lang in de zon had gelegen: een eerstegraads geïrriteerdheid, meer niet. Wat een geluk, dacht ik, dat het overhemd van dikke, zuivere wol was geweest, niet van smeltend nylon.

Toen de jongens klaar waren bracht ik ze bij Mrs. Gardner en vroeg haar om ze op warme chocola en cake te trakteren, als ze dat tenminste had.

'Mijn *schatten*,' zei ze, en ze omhelsde ze één voor één, 'kom maar gauw binnen.'

'Laat ons niet alleen, papa,' zei Edward.

'Ik moet de kolonel spreken, maar ik blijf niet lang weg.'

'Mag ik ook mee?' vroeg Christopher.

Ik keek naar zijn lengte, luisterde naar de stem die al zwaarder werd en zag de man uit de jongen te voorschijn breken. Hij wilde zijn kinderjaren achter zich laten.

'Stap in,' zei ik, en intens tevreden reed hij het korte stukje terug met me mee.

'Toen jullie de tent binnengingen,' vroeg ik hem, 'wat zei Keith Stratton toen?'

'Wat een kerel!' Christopher huiverde. 'Het leek in het begin wel goed. Hij zei dat we gewoon naar binnen konden. Hij zei dat jij er zo aan kwam.'

'En toen?' drong ik aan, toen hij zweeg.

'Toen gingen wij naar binnen, en hij kwam achter ons aan. Hij zei dat we door moesten lopen, en dat deden we.'

'Ja.'

'En toen...' Hij aarzelde. 'Toen werd het heel *gek*, papa. Ik bedoel, hij pakte een jerrycan die daar stond, haalde de dop eraf en wij konden wel *ruiken* dat het benzine was. Toen zette hij die jerrycan weer neer en pakte die fakkel, en hij knipte zijn aansteker aan en die fakkel begon meteen te branden. Het was net zo'n film over de Ku Klux Klan.'

'Ja.'

'Hij goot benzine op de grond en streek daar met de fakkel overheen en het begon natuurlijk meteen te branden, maar dat was nog maar op één plaats.' Hij zweeg, hij zag het voor zich. 'We begonnen bang te worden, papa. Jij hebt altijd tegen ons gezegd dat we nooit met vuur bij benzine mochten komen en hij had een grote jerrycan benzine in de ene hand en die fakkel in de andere. Hij zei dat we verder de tent in moesten gaan en hij liep achter ons aan en maakte nog een vuurtje, en nog één, en een hele hoop en we werden echt bang, maar het enige dat hij zei was dat jij zo zou komen. "Je vader komt eraan." Hij maakte ons doodsbang, papa. Hij gedroeg zich niet als een volwassene. Hij was gewoon niet bij zijn *verstand.*'

'Nee.'

'Hij zei dat we nog verder naar binnen moesten, voorbij die houder die daar stond, en daar zette hij de fakkel in zodat die alleen nog maar *daar* brandde en hij er niet meer mee zwaaide, en dat was al een stuk beter, maar we vonden het nog steeds niet *leuk.* Maar hij zette de jerrycan ook neer, en toen keek hij alleen maar naar ons en *glimlachte,* en het was *afschuwelijk,* ik bedoel, ik kan het niet beschrijven.'

'Je doet het goed.'

'Ik stond helemaal stijf van angst, papa. We wilden allemaal weg daar. Toen schoot Alan opeens langs hem heen, en toen Edward, en ik ook, en hij schreeuwde naar ons en begon te rennen om ons tegen te houden maar wij doken voor hem weg en renden, we *stormden* echt weg... maar Toby kwam niet achter ons aan, en Neil begon te gillen... en toen kwam jij eraan.'

Ik parkeerde de auto naast de jeep van Roger. Daarnaast stond nog steeds de Jaguar van Keith, en daarachter zag ik een politiewagen.

'En verder zei hij niets?' vroeg ik.

'Nee, alleen iets over dat hij niet door *jou* gechanteerd wilde worden. Ik bedoel, het sloeg nergens op, jij zou nooit iemand chanteren.'

Ik glimlachte inwendig om zijn vertrouwen. Chantage hoefde niet altijd om geld te gaan.

'Nee,' zei ik. 'Maar evengoed moet je dat laatste maar niet verder vertellen, goed?'

'Nee, dat is goed, papa.'

Met een merkwaardig licht gevoel in mijn hoofd liep ik met Christopher naar het kantoortje en antwoordde op vragen van de politie dat ik geen idee had waarom Keith Stratton zich zo irrationeel gedragen had.

Het werd vrijdag voor ik Stratton Park verliet.

De hele woensdagmiddag antwoordde ik 'weet ik niet' op reeksen politievragen, en zegde toe dat ik braaf zou terugkeren zodra ze me nodig hadden bij het onderzoek.

Ik zei niets over mijn bestorming van Keith, dat was te waanzinnig. Ik zei ook niets over Neil.

Toen ik ernaar gevraagd werd, zei ik dat ik geen brandblusser gebruikt had om te proberen Keith het leven te redden, omdat ik er geen vinden kon.

'Vier stuks lagen verstopt achter de bar,' zei Roger tegen mij.

'Wie had ze daar neergelegd?' vroeg de politie.

'Weet ik niet,' antwoordde ik.

Christopher vertelde de sterke arm dat Keith 'getikt' was. Ze hoorden hem beleefd aan en besloten dat hij te jong was om te worden opgeroepen als getuige in het vooronderzoek, en bovendien was hij er op het moment dat het gebeurde ook niet bij geweest.

De pers kwam, nam foto's, stelde vragen en kreeg dezelfde antwoorden.

Een politieagente vroeg later in mijn bijzijn, bij de Gardners thuis, aan de jongsten wat ze gezien hadden, maar zoals dat gaat met kinderen als vreemden vragen stellen, gingen hun monden stijf dicht en hun ogen wijd open. Ze brachten zelf niets naar voren en antwoordden voornamelijk met knikken. Ja–knik–er hadden vuurtjes gebrand in de tent. Ja–knik–Keith Stratton had ze aangestoken. Ja–knik–het haar van Toby was verschroeid. Ja–knik–Christopher had de sproei-installatie aangezet, en ja–knik–hun vader had goed op hen gepast.

De familie Morris, bedacht ik op een gegeven moment ironisch, deed voor de Strattons niet onder waar het om geheimhouding ging.

Die donderdag liet ik de hechtingen uit mijn grotendeels genezen wonden halen en liet Toby en mijzelf door Dart naar Swindon rijden om te kijken wat Penelope kon maken van het verbrande kapsel van mijn zoon.

Ik keek toe hoe ze geintjes met hem maakte, hem plaagde en met hem lachte. Ze waste de geur van brand uit zijn haar, knipte hem en borstelde en föhnde de korte bruine krullen die waren overgebleven. Ze gaf hem vertrouwen in zijn nieuwe uiterlijk en wist hem zowaar een stralende glimlach te ontfutselen.

De hele tijd vroeg ik me af waar en hoe ik haar in bed kon krijgen.

Perdita kwam de trap af en gedroeg zich als een hen die haar kuiken verdedigt tegen roofdieren, alsof ze mijn gedachten kon lezen.

'Ik heb je te veel verteld, dinsdag,' zei ze enigszins ongerust.

'Ik zal niks verklappen.'

'En Keith Stratton is dood!'

'Heel triest,' beaamde ik.

Ze moest lachen. 'Je bent een schavuit. Heb jij hem vermoord?'

'In zekere zin.' Met hulp van mijn zoontje van twaalf, dacht ik, of hij het besefte of niet. 'Zelfverdediging, zou je kunnen zeggen.'

Haar ogen glimlachten, maar haar stem klonk nuchter. Ze gebruikte slechts één woord om haar mening te geven. *'Mooi.'*

Penelope was klaar met Toby. Ik betaalde haar. Ze bedankte me. Ze had geen idee wat ik voor haar voelde en reageerde verder ook op geen enkele manier. Ik was de vader van zes jongens, bijna twee keer zo oud als zij. Perdita, die alles zag, klopte me op de schouder. Ik kuste de wang van de moeder en raakte nog steeds buiten zinnen van de dochter, maar vertrok met Toby. Ik voelde me leeg en oud.

Dart bracht Toby terug bij zijn broertjes, bij de Gardners, en reed mij bereidwillig naar Marjorie.

De bediende stond kaarsrecht in de deuropening, liet ons binnen en kondigde ons aan. Marjorie zat weer op haar troon. De verbrijzelde spiegel was weg, de stoelen met kapotte bekleding ontbraken. Het schot van Rebecca had geen blijvende sporen nagelaten.

'Ik ben gekomen om afscheid te nemen,' zei ik.

'Maar je komt weer terug naar Stratton Park.'

'Ik denk het niet.'

'Maar we hebben je nodig!'

Ik schudde mijn hoofd. 'Jullie hebben een geweldige manager aan kolonel Gardner. Bij de volgende wedstrijden zullen jullie, dankzij de publicitaire flair van Oliver Wells, opnieuw records gaan breken in aantallen toeschouwers. Jullie gaan opdracht geven tot de bouw van voortreffelijke nieuwe tribunes – waar ik *wel* toe bereid ben, als jullie dat willen, is checken of bureaus die ontwerpvoorstellen indienen, solide en betrouwbaar zijn. En verder, wat jullie familie betreft, jij hebt de touwtjes nu steviger in handen dan ooit. Je hebt Keith er niet meer bij, dus je hoeft hem ook niet meer in bedwang te houden. Je hebt Rebecca onder de duim, die zo graag de renbaan wilde runnen – en dat nog steeds wel zal willen, maar ze heeft zichzelf hopeloos in de vingers gesneden, want zelfs als jij je hebt teruggetrokken kunnen Conrad en Dart haar nog altijd chantage en poging tot moord aanwrijven, en dat lijkt me voldoende om haar bij vergaderingen de mond te snoeren.'

Marjorie luisterde en kwam met haar eigen oplossing.

'Ik wil dat jij directeur wordt,' zei ze. 'Conrad en Ivan en ik stemmen voor. Unaniem besluit van het bestuur.'

'Bravo, bravo,' zei Dart tevreden.

'Jullie hebben mij niet nodig,' protesteerde ik.

'Dat hebben we wel.'

Ik wilde me losmaken van de Strattons. Ik had geen zin om op welke manier dan ook in de sporen van mijn niet-grootvader te treden. Over zijn graf heen hadden zijn invloed en zijn aanpak me in een web van dubbelhartigheid gezogen, en drie keer in één week had zijn familie me bijna het leven gekost. Ik had mijn schuld aan hem afbetaald, vond ik. Nu hoefde ik alleen nog maar vrij te zijn.

En toch...

'Ik zal erover nadenken,' zei ik.

Marjorie knikte tevreden. 'Met jou aan het hoofd,' zei ze, 'zal de renbaan weer bloeien.'

'Ik moet met Conrad praten,' zei ik.

Hij was alleen in zijn heilige der heiligen, hij zat achter zijn bureau.

Ik had Dart weer buiten in zijn auto laten zitten, met een blad over kaalheid. Deze keer hoefde hij niet voor uitkijk te spelen.

'Met dit Amerikaanse systeem,' had hij nog gezegd, verdiept in foto's voor en na de behandeling, 'zou ik me nooit meer zorgen hoeven maken. Je kunt ermee zwemmen, duiken zelfs – je nieuwe haar is gewoon een deel van je. Maar ik zou wel elke zes weken tot twee maanden naar Amerika moeten om het bij te houden.'

'Dat kun jij je wel veroorloven,' had ik gezegd.

'Ja, maar...'

'Doe het nou maar.'

Hij had aanmoediging nodig. 'Vind je dat echt?'

'Volgens mij moet je meteen je eerste vlucht boeken.'

'Ja. *Ja.* Nou, ja, ik *doe* het.'

Conrad stond op toen ik binnenkwam. De deur van zijn kast zat weer dicht, maar op het tapijt stonden overal dozen, met de inhoud ernaast of weer teruggepropt.

Hij bood me geen hand. Hij leek zich ongemakkelijk te voelen, net als ik.

'Marjorie heeft gebeld,' zei hij. 'Ze zegt dat ze jou in het bestuur wil hebben. Ze zegt dat ik je moet overtuigen.'

'Wat jij zelf wilt lijkt me belangrijker.'

'Ik weet het niet...'

'Nee. Nou, daar ben ik ook niet voor gekomen. Ik ben hier om terug te brengen wat ik gisteren gestolen heb.'

'Gisteren nog maar! Er is zoveel gebeurd.'

Ik legde de grote bruine envelop waar 'Conrad' op stond op zijn bureau. Hij pakte hem op en keek naar het plakband waarmee ik hem had dichtgeplakt.

'Zoals ik al gezegd heb,' zei ik, 'ik heb erin gekeken. Keith wist dat ik zou kijken. Ik denk dat hij de gedachte dat ik zou gebruiken wat ik aan de weet was gekomen niet kon verdragen. Ik geef toe dat ik blij ben dat dat niet meer nodig is, aangezien hij dood is, maar ik *had* het gedaan, dat kun je maar beter weten ook. Ik zal Marjorie niet vertellen wat hierin zit – het is duidelijk dat ze het niet weet – en ik zal het ook nooit aan iemand anders vertellen.'

'Ik wil hem niet openmaken,' zei Conrad, en hij legde de envelop weer neer.

'Ik kan ook niet zeggen dat dat beter zou zijn.'

'Maar je denkt het wel.'

'Keith zou hem verbrand hebben,' zei ik.

'Verbrand.' Hij huiverde. 'Wat een dood!'

'Hoe dan ook,' zei ik, 'deze informatie hoort hier, wat je er ook mee doet. Je vader vond dat jij erover moest beschikken. Dus,' ik zuchtte, 'lees het of verbrand het, maar laat het niet rondslingeren.' Ik zweeg. 'Ik wil me nog een keer verontschuldigen voor mijn inbraak hier. Ik ga morgenvroeg weg. Het spijt me allemaal.' Ik maakte een vaag gebaar om me heen.

Ik draaide me berouwvol om en liep naar de deur.

'Wacht,' zei Conrad.

Op de drempel bleef ik staan.

'Ik moet weten wat jij weet.' Hij keek terneergeslagen. 'Hij was mijn tweelingbroer. Ik weet dat hij mij benijdde... Ik weet dat het niet eerlijk was dat ik zoveel had alleen omdat ik vijfentwintig minuten ouder was, ik weet dat hij gewelddadig en wreed was, en vaak gevaarlijk, ik weet dat hij jouw moeder en al zijn vrouwen geslagen heeft. Ik weet dat hij die zigeuner van Hannah bijna vermoord heeft. Ik heb gezien dat hij je vreselijk schopte... Dat weet ik en nog veel meer, maar hij was mijn broer, mijn *tweelingbroer.*'

'Ja.'

Wat hun fouten en gebreken ook mochten zijn, de Strattons hadden hun eigen onverwoestbare loyaliteit. Het was een familie die de rijen sloot voor de buitenwereld, hoe hevig ze onderling ook overhoop lagen.

Conrad pakte de envelop weer op en scheurde hem open.

Hij herlas de eerste brief en trok er toen de tweede brief en de witte envelop uit.

'Vergeet nooit,' prevelde hij al lezend, 'dat Keith altijd liegt...'

Hij haalde de vijf opgevouwen velletjes uit de witte envelop en las het bovenste, nog een kort berichtje van zijn vader.

Dat luidde:

'Die leugen van Keith heeft me een hoop geld gekost, wat ik zelf, te goed van vertrouwen, aan Keith gegeven heb. Het duurde vele jaren voor ik begon te vermoeden dat hij me bestolen had. Een detail, vergeleken met de waarheid.'

Conrad legde het briefje neer en keek op het volgende vel, weer een brief, maar deze was getypt.

'Van een laboratorium?' zei Conrad. 'Wat is dit?'

Hij las de brief, die gericht was aan zijn vader en twee jaar eerder gedateerd.

Het kwam erop neer dat het laboratorium de gewenste analyses had verricht. De gedetailleerde resultaten van elke afzonderlijke analyse waren aangehecht, maar samengevat luidden ze als volgt:

'U hebt ons drie haren gestuurd, gelabeld "A", "B" en "C".

De resultaten van DNA-analyse zijn:

"A" is bijna zeker de ouder van "B"

en

"A" en "B" zijn de ouders van "C".'

Conrad keek op. 'Wat heeft dat te betekenen?'

'Dat betekent dat er geen zigeuner geweest is. Keith had hem verzonnen.'

'Maar...'

'Het betekent dat Keith de vader van Jack was.'

Conrad ging zitten. Hij was bleek weggetrokken.

'Ik geloof het niet,' bracht hij uit. 'Dat kan niet. Het is niet waar.'

'Jack lijkt niet op een zigeuner,' zei ik. 'Hij lijkt op Keith.'

'O mijn God...'

'Hannah heeft het niet op het zigeunerverhaal. Zij houdt Jack voor dat zijn vader een buitenlandse aristocraat was die door het schandaal geruïneerd zou zijn. Afgezien van dat buitenlandse klopt het nog min of meer ook.'

'Hannah!' Hij keek nog wanhopiger. 'Wat ga je met *haar* doen?'

'Niets,' zei ik, verbaasd over zijn vraag. 'Nu Keith dood is, hoef ik niet te gebruiken wat ik weet. Hannah hoeft niet bang te zijn dat ik het ooit zal laten uitlekken.'

'Maar ze is je te lijf gegaan!'

Ik zuchtte. 'Ze is altijd het kind van de rekening geweest, of niet? Ze is verwekt tijdens een verkrachting, verlaten door haar moeder en zwanger gemaakt door haar vader. Ze werd afgewezen door jongemannen en haar grootvader hield niet van haar, maar wat voor jongen het ook wezen mag, ze heeft Jack, haar zoon. Dat wil ik voor haar niet verpesten. Net zoals Keith jouw tweelingbroer was is Hannah, of ik dat leuk vind of niet, mijn halfzuster. Laat haar met rust.'

Conrad bleef een hele tijd roerloos zitten, schoof de brieven van zijn vader en de verslagen van het laboratoriumonderzoek in de grote bruine envelop en stak mij het pakje toe.

'Hier, neem mee,' zei hij kortaf, 'en verbrand het.'

'Goed.'

Ik kwam terug naar het bureau, pakte de envelop aan en liep weer naar de deur.

'Kom in het bestuur,' zei Conrad. 'Marjorie heeft gelijk, zoals gewoonlijk. We zullen je nodig hebben.'

De jongens en Mrs. Gardner namen minstens zo uitvoerig afscheid als Romeo en Juliet, met talloze beloften om elkaar weer te zien. Roger en ik waren minder uitbundig, maar zagen er toch naar uit om in de toekomst samen te werken. 'Er is zoveel te doen,' zei Roger.

Dart trok een agenda. Hij zou komen logeren, zei hij, *nadat* hij in Amerika was geweest. Hij had al geboekt.

De jongens klommen aan boord en wuifden als gekken door de raampjes, en ik reed het hele stel weer terug naar de vredige grensstreek van Surrey en Sussex.

'Hebben jullie het leuk gehad, schatjes?' vroeg Amanda terwijl ze de kinderen in haar armen sloot. 'Wat hebben jullie gedaan terwijl je vader bezig was de kranten te halen?'

Ze staarden haar aan. Stukje bij beetje zouden ze het haar ongetwijfeld vertellen, maar op dat moment waren ze met stomheid geslagen.

Neil zei uiteindelijk, heel ernstig: 'We hebben hele lekkere vruchtentaarten gebakken.'

'De telefoon hier heeft non-stop staan rinkelen,' hield Amanda me bestraffend voor. Ze nam me zonder veel blijk van bezorgdheid op. 'Alles goed met jou, neem ik aan?'

'Ja,' zei ik. 'Prima.'

'Mooi.'

Ze nam de kinderen mee naar binnen. Ik bleef bij de bus staan terwijl de motor afkoelde en klom even later in de eik.

Andere bomen mochten dan bladeren krijgen, de eik aarzelde zoals gewoonlijk en wedijverde met de es wie als laatste groen zou worden. Ik nestelde me tussen de takken, voelde de laatste pijntjes in mijn lichaam en ging languit liggen uitrusten en nadenken.

Na een poosje kwam Amanda naar buiten. Ze liep recht op de boom af.

'Wat doe jij daar?' wilde ze weten.

'Ik zit na te denken.'

'Kom beneden. Ik wil met je praten.'

Ik klauterde uit de boom, al wilde ik het liever niet horen.

'Ik was bang dat ik zou terugkeren in een leeg huis,' zei ik. 'Bang dat jij en Jamie er misschien vandoor waren gegaan.'

Ze keek me aan met grote ogen. 'Jij weet altijd veel te veel, weet je dat?'

'Ik was bang dat je iemand anders ontmoet had.'

'Dat heb ik ook.'

Het kwam er niet echt uitdagend uit, maar ze had al bedacht wat ze wilde zeggen. Ze zag er nog steeds verrukkelijk uit. Was het allemaal maar anders gelopen.

'Ik heb besloten,' zei ze, 'dat een formele scheiding van jou niet goed zou zijn voor de kinderen. Bovendien...' Ze aarzelde even, maar raapte al haar moed bij elkaar: 'Bovendien is hij getrouwd, en denkt precies zo over zijn eigen gezin. Dus we zullen elkaar vaak zien. Aan jou de keus, Lee.'

Ze wachtte.

Christopher, Toby, Edward, Alan, Neil en Jamie. Zes redenen.

'Goed,' zei ik.

Ze bezegelde onze afspraak met een knikje en ging weer naar binnen.

Toen het bedtijd was ging ze een uur eerder naar boven dan ik, zoals gewoonlijk, maar toen ik ook boven kwam was ze nu eens een keer klaarwakker.

'Heb je nog een ruïne gevonden?' vroeg ze, terwijl ik me uitkleedde.

'Nee. Ik ga kijken als de jongens weer naar school zijn. Ik blijf een poosje weg.'

'Goed.'

Het was niet goed. Het was verschrikkelijk.

In plaats van de gebruikelijke anderhalve meter bij haar vandaan te gaan liggen, liep ik om het bed heen naar haar kant en ging naast haar liggen; en ik bedreef de liefde met Penelope in Amanda, in een mengelmoes van lust, ontbering, honger, hartstocht en penetratie, een wilde, ruige paring, anders dan we ooit in ons huwelijk gekend hadden.

Na een korte tegenwerping ging ze erin mee met iets van haar oorspronkelijke bezieling, na afloop ging ze apart van me liggen, weer gescheiden, zonder enig verwijt maar met een krul in haar lippen, een geheimzinnige glimlach, als van een poes met een schoteltje room.

Twee maanden later zei ze: 'Ik ben zwanger. Wist je dat?'

'Ik vroeg het me al af,' zei ik. Ik vermande me voor de hamvraag. 'Is het van mij... of van *hem*?'

'O, van jou,' zei ze overtuigd. 'Hij kan me geen kind geven. Hij is al te lang geleden gesteriliseerd.'

'O.'

'Misschien is het wel een meisje,' zei Amanda koel. 'Jij wilde altijd een dochter hebben.'

Toen de tijd daar was schonk ze in vervoering het leven aan haar zevende kind.

Een jongetje.

Ik vond het best.